CURA VIBRACIONAL ATRAVÉS DOS CHAKRAS

Joy Gardner

CURA VIBRACIONAL ATRAVÉS DOS CHAKRAS

COM LUZ, COR, SOM, CRISTAIS E AROMATERAPIA

Tradução:

GILSON CÉSAR CARDOSO DE SOUSA

EDITORA PENSAMENTO
São Paulo

Título original: *Vibrational Healing through the Chakras.*

3ª Edição 2012

Publicado mediante acordo com Writers House, LLC e Crossing Press, Berkeley, Califórnia, USA.

Nota para o leitor

Os nomes dos clientes mencionados neste livro foram mudados para proteger a privacidade de cada um. Na maioria dos casos, os lugares e fatos específicos relatados sobre esses clientes foram mudados e, em alguns exemplos, as histórias dos clientes são a combinação de dois ou mais indivíduos. Todos os fatos são verdadeiros e comprovados.

Os remédios e as técnicas descritos neste livro são dados apenas como informação e não podem ser usados sem prescrição médica. Eles não foram testados com uma ampla amostra de indivíduos ou cientificamente estabelecidos. Portanto, nem o autor nem o editor se responsabilizam pelos efeitos que o uso dos remédios e técnicas possam causar.

Dados Internacionais de Catalogação na Publicação (CIP)
(Câmara Brasileira do Livro, SP, Brasil)

Gardner, Joy
Cura vibracional através dos chakras : com luz, cor, som, cristais e aromaterapia / Joy Gardner ; tradução Gilson César Cardoso de Sousa. — São Paulo : Cultrix, 2007.

Título original: Vibrational healing through the chakras.
Bibliografia.
ISBN 978-85-316-1501-9

1. Chacras 2. Cuidados pessoais com a saúde 3. Cura I. Título.

07-5476 CDD-615.85

Índices para catálogo sistemático:

1. Chacras : Cura vibracional : Terapias alternativas 615.85

Direitos de tradução para o Brasil
adquiridos com exclusividade pela
EDITORA PENSAMENTO-CULTRIX LTDA.
Rua Dr. Mário Vicente, 368 — 04270-000 — São Paulo, SP
Fone: (11) 2066-9000 — Fax: (11) 2066-9008
E-mail: atendimento@editorapensamento.com.br
http://www.editorapensamento.com.br
que se reserva a propriedade literária desta tradução.
Foi feito o depósito legal.

Dedicatória

Aos meus amados mentores,
Elisabeth Kübler-Ross (1926—2004)
e *Kumu Hula Raylene Ha'alelea Kawaiae'a.*
O que vocês me deram é grande demais para poder ser descrito.

SUMÁRIO

Parte 2

Luz, Cor e Freqüências

Parte 3

A Cura pela Cor (Cromoterapia)

Parte 4
A Cura pela Voz

Parte 5
Cura pela Aromaterapia

Parte 6
A Cura pelos Cristais

INVOCAÇÃO E GRATIDÃO

Pai Celestial, Mãe Terrena, aqueles de vós que viveis nos Reinos Vegetal, Animal e Mineral, amados Anjos e Elementais, e meus próprios Eus Superior, Médio e Inferior, obrigada por me assistirdes em tudo o que faço. Abençoai este livro e seus leitores.

Agradeço aos meus clientes e alunos, particularmente aqueles que se mostraram receptivos às minhas primeiras explorações de territórios não-mapeados. Sua fé em mim e suas idéias me foram inestimáveis.

Agradeço ao meu querido amigo, Jonathan Mather, por me ajudar a dialogar e a me sintonizar com o Espectro das Freqüências Biológicas. Karen McDaniel, *mahalo* por seu amável apoio editorial e sua dedicação ao longo de todo o processo de criação do livro. Angela Rosa, obrigada por sua valiosa ajuda na seção de aromaterapia. Marya Grosse, obrigada pela leitura do manuscrito e sugestões.

Sou grata à dra. Valerie Hunt e a Bruce Tainio pelas pesquisas inovadoras. Minha gratidão especial à equipe altamente competente e solidária da Crossing/Ten Speed Press, inclusive Jo Ann Deck, Carrie Rodrigues e Judith Dunham.

A meus leitores: sem vocês, este livro não seria possível.

A todos os meus amigos,

A Hui Hou!

INTRODUÇÃO

Cada criança tem, ao nascer, um Vaso de Luz perfeita. Se alimentada, essa Luz crescerá em força e a criança poderá fazer tudo o que quiser — nadar com os tubarões, voar com os pássaros, saber e compreender todas as coisas. Mas se a criança se tornar invejosa, derrubará uma pedra no Vaso de Luz e um pouco dessa Luz se derramará. Luz e pedra não podem ocupar o mesmo espaço. Se a criança continuar a jogar pedras no Vaso, a Luz se dispersará e a própria criança se transformará em pedra. Esta não cresce, não se move. Se em algum momento ela se cansar de ser uma pedra, tudo o que precisará fazer será emborcar o Vaso: as pedras rolarão e a Luz crescerá de novo.

— *Tales from the Night Rainbow*[1]

Todos somos vibrações. Existe uma freqüência harmônica com a qual toda forma de vida está sintonizada. O corpo humano é constituído de freqüências que formam um conjunto simétrico e equilibrado quando a pessoa é saudável. As vibrações do corpo saem facilmente de sintonia quando a pessoa sente stress físico ou emocional. A cura vibracional emprega instru-

mentos vibracionais para ajudar o corpo a lembrar-se de sua própria ressonância harmônica saudável. Quando o corpo está em equilíbrio, consegue se defender de organismos prejudiciais.

Existem inúmeros instrumentos vibratórios. Os que uso e discuto, em primeiro lugar, neste livro, incluem luz e cor (cromoterapia), cristais, aromaterapia e som. Outros instrumentos vibratórios não-abordados aqui são remédios florais, elixires de gemas e homeopatia. Você encontrará, no final do volume, um glossário com as definições desses termos e outras palavras incomuns que irão aparecer nas páginas seguintes.

É difícil conceber exatamente como uma energia curativa atua. Existem várias teorias e eu vou apresentar as que me parecem mais aceitáveis, com base em minha própria experiência.

Nestes tempos atarefados, poucas pessoas conseguem ler um livro da primeira à última página. *Cura Vibracional Através dos Chakras* é dividido em partes, cada uma completa em si mesma. Você poderá consultar o sumário para descobrir os assuntos que atendem às suas áreas de interesse.

Chakra é um termo sânscrito que significa "roda" ou "turbilhão". Os chakras são centros não-físicos de energia rodopiante, localizados no campo energético da espinha e outras partes do corpo. O campo energético humano, ou aura, é o reflexo das freqüências combinadas dos chakras.

Muitas doenças se devem a bloqueios nos canais, que incluem os meridianos da acupuntura, nervos, artérias e veias. Quando há obstrução de algum desses canais, ocorrem inflamação, irritação e doenças. As energias vibratórias que emanam da cor, dos cristais, da aromaterapia, da luz e do som podem romper esses bloqueios, liberar a energia e fazer com que ela flua livremente.

Quando uso esses recursos, combino-os com várias modalidades que permitem ao meu cliente alcançar uma compreensão mais profunda da causa de sua doença. Às vezes, levo-o de volta à infância ou às experiências pré-natais, quando não a vidas passadas, a fim de explorar as origens de sua doença. Ajudo-o a externar emoções que havia reprimido. Induzo-o a examinar crenças disfuncionais renitentes, formadas em tenra idade, e que ainda subsistem em seu subconsciente. Num próximo livro, descreverei esse trabalho com crenças arraigadas, causas subjacentes e regressão a vidas passadas.

Experiências com fotografia kirlian (ver Glossário) indicam que a doença pode ser constatada nos chakras *antes* de se manifestar como problema físico. Isso significa que um praticante bem-treinado consegue detectar desequilíbrios energéticos — e corrigi-los — antes que se manifestem como doença física. Isso se faz melhor com visitas periódicas, de preferência quatro vezes por ano, e quando a pessoa apresenta acentuado nível de stress.

Em 1989, a cientista Valerie Hunt declarou em seu livro *Infinite Mind, Science of the Human Vibrations of Consciousness*, "No futuro, talvez seja possível diagnosticar distúrbios de campo e tratá-los meses ou mesmo anos antes que se manifestem nos tecidos físicos".[2] Esse futuro é agora.

Quando os chakras se reequilibram, o corpo retoma sua ressonância harmônica natural e a doença não se manifesta — ou, se já está presente, os sintomas desaparecem e quase nunca voltam porque a causa do desequilíbrio foi removida.

Este livro explica como usar o sistema dos chakras para detectar desequilíbrios e como recorrer às freqüências de luz, cor, som, cristais e aromaterapia, que percorrem os chakras, para restaurar a harmonia do corpo, da mente, das emoções e do espírito. O livro trata da história, ciência e usos tradicionais da Cura Vibracional em diversas culturas. Descreve também meus métodos de Diagnose pelos Chakras e Alinhamento Vibracional®. E introduz o meu novo Espectro de Freqüências Biológicas que atribui valores numéricos específicos às freqüências de cor, luz, sons, alimentos, ervas e óleos essenciais.

Os instrumentos vibratórios podem ser empregados independentemente ou em conjunto com outras formas de trabalho energético e corporal, tanto quanto com a medicina tradicional, inclusive psiquiatria, psicologia e odontologia. Este livro é para as pessoas que desejam usar a Cura Vibracional em benefício da própria saúde ou tornar-se praticantes dessa arte terapêutica. É para principiantes e profissionais. Você descobrirá que, quando combina instrumentos vibratórios com outras formas de cura, o trabalho se torna mais produtivo e de duas a vinte vezes mais rápido.

Você pode livrar-se da dependência de drogas químicas e procedimentos cirúrgicos invasivos, que apresentam efeitos colaterais potencialmente danosos. Temos a sorte de dispor de um arsenal completo de artilharia pesada em medicina. Os médicos, com seus remédios e cirurgias, podem ser verdadeiros anjos de luz quando surgem situações desesperadas. Mas não há nenhuma justificativa em usar um punhal para remover um espinho: quase sempre, existem maneiras mais delicadas de restituir as freqüências ao equilíbrio e restaurar a saúde.

Hoje, em muitas partes da Europa, onde a medicina complementar é usada e apreciada há muito tempo, aromaterapeutas, herbalistas, parteiras e outros profissionais holísticos são muito respeitados e trabalham lado a lado com os médicos alopatas. Na Suíça, por exemplo, a homeopatia e a cinesiologia são cobertas por seguro médico. Nos Estados Unidos, porém, ainda se questionam muitas dessas artes terapêuticas.

Até o momento, a cura pelo cristal é tida como superstição, embora os cristais venham sendo usados no mundo inteiro em computadores, relógios, *lasers* e praticamente em todas as áreas da moderna tecnologia. O conceito de cura pela cor costuma ser visto com ceticismo, apesar do fato de muitas prisões adotarem a cor rosa em suas celas para acalmar os detentos e de muitos restaurantes usarem o laranja para atrair fregueses.

Mas os tempos estão mudando. Um artigo da *Newsweek* de 27 de setembro de 2004 informa que o governo federal gastará 16 milhões de dólares em pesquisa mente-corpo em 2005; fundações privadas despenderão muito mais. A acupuntura e a massagem são cobertas por alguns planos de seguro nos Estados Unidos, enquanto o Health Insurance Plan of New York, HIP USA, cobre as práticas mente-corpo. Há hospitais com setores para terapia de mente-corpo e as aulas de yoga estão se disseminando por toda parte. Artigos sobre aromaterapia vêm aparecendo em revistas femininas populares.

Segundo uma pesquisa recente do governo, cerca de metade dos norte-americanos recorreram a tratamentos mente-corpo em 2002.[3] O futuro acena com a promessa de uma autêntica medicina complementar.

Vibrações: Que são elas? Imaginamo-las como ondas. Estou sentada diante do oceano, numa ilha do Havaí. O tempo tem sido rigoroso, o vento agita as ondas. Estas são de formas variadas e magníficas.

Às vezes rolam para a praia numa linha alongada, quase diagonal à terra, e atacam, espatifando-se, o paredão de rocha vulcânica. Outras vezes, as extremidades se aproximam enquanto o centro recua, dissolvendo-se numa erupção de espuma. À minha direita, cerca de cem metros mar adentro, pequenas ondas se alteiam, quase perpendiculares à terra, como uma montanha-russa de pequenas ondulações.

Reconhecemos a existência de uma magnificente orquestração de sons e movimentos em todas as formas vivas (embora esses sons talvez sejam inaudíveis para nossa audição limitada e esses movimentos sejam imperceptíveis para nossa visão precária). No entanto, poucos de nós deixamos de nos impressionar com o espetáculo da quebra e estrondo das ondas contra os rochedos.

Aqui, do meu posto de observação, de onde vejo as ondas se enredarem num padrão insano de linhas paralelas, diagonais e perpendiculares, percebo uma organização sutil. É como se o Grande Maestro, apontando sua batuta, ordenasse a algumas ondas que se precipitassem, a outras que aguardassem antes de se despedaçar e a outras, enfim, que rolassem mansamente enquanto o primeiro grupo se afrontasse raivosamente contra os rochedos. Há aí uma estranha periodicidade, uma pulsação perfeita, um metrônomo ajustado que põe toda a vida em ordem, fazendo-a soar e parecer harmoniosa e agradável aos nossos olhos e ouvidos — mesmo em meio à mais terrível tempestade.

Reduzindo o macrocosmo ao microcosmo, você pode observar que o oceano de seus próprios corpos físico e energético apresenta pelo menos um número e uma variedade iguais de padrões vibratórios. Mas quão mais suscetíveis à ruptura são essas vibrações internas!

Comendo alimentos que provocam um motim em seu estômago e depois travando uma discussão enervante, você levanta ondas antagônicas que se chocam por todo o seu corpo num ritmo furioso, provocando um barulho surdo e retumbante que pode ser literalmente ouvido em sua barriga.

Sabemos que, quando se choca contra os rochedos, a água produz um som alto. E se alguma coisa impedisse a água de produzir rumor? Imagina você que a consciência dessa onda iria sentir-se frustrada e inibida até ficar livre de novo para fazer barulho?

Quando a pessoa sofre um choque profundo (como a morte de um ente querido), gera um padrão energético que praticamente exige expressar-se — como o murmúrio das mulheres navajo lamentando os maridos mortos em batalha.

A maioria das pessoas sufoca essas formas primitivas de auto-expressão. Mas o som ou a vibração que deveriam acompanhar o choque original permanecem escondidos dentro de nós, desorganizando o fluxo normal de energias pelos corpos físico e energético.

A Cura Vibracional, combinada com a Causa Subjacente e o Alívio Emocional, fornece o contexto e a oportunidade para expressar antigas emoções caladas e para liberar vibrações que talvez tenham evoluído para padrões doentios, permitindo, dessa forma, que os ritmos naturais do corpo voltem à sua freqüência harmônica saudável.

Você pode preservar os ritmos perfeitos que o Divino Maestro estabeleceu dentro do seu corpo — ou agir como o Grande Perturbador, quando não permite a outros que assumam esse papel.

Espero que a leitura deste livro o convença a adotar novas formas de pensamento sobre suas relações com a vida em geral; que você passe a ver a si mesmo como um ser vibrante em intercâmbio energético com o ambiente, dando e recebendo energia do espírito, da natureza e também de outras pessoas, animais e mesmo seres invisíveis.

Joy Gardner, Paia, Maui, Havaí

PREFÁCIO

Sou profissional de saúde desde 1970 e Terapeuta Vibracional desde 1985, com milhares de alunos e clientes nos Estados Unidos, Canadá, Europa e Austrália.

No início da década de 1970, trabalhei como herbalista e paramédica no setor feminino da Country Doctor Community Clinic de Seattle. A clínica patrocinou a publicação do meu primeiro livro, *Healing Yourself*, um dos primeiros herbários medicinais da América do Norte, nos tempos modernos.

Tive um cisto recorrente no ovário e, embora soubesse como fazê-lo encolher com ervas e jejum, queria uma solução permanente. A curadora inglesa rev. Helena Ram orientou-me numa série de jornadas espirituais em que encontrei meus Guias Espirituais, trabalhei com cores, inteirei-me de vidas passadas e visualizei-me dentro do meu corpo. Fiz-me pequenina, entrei nos meus ovários, conversei com eles e colhi idéias profundas sobre as causas emocionais do cisto.

À medida que Helena me ajudava a trazer à tona sentimentos que haviam sido reprimidos desde minha infância, fui sentindo uma profunda mudança. De repente, a doença já não era um inimigo a ser derrotado, esquartejado, queimado ou envenenado. Era um professor, um mensageiro da sabedoria. A doença era a ponta do *iceberg* que advertia para uma massa compacta de problemas não-resolvidos, abaixo da superfície da percepção consciente.

Após várias sessões, aprendi a guiar outros na Jornada Espiritual e tornei-me algo mais que uma terapeuta física. Ser capaz de ajudar meus clientes a descobrir a causa oculta de seus males era fascinante. Não havia duas pessoas iguais; cada jornada era única.

Continuando a explorar minhas esferas mais íntimas, atinei com uma enorme quantidade de queixas não-expressas. Criada por uma mãe afetada de distúrbio bipolar, aprendi desde cedo a reprimir as emoções e a fecharme em mim mesma, a fim de me proteger de suas tremendas mudanças de humor. Aos 13 anos, perdi meu único irmão, que sempre me defendia: ele se matou aos 19 anos. Eu não tinha a menor idéia de como chorar e expressar minha dor profunda. Mais tarde, aos vinte e poucos anos, entre os nascimentos de meus dois filhos, gerei uma menina que morreu no útero pouco antes do parto. De novo, sufoquei meus sentimentos. Abandonei meu marido e fui para o Canadá.

Em 1978, tive a oportunidade de assistir a uma palestra da psiquiatra suíça Elisabeth Kübler-Ross (1926—2004). Nos anos de 1970, os norte-americanos pareciam querer negar a morte e só raramente viam filmes ou programas de TV onde pessoas morriam. Aquela mulher pequenina, solitária e humilde contribuiu muito para ajudá-los a perder o medo da morte.

Compareci a dois de seus seminários de cinco dias, quando então consegui finalmente dar vazão à dor e ao sofrimento há tanto tempo reprimidos. Visitei depois a sede de Elisabeth, Shanti Nilaya, em Escondido, Califórnia, onde mergulhei em seu trabalho. Aprendi as técnicas de aconselhamento em casos de "morte e perdas" e levei-as para a Colúmbia Britânica. Ali, colaborei na fundação da Nelson and District Hospice Society e treinei voluntários, ministrando cursos sobre os temas da morte e das perdas.

Minha ânsia para explorar novos horizontes, como terapeuta, conduziu-me aos livros de Katrina Raphaell sobre cura pelo cristal. Quando li a respeito das energias amorosas presumivelmente contidas no quartzo rosa, perguntei-me se essa pedra não ajudaria minha cliente Theresa (nome fictício), que havia perdido o namorado num acidente de barco. O corpo nunca foi encontrado e o sofrimento de Theresa era intenso, interminável. Ela pensava que, um belo dia, talvez ele pudesse aparecer à porta. Theresa e eu fizemos grandes progressos em nossas sessões, mas ela não conseguia descontrair-se e chorar.

Comprei um pedaço grande de quartzo rosa e, quando Theresa veio para a nossa próxima sessão, arrisquei-me a perguntar-lhe se consentiria em deitar-se no divã e deixar que eu colocasse um pedaço grande de pedra rosada em seu peito. Ela concordou. E poucos segundos depois, vi maravilhada que lágrimas lhe corriam pelo rosto.

Depois disso, as pedras entraram definitivamente em minha vida. Encontrei duas pedras, azul e verde, chamadas azurita e malaquita. Quando colocada sobre a garganta, a azurita, azul, parecia estimular o aparelho vocal, fazendo com que os clientes falassem mais descontraidamente; e a malaquita, verde, sem dúvida os ajudava a entrar em contato com suas emoções. Uma pedra rósea raiada, chamada kunzita, funcionava bem para reduzir os bloqueios físicos e emocionais. Uma pedra cinzenta translúcida, o quartzo enfumaçado, parecia remover a negatividade do corpo e dos ambientes. Essas pedras logo se tornaram uma ferramenta indispensável em minha prática terapêutica.

Mais adiante contarei como os chakras, os sons e a aromaterapia entraram na minha vida, bem como a maneira pela qual passei a correlacionar os sons e os aromas com os chakras. Minha carreira como terapeuta do som deveu-se a um trabalho com Kübler-Ross, pois enfatizo os sons na tarefa de liberar emoções. Acredito que a entonação seja uma linguagem universal que vai além da função do lado esquerdo racional do cérebro e dá expressão emocional visceral direta à alma.

Meu primeiro livro sobre Cura Vibracional, *Color and Crystals — A Journey through the Chakras*, foi publicado em 1988, quando a palavra "chakra" era praticamente desconhecida nos Estados Unidos. Até agora, vendeu mais de cinqüenta mil exemplares. Seu sucesso inicial colocou-me numa posição de prestígio no campo da terapia com pedras preciosas. A popularidade dos livros de Shirley Maclaine durante os anos 80 gerou grande interesse por obras e cristais da Nova Era.

Entretanto, no começo dos anos 90, a fama de Shirley declinou rapidamente. Muitas livrarias do ramo metafísico e lojas de cristais fecharam as portas. Em poucos meses, meus seminários sobre a Cura pelo Cristal caíram de 75 participantes para apenas cinco. Eu precisava de uma nova carreira.

Desse modo, eu fiz um retiro de três dias, jejuando, orando e pedindo orientação. Foi nesse retiro que ouvi insistentemente a expressão "Cura Vibracional". Eu nunca tinha ouvido essa expressão antes. Não a ouvi, porém, com os meus ouvidos externos. Era mais como um pensamento que provinha de uma fonte exterior a mim mesma. Chamei a isso de "Orientação".

Até essa época, eu me considerava uma eclética empedernida. Tinha inúmeros interesses, muitas habilidades que não se coadunavam. Durante o meu jejum de três dias, quando ouvi a expressão Cura Vibracional, comecei a perceber que poderia transmitir o meu trabalho com os chakras, gemas, som, cor e aromaterapia englobando tudo isso no conceito de "Cura Vibracional".

A princípio, julguei que meu Seminário sobre Morte e Perdas fosse coisa à parte. Entretanto, quase todo o trabalho com esses temas envolve a liberação de emoções antigas, para que as pessoas possam viver por inteiro o momento atual. Quando trabalho com um cliente e percebo bloqueios nos chakras emocionais, costumo remover as pedras do seu corpo, peço-lhe que se levante e pegue uma mangueira de borracha para dar vazão à sua raiva — técnica que aprendi de Kübler-Ross. Uma vez liberadas a raiva e as lágrimas, nota-se imediatamente uma abertura, sobretudo no segundo, terceiro e quarto chakras emocionais.

Desse modo, meu Seminário sobre Morte e Perdas evoluiu para o de Alívio Emocional. Com três dias de jejum pude estruturar um novo programa constituído por uma série de oito seminários que incluía todos os trabalhos por mim empreendidos durante muitos anos.

Concluído o jejum, entrei numa livraria e deparei com o recém-lançado *Vibrational Medicine*,* do dr. Richard Gerber. Fiquei muito contente ao ver que o dr. Gerber empregava um termo parecido ao que eu aplicava no meu trabalho com as cores e as gemas nos chakras. Essa sincronia foi como que uma forte confirmação da minha nova orientação.

Em 1989, fundei e passei a dirigir o Vibrational Healing Program (ver Recursos). Em 1995, transferi os seminários para Big Island, no Havaí. Por muitos anos, ministrei o programa também na região de Columbus, Ohio.

Em outubro de 2004, nasceu meu neto Keanu. Em junho de 2005, fui morar com ele, meu filho e minha nora em Maui.

---

* *Medicina Vibracional*, publicado pela Editora Cultrix, São Paulo, 1992.

Parte I

CURA VIBRACIONAL E OS CHAKRAS

Uma autêntica compreensão da energia vibratória pode conduzir à mítica fonte da juventude. A segunda lei da termodinâmica estabelece que toda matéria passa da organização à desorganização e depois ao caos. Para os seres humanos, isso significa que, ao envelhecer, vamos nos tornando menos coesos no nível celular, até morrer.

No entanto, o bioquímico Ilya Prigogine (1917—2003), ganhador do Prêmio Nobel, descobriu que quando se introduz energia num campo qualquer, sua complexidade aumenta. Com a complexidade vem a ordem, não a entropia.[1] As ferramentas vibratórias da luz, cor, cristais, aromaterapia e som bombeiam energia para as células, gerando maior complexidade e aumentando, portanto, a longevidade.

A forma definitiva da Cura Vibracional é o convívio com a natureza; ali, você carrega o cérebro graças à luz que lhe entra pelos olhos (especialmente quando remove óculos de grau, óculos de sol e lentes de contato), aos sons que penetram em seus ouvidos e aos aromas que invadem suas narinas. É especialmente benéfico se você puder ficar em contato com formas ondulatórias naturais, como a água corrente e o vento.

Beber água é essencial para manter o equilíbrio eletromagnético. Os cinesiologistas (ver Glossário) não conseguem fazer uma leitura acurada quando a pessoa não bebeu água suficiente, pois a água ioniza os sais e cria as condições perfeitas para uma rápida condução dos impulsos nervosos.[2, 3] Portanto, nunca se esqueça de beber grandes quantidades de água pura.

No começo dos anos 70, a dra. Valerie Hunt ensinava neurofisiologia e psicologia na UCLA. Quando criança, ela teve uma experiência de quase-morte, o que talvez explique por que sua mentalidade era tão inusitadamente receptiva para uma professora da sua época. A dra. Hunt desenvolveu um método para medir o campo energético humano (ver "Ciência dos Chakras", p. 44) e descobriu que esse campo tende a expandir-se quando a pessoa está nas montanhas ou perto do mar. "Se o campo energético de uma pessoa é muito pequeno, pedimos para que ela nade numa piscina ou tome um banho frio, ou que caminhe descalça sobre a grama... Isso dilata seu campo energético e intensifica seus sentimentos..."[4]

Viver no Havaí, diante do oceano, permite-me gozar formas ondulatórias todos os dias. Mesmo quando eu era jovem, trabalhando como secretária no Lado Sul de Chicago, sempre dava um jeito de escapulir e caminhar pelas ruas nos intervalos do almoço e do café. Quando trabalhava no centro da cidade, ia até a fonte Buckingham e, enquanto comia meu lanche, ficava admirando a dança das águas coloridas.

No belo livro de Masaru Emoto, *The Message from Water*, esse pesquisador japonês mostra fotografias de padrões de cristais formados em gotas congeladas de água tirada de diferentes lugares. A maioria da água tirada de sítios naturais relativamente intocados forma curiosos desenhos cristalinos, enquanto a originária de cidades poluídas só produz padrões caóticos.

Mais notável ainda, os cristais de água parecem responder às emoções, palavras, música e óleos essenciais. Emoto expôs a água a canções *heavy metal*, que geraram desenhos explosivos, sem formações de cristal. Quando a água foi exposta às clássicas e altamente simétricas Variações Goldberg de Bach, produziu um magnífico cristal geométrico.

Emoto colocou um vaso de óleo essencial de camomila perto da água e esta se organizou em belíssimas reproduções cristalinas das flores dessa planta. O mesmo aconteceu com óleo de erva-doce.[5] A maioria dessas fotos pode ser vista em www.hado.com.

Se a água em nosso corpo for igualmente sensível à música e aos óleos essenciais, teremos aí uma clara evidência do poder dos instrumentos vibratórios.

Fabien Maman demonstrou que até nossas células respondem diretamente à música. Em 1974, trabalhando como músico profissional de jazz, ele observou que certos tons energizam tanto o músico quanto o público. Comunicou essa observação ao físico francês Joel Sternheimer, que descobriu que as partículas elementares vibram de acordo com as leis musicais. Sua pesquisa conjunta revelou que tecidos e órgãos do corpo, além dos meridianos da acupuntura, correspondem cada qual a uma nota musical.

Maman usou a fotografia kirlian (ver Glossário) para captar as mudanças nos campos eletromagnéticos ao redor das células saudáveis, enquanto tocava xilofone para elas. Percebeu que a leve diferença de meio tom produzia formas e cores completamente diferentes no campo energético da célula. Quando tocava um dó, elas se alongavam; um ré as dotava de toda uma variedade de cores; um mi as tornava esféricas e um lá mudava a cor do campo de vermelho para rosa.

Maman colheu uma amostra de sangue do dedo de uma mulher e pediu-lhe que entoasse as sete notas da escala maior para as células do seu próprio sangue. O campo energético das células mudava a cada nota até ela emitir a nota fá, nesse ponto as células se harmonizaram perfeitamente com sua voz, produzindo uma forma de vibrante cor magenta e azul-celeste. Maman concluiu que essa nota era o som fundamental da cantora e que o som fundamental de uma pessoa, produzido por sua própria voz, é a mais poderosa ferramenta de cura para harmonizar e regenerar o corpo no nível celular.[6]

Física e Metafísica

Ao longo do século XX, a ciência foi uma espécie de divindade. Hoje, experimentamos uma nova maneira de perceber o universo. Trata-se de uma mudança radical que exige que reconfiguremos o modo como vemos praticamente todas as coisas.

O antigo paradigma é conhecido como física newtoniana. Ele nos apresenta um universo regular, no qual a Mãe Natureza se comporta como um relógio, seguindo leis previsíveis que podem ser conhecidas e reproduzidas. Os cientistas da era newtoniana acreditavam que os mistérios do universo seriam todos revelados pelo simples exame de blocos de matéria cada vez menores, com lentes cada vez mais sensíveis, até que eles pudessem explicar como a consciência evoluiu a partir da matéria bruta.

Mas eis que vem a física quântica e abala toda essa cosmovisão. O experimento de duplo corte foi usado para determinar se um fóton é uma onda ou uma partícula. Ele emprega uma tela com dois pequenos cortes paralelos. Se o fóton for uma partícula, atravessará apenas um corte; se for onda, atravessará os dois.

Os cientistas descobriram que, às vezes, o elétron se comporta como uma partícula, atravessando apenas um corte; outras, como uma onda, passando pelos dois cortes ao mesmo tempo. Michael Talbot, autor de *The Holographic Universe*, descreve poeticamente o comportamento do elétron: "Se você atira uma pedra contra uma vidraça, ela ricocheteia ou atravessa o vidro. Atire um elétron contra uma barreira: ele poderá ricochetear, parar antes de atingir o alvo, desmaterializar-se, materializar-se do outro lado ou, em plena trajetória, mudar de rumo. Os elétrons se comportam como xamãs que se transfiguram. O cientista tem de concluir que a partícula subatômica é ora partícula, ora onda — podendo instantaneamente mudar de uma para outra".[7]

O termo *quantum* é usado para descrever algo dotado de aspectos tanto de partícula quanto de onda. Assim, a *teoria quântica* é, na física, aquela que se baseia no princípio segundo o qual matéria e energia apresentam as propriedades tanto de onda quanto de partícula. O que parece sólido é, na verdade, — no nível atômico — mais de 99,999% espaço vazio! Os prótons e elétrons apresentam-se às vezes como partículas que podem ser medidas (milhões de vezes menores que o menor dos átomos); outras, como ondas de energia vibratória.[8]

Para ter uma idéia clara do tamanho das partículas subatômicas, imagine um edifício de catorze andares deitado de lado: este é o diâmetro da cúpula da basílica de São Pedro no Vaticano. Agora, imagine um átomo do tamanho dessa cúpula. Qual seria a dimensão de seu núcleo? A de um grão de sal! E os elétrons que giram em torno desse grão de sal seriam cerca de duas mil vezes menores, ou seja, do tamanho de partículas de pó impalpável. Mas mesmo uma partícula de pó é partícula. Segundo a mecânica quântica, as partículas subatômicas deveriam ser chamadas ondas/partículas justamente por serem ora uma coisa, ora outra, "com tendência a existir".[9]

No corpo humano, que é aparentemente estável, 98% dos átomos são substituídos no período de apenas um ano, segundo estudos com radioisótopos feitos nos laboratórios de Oak Ridge, Califórnia. As células do cérebro e do coração duram muito tempo, mas as do fígado não sobrevivem mais do que uns poucos anos, as do sangue duram apenas dois ou três meses e o esqueleto é recriado a cada noventa dias. Boa parte das células da pele é substituída em não mais que dois meses, as do estômago em alguns dias.[10]

As implicações disso são quase insondáveis. É como dar a uma criança alguns blocos e pedir-lhe que erga um prédio. E, depois que ela construiu uma cidade inteira, dizer-lhe: "Estes não são blocos de verdade. São apenas um punhado de espaço vazio com ondas que às vezes se comportam como partículas. Não podemos ter certeza se existem de fato; só o que sabemos é que mostram tendência para existir."

Isso poderia fazer uma criança (ou um cientista newtoniano) sentir-se muito insegura. Mas se você lida com energia e sabe por experiência própria que curas aparentemente miraculosas acontecem quase que instantaneamente, talvez seja um grande alívio ter uma maneira de explicar e compreender a realidade na qual vivemos.

Por que Vibracional?

Correndo por nossa casa de Santa Cruz, Califórnia, meu filho e eu nos atiramos nos braços um do outro como que para salvar a vida. Era 1989 e estávamos no meio do terremoto de Loma Prieta, grau 7,2, cujo epicentro foi perto de nossa cidade. A casa parecia um navio, mas, em vez de nos agitarmos nas vagas do oceano, víamos estarrecidos nossa própria sala se transformar numa enorme onda que se agigantava diante dos nossos olhos. Os garotos, na estrada, lamentavam não ter trazido suas pranchas de surf, pois o asfalto literalmente se encrespava numa onda rolante.

Se eu alguma vez duvidei de que a substância sólida é uma ilusão, tinha ali agora uma prova palpável. Os cientistas cunharam uma palavra para esse fenômeno: "liquefação". Vivemos numa realidade feita de partículas que podem se transformar em ondas. O conceito de algo que às vezes se apresenta como matéria e outros como vibração é muito importante para a Cura Vibracional.

Os médicos alopatas são formados no velho paradigma científico newtoniano, que concebe o corpo como uma máquina obediente às leis fundamentais da natureza. A mecânica quântica revela-nos um mundo de partículas subatômicas que não se sujeitam a essas leis. Quando a vontade se alinha com a mente e o espírito, e quando você consegue conceituar o corpo físico como uma entidade altamente amorfa, pode literalmente criar sua própria realidade. Se remover todos os obstáculos mentais e emocionais, o corpo deixará para trás todos os desequilíbrios conhecidos como doenças e, de maneira natural, recuperará sua própria ressonância harmônica saudável.

Empregando formas energéticas de cura, reconhecemos o papel crucial que as emoções desempenham ao influenciar diretamente o equilíbrio ou o desequilíbrio das estruturas do corpo. Reconhecemos também o papel das forças e dos campos sutis, inclusive amor, carícia, prece, pensamento positivo, crença e desejo de viver.

A possibilidade de usar instrumentos vibracionais para a saúde e a cura é enorme. Mas também é possível criar doença pelo uso deliberado ou inconsciente de freqüências vibracionais. Por exemplo, animais que pastam sob linhas de alta tensão têm o crescimento atrofiado. Bebês expostos a raios X no útero apresentam 40% de risco de contrair leucemia infantil e 50% de contrair outras formas de câncer.[11]

Já se disse que doenças podem reproduzir-se vibracionalmente à maneira de "características mórbidas", espalhando-se no ar ou por meio de substâncias químicas, com tons harmônicos e sub-harmônicos tornando-as mais letais e infecciosas.[12]

Sabemos que certas vibrações provocam doenças. Por que então é tão difícil acreditar que elas podem criar saúde?

Panorama dos Chakras e do Campo Energético Humano

Chakra é uma palavra sânscrita que significa roda ou vórtice. Os chakras são centros não-físicos de energia turbilhonante. A abertura relativa dos chakras governa a capacidade da pessoa de receber e gerar a energia vibratória conhecida como *chi*, *prana* e *mana* na China, Índia e Havaí, respectivamente.

Os três chakras situados abaixo do peito são chamados "chakras inferiores". Por esses centros, recebemos e transmitimos energias sexual, emocional e social. O coração é o chakra mediano; por ele, sentimos o amor irrestrito. Os três chakras situados acima do peito são os "chakras superiores". Por esses centros, recebemos e transmitimos energias psíquica e espiritual.

Há sete níveis de abertura em cada chakra. Você precisa de pelo menos um nível de abertura em cada chakra para preservar a vida.[13] A maioria das pessoas apresenta um grau moderado de abertura em cada chakra, com um grau elevado de abertura em um ou dois deles. As pessoas que têm o dom da clarividência explicam que, quando um chakra está relativamente fechado, a cor relacionada a ele torna-se difusa ou obscura. Quando um chakra está completamente aberto, a cor correspondente predomina na aura da pessoa. Quando todos os chakras estão abertos, a aura se torna branca.

Das muitas disposições diferentes dos chakras, eu prefiro o sistema arco-íris, que identifica sete grandes chakras. Para contar os chakras, a maior parte dos sistemas começa de baixo para cima. Cada um dos sete grandes chakras localiza-se nas imediações da espinha, perto de um grande plexo nervoso, de uma importante glândula endócrina e de um ou mais órgãos internos. Os chakras convertem energias altamente sutis em estruturas celulares do corpo físico, canalizando energia de determinada forma e freqüência para o nível energético imediatamente inferior. Essa energia inferior e mais concreta passa então por mudanças hormonais, fisiológicas e, por fim, celulares no nível físico.[14]

À guisa de exemplo de como isso funciona, tenho uma cliente (vou chamá-la de Annette) que sofre do mal de Graves, uma forma de hipertireoidismo na qual as glândulas tireóides (localizadas de cada lado do pomo-de-adão, no pescoço) produzem secreção excessiva. Acredita-se que essa condição se deva a uma carência no sangue do supressor linfócitos T ou células T. Metaforicamente, o sangue de Annette não contava com a célula-guerreiro que poderia controlar a produção de tiroxina.

O médico de Annette queria remover-lhe a tireóide cirurgicamente ou destruí-la com tintura de iodo radiativa, que é o tratamento padrão para a doença de Graves. Advertiu-a de que ela morreria se não seguisse uma dessas prescrições.

Quando Annette veio me ver, não a incentivei a ir contra o conselho do médico. Ela, porém, estava determinada a seguir sua própria intuição e eu a apoiei. Não curo doenças. Apenas oriento o cliente a investigar o que produziu o desequilíbrio e depois lhe dou todo apoio para expressar-se, soltar-se e resolver os problemas. Quando combino esse trabalho com os instrumentos vibracionais, quase todas as doenças regridem ou desaparecem rapidamente, sobretudo se o cliente está bastante motivado. Acho que a cura (ou ausência dela) é responsabilidade do cliente. Annette era um bom exemplo, como o mostra esta história:

> Apliquei minha plaquinha longa e fina de cristal para sentir o torvelinho de energia nos chakras de Annette, inclusive os subchakras em cada quadril. O quadril esquerdo armazena a energia da mãe antes de a criança nascer e durante seus três primeiros anos de vida. O direito armazena a energia do pai durante o mesmo período.
>
> Enquanto eu sentia o torvelinho de energia no quadril esquerdo de Annette, notei que minha percepção se mesclava à do corpo emocional de sua mãe, quando Annette ainda era criança. A mãe parecia preocupada e sem nenhum entusiasmo maternal. No quadril direito de Annette, procurei a energia do pai, mas ela não estava lá.
>
> A energia dos outros chakras não apresentou nada de notável até que cheguei ao terceiro chakra, o centro do poder e da autovalorização, que estava claramente enfraquecido. Pousei um pedaço de quartzo amarelo (citrina) em seu plexo solar. O chakra do coração parecia normal.
>
> Quando cheguei ao chakra da garganta, pude sentir um movimento irregular de energia. Uma espécie de contração leve. Pinguei uma gota de óleo de camomila alemã azul, calmante e suavizante, na reentrância do seu pescoço. Depois, pousei uma pedra arredondada de azurita-malaquita em sua garganta. A malaquita, verde, agita as emoções e faz com que venham à superfície; a azurita, azul, estimula o aparelho vocal e desperta na pessoa o impulso de falar sobre suas emoções.
>
> Contei a Annette tudo o que havia percebido em cada um dos seus chakras e ela me revelou ser a última de cinco filhos; ela foi um "aci-

dente". Antes mesmo de ela nascer, o pai havia abandonado a família. "Minha mãe era ansiosa o tempo todo."

Pequenina, Annette percebeu que a melhor maneira de conquistar aprovação seria permanecer absolutamente quieta. Só de vez em quando tinha permissão para dizer uma palavra e, decerto, não podia cantar nem gritar, do contrário o castigo era severo. Annette levou esse padrão repressivo para a idade adulta. Mulher dócil e solidária, jamais contrariava ninguém. "Todos dizem que é fácil conviver comigo."

A leve sensação na garganta provinha de sua incapacidade de expressar-se. A contração devia-se às suas emoções reprimidas, como que ansiosas por libertar-se.

Aconselhei Annette a gritar. Dei-lhe uma mangueira de borracha dura, de uns quarenta centímetros de comprimento, pedindo-lhe que fizesse contato com sua cólera e ressentimento, e golpeasse o tapete com todas as forças. Ela me confidenciou que, antes de vir me procurar, havia concluído que sua sobrevivência dependia de abrir a garganta e liberar a raiva. Por fim, encontrou coragem para escancarar a boca e pôr para fora quarenta anos de fúria contida.

Só precisei de uma sessão para devolver seu corpo à normalidade. Creio que a azurita–malaquita abriu a porta que lhe permitiu gritar e forçar sua energia a mover-se pelo chakra da garganta, estimulando-lhe a tireóide e fazendo com que as células T despertassem para assumir sua função de bloquear o excesso de produção de tiroxina.

Annette voltou mais três vezes, por três anos. Aos poucos, foi deixando de tomar medicamentos e seu corpo se normalizou (embora os olhos conservassem a protuberância característica do mal de Graves).

O sistema de chakras oferece ao profissional o método holístico mais abrangente para diagnosticar doenças. Ele dá informações sobre o corpo (no nível dos chakras inferiores), sobre a mente (no nível do terceiro e sexto chakras), sobre as emoções (no nível dos chakras inferior e mediano) e sobre o espírito (no nível dos chakras superiores). No caso de Annette, começamos por uma deficiência física. Embora ela me fornecesse um breve apanhado de sua história pessoal, só quando senti a energia em seus quadris (os pais), terceiro chakra (centro do poder) e chakra da garganta (centro da comunicação) é que ambas pudemos determinar a causa de sua doença. Na Parte 2, explicarei como sentir a energia nos chakras.

O relacionamento de Annette com a mãe provocou repressão da energia no chakra da garganta, criando um bloqueio que contribuiu para a doença da tireóide. Quando ela se sentiu capaz de usar o veículo vibracional de sua voz para expressar sua cólera reprimida, o fluxo de energia na garganta foi liberado e as células T se ativaram para começar a trabalhar de forma adequada.

A maioria dos médicos não procura a causa emocional da doença física. Ainda que Annette tivesse sido encaminhada a um psicoterapeuta, seriam necessários meses de anamnese para descobrir o problema; e mesmo assim, a menos que ela fosse aconselhada a gritar, sua tireóide provavelmente permaneceria adormecida.

O objetivo da Cura Vibracional, tal como o vejo, é alcançar uma harmonia perfeita entre os sete chakras, na qual os chakras inferiores do corpo físico fiquem abertos e equilibrados; os medianos das emoções e do poder, também; e os superiores da intuição e da espiritualidade, igualmente, sem que nenhum assuma o controle — exceto nos momentos certos. As energias podem, então, fluir para cima e para baixo da espinha livremente, tornando a pessoa forte, ativa, consciente de suas emoções e serena.

No caso de Annette, seus quadris deram a informação que me permitiu entender as origens da doença. O chakra da garganta começou a fechar-se quando seus sentimentos foram afetados, na primeira infância. A baixa auto-estima resultou da impressão de que ninguém se preocupava com ela e da sua própria incapacidade de se expressar. Quando obteve permissão para gritar e liberar os sentimentos reprimidos, ela pediu de volta seu espírito e consolidou a energia no chakra da garganta, que estimulou as células T e expeliu a doença.

O Agente de Cura Vibracional

Inventaram-se máquinas que lhe darão uma análise completa das cores que faltam no seu campo energético e dos sons que não estão presentes em sua voz e corpo. Essas máquinas bombardearão você com luzes coloridas e sons ideais para o seu corpo. Então, você se sentirá melhor. Certo?

Não necessariamente. Algumas dessas invenções são maravilhosas e podem mesmo contribuir para aumentar o seu bem-estar. Entretanto, dispor de um profissional zeloso e interessado é parte essencial da cura. Quando escolher um Agente de Cura Vibracional, certifique-se de estar à vontade com ele. Esse profissional terá de sentir-se concentrado e equilibrado em relação a você.

O agente de cura responsável vai querer conhecer o cliente por telefone ou pessoalmente *antes* de marcar uma sessão. Você deverá sentir-se capaz de falar sobre qualquer coisa sem constrangimentos. Atendidas essas exigências, metade do processo de cura já terá sido completada.

Os russos Semyon e Valentina Kirlian desenvolveram uma técnica conhecida como fotografia kirlian que faz uso de descargas de alta voltagem para visualizar os campos energéticos, na maioria das vezes fotos dos polegares das pessoas que estão sendo testadas. Pesquisadores descobriram que, quando os agentes de cura estão tranqüilos, a coroa de luz em volta de seus polegares é larga e brilhante; já as coroas dos pacientes são menores. Durante e após uma cura, as auras dos agentes de cura costumam diminuir, enquanto as dos pacientes aumentam significativamente. Isso parece indicar que há uma transferência de energia do agente de cura para o paciente.[15]

Você não pode realizar esse trabalho até que seus chakras estejam razoavelmente limpos, equilibrados e alinhados. O treinamento do profissional dessa arte baseia-se, sobretudo, no princípio "Médico, cura-te a ti mesmo". É, verdadeiramente, uma jornada da alma.

Cabe ao profissional cancelar uma sessão de cura caso esteja doente ou tenha tido um "dia ruim". Isso faz parte da condição humana.

História, Localização e Números dos Chakras

Existem vários sistemas de chakras, com diferentes números, cores e localização. Historicamente, são muitas as escolas de pensamento que tratam da localização dos chakras. Porém, os quatro ou cinco chakras básicos são sempre colocados, por todas as fontes, nos mesmos lugares. Os outros chakras aparecem acima, abaixo ou no meio dos básicos. Centros energéticos menos poderosos, chamados lótus ou chakras menores ou extras, podem ser encontrados nos pés, mãos, joelhos, cotovelos, quadris, ombros, orelhas e outros pontos do corpo.

O uso da palavra sânscrita *chakra*, para descrever rodas girantes de energia no ou à volta do corpo, remonta aos antigos Upanishades hindus, cerca de 200 a.C. O Brahma-Upanishade fala dos quatro *purushas* (lugares ocupados pela alma) no umbigo, coração, garganta e cabeça.

O budismo tibetano (budismo Vajrayana) reconhece os mesmos quatro centros dos hindus, com o centro da cabeça associado ao corpo, o centro da garganta associado ao estado onírico e o centro do coração associado à meditação profunda. Outros sistemas tibetanos mencionam cinco, sete ou mesmo dez chakras. Uma pintura do século XVIII do Nepal, no centro-sul da Ásia, mostra sete chakras, com o sétimo claramente acima da cabeça.[16]

A Ordem Rosa-Cruz, ao que se diz, foi fundada no século XV pelo Altamente Iluminado Pai C.R.C., alemão de nascimento que aos 16 anos viajou para Damasco, na Síria, quando esta era a capital do império islâmico. Ali foi iniciado nos segredos dos adeptos árabes, inclusive a maneira de se comunicar com os elementais (espíritos da natureza). De volta à Europa, traduziu um livro intitulado *M*, que trouxe de suas andanças. Mas, alvo de ridículo, reuniu uma sociedade secreta de oito discípulos que concordaram em transcrever os ensinamentos, desde que permanecessem ignorados do mundo.[17]

O conceito de centros energéticos foi primeiramente introduzido na literatura pelo místico bávaro alemão Johann Georg Gichtel (1638—1710), com sua obra *Theosophia Practica.* Gichtel era discípulo de Jacob Boehme, possivelmente um rosa-cruz. Gichtel, dotado de clarividência, viu os sete centros de força com olhos interiores. Correlacionou-os com o Sol e os planetas, instalando o Sol no centro do coração. Fundou um movimento cristão místico. Em 1670, foi banido da Bavária e refugiou-se na Holanda.[18]

Entre os anos 600 e 800 d.C., o Império Romano abriu espaço à Igreja Católica e o cristianismo tornou-se o poder dominante na Europa. Quando religião e governo se misturaram, uma aliança nada sagrada se formou e, a partir daí, toda forma de cura não-autorizada pela Igreja tornou-se prática perigosa. As pessoas já não tinham liberdade de escolher suas próprias crenças e cultos. Tudo o que ameaçasse o papel da Igreja era considerado uma ofensa a Deus.

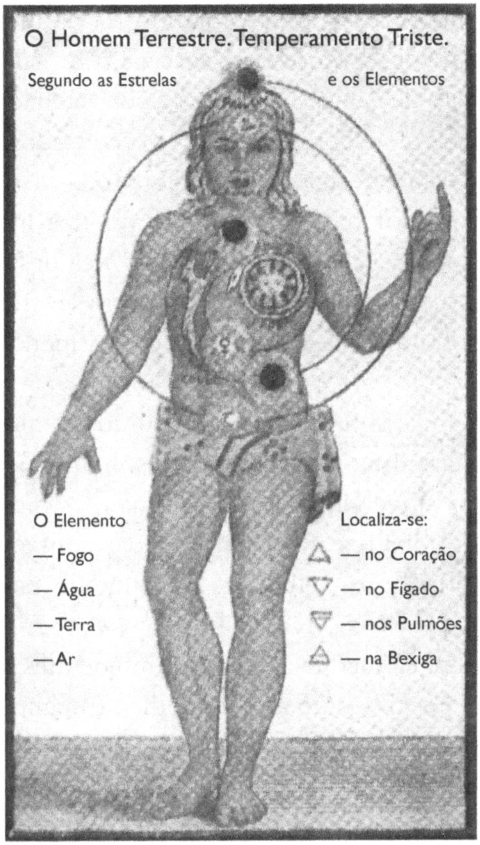

Não surpreende, pois, que Gichtel tenha sido banido do seu lar na Baviária e buscado refúgio na Holanda em 1670, nem que tenha sido formada na Europa medieval uma sociedade secreta. A Inquisição, a tortura e a fogueira para as chamadas bruxas se estenderam do século XIV ao XVII na Alemanha, Itália, Espanha, França e depois na Inglaterra e Nova Inglaterra. Essa era de repressão teve sérias repercussões nas áreas da cura, ciência e filosofia.

Segundo a neurocientista Candace Pert, a velha idéia da mente distinta do corpo nasceu com o filósofo René Descartes (1596—1650). A separação mente/corpo "remonta a um acordo que Descartes fez com a Igreja Católica Romana. Ele estudaria a ciência, tal qual a conhecida, e deixaria a alma, a mente, as emoções e a consciência a cargo da Igreja".[19]

Antes da Inquisição, quem se dedicava à cura eram as parteiras e as herbalistas. Elas serviam aos ricos e aos pobres igualmente. Essas mulheres mostravam-se muitas vezes grandes amantes da natureza; reuniam-se em pequenos grupos para observar os ritos sazonais que celebravam os poderes da Lua e as mudanças de estação. Essa era a sua religião.

A Igreja considerava-as heréticas. Via em seu poder de cura a prova de que eram bruxas e estavam ligadas ao diabo. Todas as formas de cura por elas usadas passavam por feitiçaria e era dever dos monges a serviço do papa incentivar os aldeões a denunciar a presença dessas "hereges", cujas almas seriam salvas após a punição. Alguns autores estimam o total de mortes em milhões, embora os casos documentados mencionem de 14.000 a 23.000.[20, 21]

Enquanto as chamadas bruxas eram torturadas e queimadas, uma nova profissão médica masculina foi criada e consolidada pela realeza, fundando-se por todo lado universidades que excluíam as mulheres. Os médicos que lá se formavam trabalhavam de mãos dadas com a Igreja, convocando padres para ajudá-los e aconselhá-los, e rejeitando pacientes que não se confessavam.

Os médicos da época medieval estudavam Sócrates, Aristóteles e teologia cristã, bem como as obras do antigo médico romano Galeno, que escreveu sobre "complexos" e "temperamentos". Usavam-se sanguessugas para sangrias, juntamente com certas comidas, fórmulas encantatórias e rituais. A experimentação não era conhecida; não havia curso prático nem período de treinamento. As cirurgias eram feitas pelos barbeiros e quase nunca se ouvia falar em dissecação.

Cidades e aldeias eram sujas, não havia nenhum conhecimento de higiene. A Peste Negra matou um terço da população da Inglaterra entre 1340 e 1348. A causa dessa peste, segundo o médico francês Guy de Chauliac, era a convergência de três grandes planetas, Saturno, Júpiter e Marte, que foi considerada um aviso incontestável de acontecimentos maravilhosos, terríveis ou violentos.

A Igreja ensinava aos camponeses da Idade Média que a doença podia ser um castigo divino por seus pecados. Os médicos cobravam caro por seus serviços e só os ricos podiam pagá-los. Um dos mais famosos foi John Arderne, médico da corte e autor de *The Art of Medicine*. Sua cura para cálculos renais: emplastro besuntado com mel e esterco de pombo.[22]

Em 1875, na cidade de Nova York, Madame Blavatsky (1831—1891) fundou a Sociedade Teosófica. Os teosofistas acreditam que há vida e consciência na matéria, que o pensamento pode afetar a realidade circundante e que é preciso nos preocuparmos com o próximo. Eles recorrem à meditação e sempre defendem causas como proteção aos animais, ecologia, direitos das mulheres e das minorias.

Madame Blavatsky estimulou o estudo de tradições místicas ocidentais como o gnosticismo, a cabala, a fraco-maçonaria e o rosa-crucianismo, bem como o budismo. Em 1878, ela visitou a Índia. Em 1884, viu-se difamada pela Sociedade de Pesquisas Psíquicas (desde então repudiada pela Sociedade Teosófica) e mudou-se para Londres. Adeptos posteriores da teosofia incluem Annie Besant, Rudolf Steiner e C. W. Leadbeater.

A Sociedade Teosófica publicou o clássico de Leadbeater, *Os Chakras*,* em 1927. O livro incluía desenhos coloridos dos sete chakras tais quais o autor os conhecia pela clarividência. Os jogos de cores, nesses desenhos, seguem aproximadamente o arranjo do arco-íris, com os tons vermelhos no primeiro chakra, os alaranjados no segundo e assim por diante.

Sir John Woodroffe viajou da Inglaterra à Índia e, ao regressar em 1928, trouxe para o Ocidente as interpretações hindus dos chakras, traduzindo do sânscrito duas obras clássicas sobre Laya-Yoga, o *Sat-Cakra-Nirupana* (1577) e o *Paduka-Pancaka* (c. século X d.C.), num livro intitulado *The Serpent Power*, publicado sob o pseudônimo de Arthur Avalon. Suas interpretações dos sete chakras com as respectivas localizações complementaram as de Leadbeater, tornando-se modelos para os teosofistas. Estes divulgaram também o conceito de que os chakras são vórtices energéticos com existência objetiva independente, associados a certas glândulas endócrinas e plexos nervosos, mas também a vértebras específicas.

Em seu estudo abrangente dos chakras, M. Alan Kazlev faz uma distinção entre os descritos pelos hindus, budistas e tibetanos, a que chama Chakras Primários, e os descritos pelos teosofistas e, mais tarde, adeptos da Nova Era, os Chakras Secundários. Kazlev observa que, nos ensinamentos indianos e tibetanos, o yogue cria os chakras como parte de seu exercício mental, uma espécie de visualização. Os chakras são considerados inativos até que a prática do yoga os desperte. À medida que o adepto vai passando de chakra a chakra, os inferiores se fecham e ele alcança a percepção plena nos superiores. Por outro lado, os Chakras Secundários ou Nova Era obe-

* Publicado pela Editora Pensamento, São Paulo, 1960.

decem ao sistema do arco-íris, no qual o objetivo principal é a abertura de *todos* os chakras.[23]

Em *Os Chakras*, Leadbeater descreve também os sete chakras em posições similares aos de Woodroffe. Ele e outros teosofistas aceitam os seguintes nomes, localizações vertebrais e plexos nervosos para esses chakras:

Primeiro (coccígeo) na quarta sacral — plexo coccígeo
Segundo (fígado) na primeira vértebra lombar — plexo esplênico[24]
Terceiro (umbigo) na oitava torácica — plexo solar
Quarto (coração) na oitava cervical — plexo cardíaco
Quinto (garganta) na terceira cervical — plexo faríngeo
Sexto (testa) na primeira cervical — plexo carótido
Sétimo (coroa) — não-relacionado a vértebras ou plexos[25]

Em seu exaustivo *Layayoga — An Advanced Method of Concentration*, Shyam Sundar Goswami (1891—1978) expõe a Teoria Shakta dos Chakras. Fundador do Goswami Institute of Yoga na Suécia, primeira instituição do gênero naquele país, ele reconhece os mesmos sete chakras encontrados em *The Serpent Power*, acrescentando-lhes seis menores, num total de treze. Descreve dois chakras no coração. Um deles seria o timo, glândula localizada vários centímetros abaixo do coração? Goswami instala outro no céu da boca. Esse é um ponto importante da medicina chinesa, para o qual convergem o Vaso Concepção Yin e o Vaso Governador Yang.

Goswami coloca dois chakras na fronte. Faz sentido: alguns autores mostram o terceiro olho entre as sobrancelhas e outros, no centro da testa. Por fim, ele coloca três chakras na coroa: o chakra Nirvana no alto da cabeça, o chakra Guru e o chakra Sahasrara acima dela. Outros sistemas instalam o Sahasrara bem no alto do crânio.[26]

Sri Aurobindo (1872—1950), filósofo, yogue e mestre indiano, foi educado na Inglaterra e influenciado pelos teosofistas. Voltou ao seu país natal e ali desenvolveu o Yoga Integral, o yoga da plenitude do ser. Descreveu os sete chakras encontrados em *The Serpent Power* e relacionou cada um a um aspecto da psicologia. Por exemplo, explicou que o primeiro chakra governava "o físico até o subconsciente".[27]

Outras fontes falam em chakras acima da cabeça. Para algumas, seriam chakras transpessoais, muitas vezes relacionados a vibrações superiores de luz e som. Mas há um sistema com vinte chakras, incluindo dois abaixo do chakra básico, que fazem a ligação com a terra, e outros acima da cabeça, que fazem a ligação com o cosmo.

A tradição hesicástica da Igreja Ortodoxa Oriental ou Bizantina combina técnicas de respiração com preces, numa forma de cristianismo contemplativo. Preceitua-se a concentração em quatro partes do corpo: 1) as sobrancelhas (relacionadas ao pensamento); 2) a base do pescoço (relacionada à conversação); 3) a região média e superior do tórax (relacionada ao pensamento e às emoções); e 4) a região logo abaixo do seio esquerdo (o ponto físico da atenção total).[28]

Os chakras são encontrados nos ensinamentos de Jesus Cristo. José e Maria, fugindo de Herodes, foram para o Egito. Não é improvável, segundo algumas fontes, que Jesus tenha sido educado no Extremo Oriente. Em Lucas, 11:34, Jesus diz: "A candeia do corpo é o olho. Sendo, pois, o teu olho são, também todo o teu corpo será luminoso; mas, se for mau, também o teu corpo será escuro." O terceiro olho é o sexto chakra, conhecido como Centro da Consciência Crística.

Em seu livro *Entering the Circle: Ancient Secrets of Siberian Wisdom Discovered by a Russian Psychiatrist*, Olga Kharitidi descreve sua iniciação com um xamã siberiano. Kharitidi afirma que muitas religiões originais foram influenciadas por uma antiga civilização que floresceu na Sibéria quando o clima era mais quente, antes de uma mudança súbita. Incluem-se aí os povos que mais tarde deram origem ao zoroastrismo no Irã, à tradição védica na Índia, ao budismo tântrico no Tibete. E também aos celtas da Inglaterra.[29] É interessante que alguns índios hopis remontem sua migração para a América do Norte aos tempos remotos em que cruzaram a região onde é hoje o estreito de Behring, quando os continentes estavam unidos.[30]

Os índios hopis trouxeram o conhecimento dos chakras para o Ocidente muito antes dos teosofistas. Na obra de Frank Waters, *Book of the Hopi*, Oswald "Urso Branco" Fredericks, ele próprio um hopi, entrevistou 26 indígenas de sua tribo. Os hopis falam de quatro mundos.

O primeiro chegou ao fim quando poucos dos seres humanos originais ainda viviam segundo as leis da Criação. "Passaram a usar os centros vibratórios do corpo unicamente para fins materiais." Numa história que lembra muito a dos Magos seguindo a estrela que os conduziria ao menino Jesus, foi dito àqueles poucos que continuavam a viver à maneira antiga: "Ireis para um determinado lugar. Vosso *kopavi* [centro vibracional no alto da cabeça, no sétimo chakra) vos conduzirá. Graças a essa sabedoria interior, vereis uma nuvem que seguireis de dia e uma estrela que seguireis à noite." Quando as pessoas chegaram de diferentes lugares, as escolhidas desceram para um recinto redondo debaixo da terra, chamado *kiva*, enquanto o resto do mundo era destruído.

Os hopis descrevem cinco centros vibratórios. Em notável concordância com os hindus, começam de cima, pela fontanela, *kopavi*, a "porta aberta" por onde a pessoa recebe a vida e se comunica com o seu Criador. Ela permanece fechada até a morte, quando então "se abre para que a vida saia como entrou".

O segundo centro corresponde ao cérebro. O terceiro, na garganta, é um centro de comunicação nas duas culturas. O quarto é o do coração. Dizem os hopis: "No íntimo, alguns homens sentiam o bem da vida, sua finalidade verdadeira. Tinham Um Só Coração. Mas outros permitiam que maus sentimentos penetrassem ali. Eram homens de dois corações."

O quinto e último chakra hopi localiza-se no umbigo. Em outros sistemas, diz-se que está, ora exatamente nesse ponto, ora alguns centímetros acima. Tem relação com o poder pessoal e mundano. Para os hopis, "era o trono, no homem, do próprio Criador. Dali, Ele dirigia todas as funções humanas".[31]

Em *Serpent Power*, *Sir* John Woodroffe informa que algumas fraternidades sufis empregam o método kundalini (ver Glossário) como meio de realização e também estabelece correlações com a escritura maia, o Popul Vuh, que conteria referências à kundalini e aos chakras.[32]

Em seu livro *Sacred Contracts*, Caroline Myss, médica intuitiva, descreve os arquétipos que detecta como o princípio organizador dos contratos de vida que fazemos antes de nascer. Ela acredita que esses arquétipos universais penetrem por um local acima da cabeça, ao qual denomina o oitavo chakra.[33]

Observo uma grande semelhança entre o primeiro e o segundo chakras, como também entre o sexto e o sétimo. Por isso, em nada me surpreende encontrar sistemas que reconheçam apenas cinco chakras.

Alguns sistemas falam de um chakra no umbigo, outros, de um chakra acima dessa área. Acredito que o primeiro, no umbigo, seja o mesmo que o terceiro, um pouco acima.

O chakra do coração permanece à parte. Não se mescla aos outros. Praticamente todos os sistemas concordam em que existe um chakra no centro do peito. Também há concordância com o som de *ah* que se ouve nesse chakra. Para a maioria dos sistemas, sua cor é verde e/ou rosa.

Todos os sistemas reconhecem um chakra no terceiro olho. Alguns o colocam entre as sobrancelhas; outros, no centro da testa; outros, ainda, um pouco acima desse ponto. Quando o chakra da coroa é identificado, ora se diz que está no alto da cabeça, ora por cima dela.

Barbara Ann Brennan começou a perceber campos energéticos quando criança. Mais tarde tornou-se cientista pesquisadora da NASA, no Goddard Space Flight Center. Em 1972, começou a trabalhar com o campo energético humano e, em 1987, escreveu *Hands of Light*.*

Segundo Barbara, uma energia diferente pode ser detectada na parte de trás de cada chakra. Podemos visualizar um raio de energia atravessando o corpo a partir da frente e emergindo atrás. Para ela, esses centros energéticos se expandem nas partes anterior e posterior do corpo no nível dos chakras, com o da coroa e o inferior constituindo as extremidades opostas de um duplo megafone.[34]

Certas fontes, porém, afirmam que a face posterior do sexto chakra encontra-se na base do crânio, na *medulla oblongata*.

Não deixe que essas discrepâncias o perturbem. Você deve escolher o sistema que melhor funcione no seu caso, usá-lo repetidamente e depois ir além: algo assim como aprender a tocar as escalas num instrumento musical e com o tempo passar a improvisar. Poderá mesmo tocar sons secundários — notas que não estão realmente no teclado nem na notação. De fato, existem inúmeras escalas diferentes: cromática, diatônica e pentatônica. Isso não quer dizer que só uma delas seja certa (embora as outras possam soar estranha ou desagradavelmente aos seus ouvidos). Existem várias maneiras de perceber a realidade e diferentes sistemas de ordenar o universo.

As Cores dos Chakras

A dra. Valerie Hunt trabalhou com oito leitores de aura enquanto registrava as freqüências dos chakras com o seu equipamento de alta sensibilidade. Escreve ela:

---

* *Mãos de Luz*, publicado pela Editora Pensamento, São Paulo, 1990.

> Comumente os leitores de aura relataram. ... o vermelho no cóccix, o laranja no abdome, o amarelo no plexo solar, o verde no coração, o azul na garganta, o violeta no terceiro olho e o branco na coroa — embora nem sempre fosse esse o caso. ...
>
> Além disso, as leituras sensoriais da localização dos chakras corresponderam diretamente às descrições dos leitores de aura no que toca à quantidade de energia, cor e qualidade dinâmica. Além disso, parecia haver uma estreita relação entre essas medidas e os estados emocionais, os produtos da imaginação e as relações interpessoais dos sujeitos.[35]

É difícil atribuir cores aos chakras. Eles não são estáveis nem constantes como o vermelho, o amarelo e o verde dos semáforos. Os clarividentes garantem que os chakras apresentam coloração vaga, flutuante e em constante mutação. Para alguns, eles seguem o padrão cromático do arco-íris. Entretanto, indianos e tibetanos adotam em suas descrições o vermelho, o branco, o azul, o cinza, etc.

Passemos a algumas descrições dos chakras tais quais percebidos por aqueles que têm o dom da clarividência. C. W. Leadbeater falava na "coloração luzidia, no movimento rápido e incessante dos chakras. ... Quando pouco desenvolvidos, eles lembram pequenos círculos de uns três centímetros de diâmetro. No homem comum, exibem um brilho baço; mas, uma vez despertos e vivificados, parecem vórtices resplandecentes, coruscantes e bem maiores, à semelhança de pequenos sóis".

Para ver essas emanações, diz Leadbeater, "é preciso nos tornarmos sensíveis a vibrações mais rápidas que aquelas às quais nosso corpo foi normalmente treinado para responder". Ele descreve "uma série de vórtices parecidos a rodas, existentes na superfície do duplo etérico do homem. Todas essas rodas giram perpetuamente. De seu cubo, qual boca aberta, uma força do mundo superior está sempre fluindo ... A força primária, em si, depois de penetrar no vórtice, irradia-se deste em linhas e ângulos retos, como se o cubo do vórtice fosse o cubo de uma roda".[36]

A maioria das fontes concorda em que as cores mudam conforme mudam as emoções e que, a qualquer momento, podem mostrar-se opacas, brilhantes ou obscurecidas. Para simplificar, falo de sete cores, mas na verdade cada chakra pode exibir uma vasta gama de tons.

A dra. Hunt explica: "Uso o vermelho, o laranja e o amarelo-âmbar [conjuntamente] porque o espectro é tão compacto que quase não se podem separar as cores. ... Elas se harmonizam." Diz também que o azul, o lilás e o violeta se fundem nos chakras superiores.[37]

Muitos tipos de pessoas já viram os chakras, mesmo nunca tendo sabido que existem. Um médico que descobriu inadvertidamente sua clarividência foi W. Brugh Joy, especialista em coração e pulmões da Universidade da Califórnia do Sul. "Eu examinava um rapaz saudável de vinte e poucos anos", conta ele, "quando, ao passar a mão pela área do plexo solar, a chamada 'boca do estômago', senti como que uma nuvem quente. Ela parecia projetar-se a cerca de um metro fora do corpo, perpendicularmente à superfície, na forma de um cilindro de uns dez centímetros de diâmetro."[38] Ao que tudo indica, ele captou o terceiro chakra.

Nos anos 60, a neurologista e psiquiatra Shafica Karagulla descobriu que podia ver o campo energético humano. Entrevistou então outros médicos, inclusive cirurgiões famosos, professores de Medicina da Universidade Cornell, chefes de departamento de grandes hospitais e membros da Clínica Mayo. Karagulla encontrou vários que possuíam essa habilidade. Conforme explica no seu livro, *Breakthrough to Creativity*, eles falavam de um "campo de energia" ou "rede móvel de freqüência" no e à volta do corpo. Um dos entrevistados descreveu "vórtices energéticos em certos pontos ao longo da espinha, conectados ao sistema endócrino ou de alguma forma influenciando-o".[39]

O Sistema Arco-Íris

O sistema arco-íris que uso consiste de sete chakras, do cóccix ao alto da cabeça. Seguem as cores do arco-íris: vermelho, laranja, amarelo, verde, azul, anil (ou violeta) e violeta (ou branco). Quando a pessoa alcança a iluminação, ou está plenamente integrada e equilibrada, todos os chakras se abrem, com a aura assumindo a cor branca (combinação de todas as cores). Os artistas cristãos pintam-na como um halo ao redor da cabeça dos santos e figuras sagradas.

É pelos chakras superiores que, principalmente, recebemos energia do corpo luminoso e do Todo. Pelos chakras inferiores, recebemos energia da terra. Pelos chakras medianos, trocamos energias com outras pessoas e os animais.

Eis as localizações e cores dos sete grandes chakras do Sistema Arco-Íris:

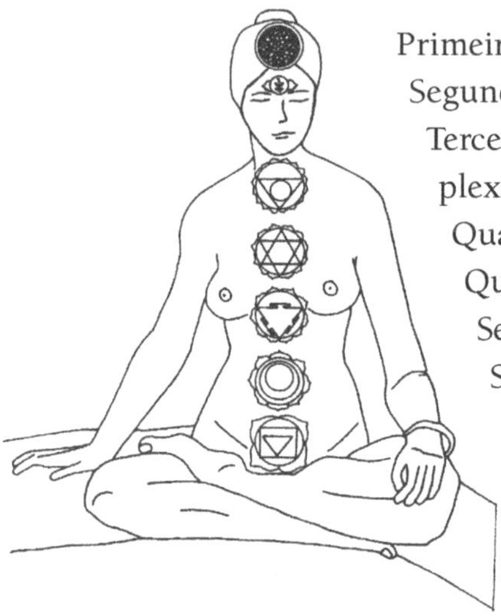

Primeiro — vermelho (no cóccix)
Segundo — laranja (abaixo do umbigo)
Terceiro — amarelo (acima do umbigo, no plexo solar)
Quarto — verde e rosa (no coração)
Quinto — azul (na garganta)
Sexto — anil ou violeta (no centro da testa)
Sétimo — violeta ou branco (no topo da cabeça)

Os dois chakras inferiores (primeiro e segundo) abrem-se quando a pessoa se encontra na presença da natureza ou por ação do yoga e outras formas agradáveis de exercício, como a prática amorosa. O terceiro chakra abre-se quando sobrevém o senso de realização pessoal. O quarto chakra abre-se quando há troca de amor incondicional. O quinto chakra abre-se durante a comunicação. O sexto chakra abre-se quando a comunicação se faz com as esferas psíquica e espiritual. O sétimo chakra se abre na presença da meditação profunda e da comunhão com o Espírito.

A abertura relativa dos chakras determina nossa capacidade de receber e gerar energia. Cada chakra é governado por uma vibração específica, que pode ser interpretada como cor ou som. A aura é o reflexo das freqüências combinadas dos chakras; nela, em geral, uma ou duas cores predominam, oriundas dos chakras mais fortes. Quando todos os chakras estão abertos, e todas as cores/vibrações comparecem em proporção relativamente igual, a aura se torna branca.

A Ciência dos Chakras

Os chakras existem no campo energético, que é não-físico e está sempre flutuando, vibrando, mudando. Ele interage com as pessoas, o ambiente *e* o observador. Por isso, nada de absolutamente objetivo e conclusivo pode se dizer dos chakras. Mas os cientistas estão encontrando mais e mais indícios de sua existência.

No início da década de 70, a dra. Valerie Hunt não hesitou em estimular seus alunos de fisiologia da Universidade da Califórnia, Los Angeles, a investigar os parâmetros da consciência, inclusive os parapsicológicos. Ficou surpresa ante o imenso interesse que os alunos mostravam por essa área. Então uma estudante de graduação pediu à dra. Hunt que fizesse testes para descobrir o que lhe acontecia quando mergulhava num "estado alterado" ao dançar.

"Na época", conta a dra. Hunt em seu livro *Infinite Mind*, "o tal estado alterado me parecia coisa fantasiosa, pois não existiam diretrizes para registrar a consciência nem concordância quanto ao que ela realmente fosse."

Longe de pontificar — como a maior parte dos cientistas teimava em fazer nos anos de 1970 — que não existia nenhum "estado alterado" (atitude muito pouco científica), ela devotou toda a sua atenção ao problema. Algumas semanas depois já havia elaborado um teste.

> Possivelmente, o nível neurológico da estimulação muscular explica os níveis de consciência. Apliquei com cuidado eletrodos de registro eletromiográficos (EMG) nos músculos de seus antebraços, braços e costas, áreas primariamente estimuladas por um nível diferente da medula espinal e do cérebro. Seguindo a intuição, e como que por brincadeira, apliquei-lhe um eletrodo no topo da cabeça, embora não soubesse nada sobre chakras. ...
>
> Em cinco minutos os registros se alteraram de maneira notória. O sinal muscular do antebraço interrompeu-se. Já não se notava a atividade básica que caracteriza todo tecido vivo. Em seguida, o registro do braço cessou. O engenheiro achava que não havia falha no equipamento, embora não se observasse nenhuma energia básica nos braços. De repente a jovem se sentou, ereta. ... Um fluxo de energia eletromagnética brotou do topo de sua cabeça numa intensidade superior à capacidade de nosso equipamento. Esse estado durou sete minutos, vindo depois uma seqüência reversa que passou a reativar a espinha, o braço e o antebraço. ... Eu não podia explicar o fenômeno, mas tampouco esquecê-lo.[40]

Mais tarde, a dra. Hunt recebeu uma verba para pesquisar os efeitos energéticos do Rolfing, uma forma de massagem de tecidos profundos criada nos anos de 1940 por Ida P. Rolf. A dra. Hunt sabia que os equipamentos comuns não conseguiriam detectar os minúsculos sinais do campo energético, por isso consultou um engenheiro que havia desenvolvido sistemas de telemetria altamente sensíveis para a NASA, a fim de registrar a atividade cardíaca e muscular dos astronautas no espaço. Ela lhe encomendou um instrumento exclusivo para ser usado em suas experiências.

A telemetria é um sistema de transmissão de rádio que intercepta e projeta a atividade elétrica do corpo. Sensores superficiais captam os sinais elétricos de freqüência modulada do corpo por meio de um transmissor-amplificador a bateria miniaturizado, preso ao cinto do sujeito. Os sinais são então captados por um receptor de rádio e gravados em fita ou disco. Os dados da dra. Hunt foram examinados por procedimentos de análise como o Wave Shape Analysis, o Fourier Frequency Analysis e o Frequency Spectrogram, sempre com resultados consistentes.

O instrumento de telemetria possibilitou à dra. Hunt registrar oscilações elétricas regulares, de alta freqüência, provenientes dos chakras, que nunca antes haviam sido detectadas ou relatadas na literatura científica. Tradicionalmente, os cientistas chamam de energia biológica aquela que se origina da atividade das ondas cerebrais, ou da contração e estiramento dos músculos, inclusive as batidas cardíacas. A atividade ondulatória do cérebro é medida pelo eletroencefalograma (EEG, de 0 a 200 ciclos por segundo, cps). A atividade elétrica do coração é registrada pelo eletrocardiograma (ECG), que mostra uma onda maior e mais rápida de cerca de 225 cps. A corrente elétrica produzida quando um músculo se contrai pode ser avaliada pelo eletromiograma (EMG): seu alcance é bem maior, indo de 0 a 250 cps.

Registros convencionais são obtidos inserindo-se sensores em forma de agulha ou sonda num nervo ou músculo, mas com isso só se faz a leitura da eletricidade local. A dra. Hunt aplicou os eletrodos à superfície da pele onde havia um sinal forte. Ampliou a linha principal do osciloscópio e filtrou os dados para eliminar as freqüências do cérebro, coração e músculos. Descobriu um vácuo de atividade elétrica entre 250 e 500 cps e depois uma atividade contínua de 500 a 20.000 cps (a maior capacidade do instrumento na época).[41]

Em um dos estudos de Hunt, Emilie, uma agente de cura, trabalhou com um jovem que apresentava distúrbio mental congênito. As ondas do seu cérebro, conforme o diagnóstico, seriam anormais. Uma leitora de aura, Rosalyn Bruyere (que desde então se tornou famosa — o filme *Ressurrection* é baseado em sua vida), foi chamada para ler as cores e descrever a atividade observada no campo energético.

A dra. Hunt aplicou sensores de superfície à pele do jovem, nas áreas presumivelmente associadas aos chakras. Um gravador foi instalado para registrar em fita o canto xamânico de Emilie, as descrições de Rosalyn e a narração da dra. Hunt dos movimentos da agente de cura. Durante três horas, "Emilie executou movimentos esotéricos à volta do corpo do rapaz e murmurou palavras junto às suas rótulas. Trouxe guizos e sinos, passeou cristais ao redor dos membros, mas em momento algum tocou no paciente".

Depois de três horas, as ondas cerebrais do rapaz haviam se estabilizado num padrão regular. Depois que se analisaram todos os dados, constatou-se uma única relação:

> Houve uma correlação estreita entre o que disse a leitora de aura e o comportamento básico na atividade elétrica do campo áurico do paciente. Por exemplo, quando Rosalyn relatava a entrada de energia no braço, a amplitude dos registros aumentava. Ela constatou que a energia penetrava pelos pés do rapaz e lhe subia pelas pernas, "estimulando a kundalini" e "instalando-se no chakra do coração".
>
> Essas descrições não-científicas ainda assim se coadunavam com os dados eletrônicos que exibiam um fluxo súbito de energia, ou kundalini, subindo pelas pernas, adquirindo amplitude maior no baixo-ventre e detendo-se no chakra do coração. O gráfico mostrou um aumento duplo na amplitude de contração, sem mudança na taxa.
>
> A próxima informação de Rosalyn convenceu-me de que uma energia desconhecida estava fluindo: ela afirmou que Emilie havia liberado aquela força do coração, a qual se escapara pelo chakra da coroa, no topo da cabeça, em projeções de luz branca. Essas projeções estavam sincronizadas com as súbitas erupções de energia emitidas pelos eletrodos da coroa e as freqüências desses dados foram as mais altas registradas durante a sessão.

Os dados dos sensores a respeito dos chakras correspondiam diretamente às descrições fornecidas pela leitora de aura, inclusive quantidade de energia, cor e qualidade dinâmica.[42]

Em outro estudo, o dr. Hiroshi Motoyama, do Japão, raciocinou assim: uma vez que os chakras são considerados transformadores que levam energia para o corpo e dali a extraem, parece razoável presumir que pessoas altamente perceptivas podem projetar conscientemente energia pelos chakras. O dr. Motoyama não tinha como medir a energia sutil primária dos chakras, mas esperava avaliar a energia secundária, como os campos eletrostáticos.

Escolhendo sujeitos habituados à meditação e que já haviam tido experiências psíquicas, ele colocou eletrodos na frente dos chakras que, no dizer dos sujeitos, estavam despertos. Medindo a amplitude e a freqüência do campo elétrico local, Motoyama descobriu que o nível de energia nos presumíveis chakras era significativamente mais elevado que o dos registros das áreas correspondentes nos controles.

Motoyama monitorou também a energia que os sujeitos com larga experiência em meditação alegavam poder projetar de seus chakras. Documentou acentuados distúrbios no campo elétrico dos chakras ativados. Esses resultados foram reproduzidos por Motoyama durante vários anos e, mais tarde, por Itzhak Bentov, autor de *Stalking the Wild Pendulum*,* que utilizou com êxito um equipamento similar a fim de reproduzir os achados de Motoyama.[43]

Realidades Diferentes

Um velho cherokee dava lições de vida aos seus netos. Disse-lhes: "Está se travando uma luta dentro de mim. Luta terrível, entre dois lobos. Um é o medo, a cólera, a inveja, a tristeza, o remorso, a cupidez, a arrogância, a autopiedade, a culpa, o ressentimento, a inferioridade, a mentira, o falso orgulho, a petulância e o ego.

"O outro é a alegria, a paz, o amor, a esperança, a solidariedade, a calma, a humildade, a delicadeza, a benevolência, a amizade, a empatia, a generosidade, a verdade, a compaixão e a fé.

---

* *À Espreita do Pêndulo Cósmico*, publicado pela Editora Pensamento, São Paulo, 1990.

"A mesma luta está se travando dentro de vocês e de todas as outras pessoas."

As crianças puseram-se a refletir sobre o assunto e uma delas perguntou ao avô: "Qual dos lobos vencerá?"

O ancião respondeu apenas: "Aquele que for alimentado".

Intriga-me que culturas muito diferentes elaborem conceitos similares sobre algo que é invisível. No entanto, pouco me surpreende notar que não existe acordo perfeito quanto ao número de chakras e suas cores. Se você encontrar um sistema que funcione bem em seu caso, ele não precisará ser coerente com os demais. Ter uma intenção clara parece mais importante que concordar em tudo quanto à natureza do sistema. Alguns físicos acreditam que a força da intenção do observador pode influenciar a forma que a partícula subatômica observada assumirá.

Nos anos de 1930, o eminente físico Wolfgang Pauli (que escreveu um livro a quatro mãos com o psicólogo Carl Jung) propôs a existência de uma partícula destituída de massa chamada neutrino para resolver certo problema relacionado à radiatividade. Em 1980, na União Soviética, encontraram-se indícios de que o neutrino possuía uma massa minúscula, porém mensurável. Laboratórios americanos não conseguiram reproduzir esses achados durante muitos anos. Isso levou alguns especialistas a indagar se não seria possível que as diferentes propriedades exibidas pelos neutrinos fossem devidas, em parte, às expectativas variáveis e tendências culturais dos físicos que os investigavam.[44]

Talvez isso explique por que o efeito redutor de ataques cardíacos da aspirina, tão gabado nos Estados Unidos, absolutamente não se nota na Inglaterra, onde um estudo de seis anos empreendido por 5.139 médicos britânicos não revelou indício algum de que a droga reduzisse o risco de infarto.[45]

Barbara Brennan, autora de *Hands of Light*,* tem seu próprio conceito da natureza, localização e função dos chakras. Ela transmite esse conceito a seus alunos, que acreditam nele, trabalham com ele e obtêm resultados dele.

---

* *Mãos de Luz*, publicado pela Editora Pensamento, São Paulo, 1990.

Eu também possuo uma visão clara do que são os chakras — onde estão, o que fazem, quais as suas cores, atividade e modo de funcionamento. Meu sistema satisfaz muito bem a mim e a meus alunos; uso-o com grande proveito para meus clientes. Assim, divulgarei esse sistema, que venho empregando há dezenove anos para sentir o vórtice de energia nos chakras de milhares de pessoas.

É minha crença que, se você se adapta a um sistema, ele com toda a probabilidade se adaptará a você. Eis o critério mais importante, porquanto, no mundo da energia, nossas expectativas mentais devem mesmo ter um efeito profundo sobre a realidade vivenciada. Não há aí nada de errado; na verdade, é perfeitamente científico.

Os seres humanos são os organizadores da realidade e nossa realidade se conformará aos princípios de organização que lhe impusermos. Se você realmente apreender esse conceito, reconhecerá que cria sua própria realidade, podendo então transformá-la.

Abertura e Fechamento dos Chakras

Ao longo da vida, você responde aos múltiplos acontecimentos abrindo-se ou fechando-se fisicamente, emocionalmente e/ou espiritualmente. Em teoria, a pessoa plenamente iluminada está aberta por inteiro em todos os chakras, não ficando, pois, sujeita a nenhum tipo de flutuação.

Quando o espírito se encarna, o que quase sempre acontece ainda no ventre materno, todos os chakras estão abertos. Bebês realmente bem-vindos e que nascem de parto natural tendem a ser acessíveis, enérgicos e completamente em sintonia com o Todo. Entretanto, mesmo no útero ou durante o parto, alguns bebês têm seus centros energéticos fechados. A rejeição pode ser pressentida muito antes do nascimento.

Os chakras tendem a fechar-se de cima para baixo. Em meu trabalho com hipnoterapia, observei que muitas pessoas fecham seus três chakras superiores quando têm cerca de três anos de idade, em reação à descrença dos pais ou da sociedade (nos espíritos da natureza, amigos do além, anjos, experiências de vida passada e Espírito). Na época da adolescência, o chakra do coração muitas vezes se fecha ou se desequilibra em virtude da dor ou da rejeição dos pais, colegas e namorados. O terceiro chakra muitas vezes se fecha ou se desequilibra quando os pais ou a sociedade impõem aos adolescentes modelos que não lhes convêm. Quando atingem a maturidade, inúmeras pessoas fecham todos os chakras, exceto os dois ou três primeiros. O fechamento relativo de um chakra quase nunca ocorre em conseqüência de um fato único; é a resposta à repetição freqüente de acontecimentos similares.

Após o colégio, diminui a pressão para a adaptação. Muitas pessoas iniciam então o processo contrário e abrem seus chakras. Em geral, o primeiro a abrir-se é o terceiro; os outros fazem o mesmo em sucessão, de baixo para cima. Esse, porém, nem sempre é o caso. Por exemplo, trabalhei com clientes que foram espiritualmente evoluídos em existências passadas, mas na atual nasceram no seio de famílias complicadas e careciam de auto-estima. Pessoas assim não precisam trabalhar os chakras superiores para alcançar a plenitude; seu alvo deve ser o grupo de chakras inferiores. Precisam ter a experiência plena de viver em seu corpo, sentir sua sexualidade, descobrir a alegria e a beleza da natureza.

Vale notar: quando falo em "fechamento" de chakras, não quero dizer que eles se fechem por completo, mas num mínimo de 50%.

A Experiência da Autora com os Chakras

Meu mestre principal em matéria de chakras é um Guia Espiritual chamado dr. Laing. Ele veio a mim quando eu estava perto dos trinta anos. Vale a pena contar por que o dr. Laing decidiu trabalhar comigo. Sua filha única, muito querida, descobriu os teosofistas (ver Glossário) e estava entusiasmada com a possibilidade de as espirais coloridas de energia chamadas chakras poderem revolucionar a arte da cura.

O dr. Laing ouvia pacientemente a filha quando ela voltava para casa, tarde da noite, após seus encontros com os teosofistas, mas achava as idéias deles pueris e irrelevantes. Por fim, perdeu a paciência e pediu à filha que ignorasse aqueles "charlatães".

A jovem morreu num acidente aos 21 anos. O dr. Laing lamentou sua morte pelo resto da vida. Ao falecer, ele ficou espantado ao ver-se em seu corpo astral, de onde podia notar as espirais coloridas de energia em redor dos corpos humanos. Descobriu que, quando essas cores desmaiavam, obscureciam-se ou apresentavam manchas, ele conseguia detectar o começo das doenças antes da manifestação dos sintomas no corpo físico. Ficou tão impressionado com essa revelação que resolveu tornar-se o Guia Espiritual de sua filha em vidas futuras, de sorte que, trabalhando nos dois planos, ambos pudessem transmitir essa consciência à humanidade. Não se deve confundir o dr. Laing com o dr. William Lang, o guia que trabalhava por intermédio do teosofista George Chapman na Inglaterra. Nem tampouco com R. D. Laing, psicólogo contemporâneo.

Laing fez contato comigo em 1979. Costumava manifestar-se (geralmente durante viagens longas, quando eu dirigia sozinha) e dar-me lições por uma hora de cada vez. Um belo dia, revelou-me que eu havia sido a sua filha. O tema principal de suas lições passou a ser o uso das cores para a cura e o crescimento interior. As aulas versavam sobre os chakras, começando pelo primeiro e se movendo de modo ascendente. Na época eu sabia muito pouco sobre o assunto e nem sequer tinha ouvido falar em cura pelas cores.

Equilibrar os chakras mediante o uso da cor era um conceito inteiramente novo nos Estados Unidos. Laing procurava de todos os modos convencer-me, mas agora eu era a cética. Incrédula, comecei a procurar nos livros, sem nada encontrar a respeito de chakras ou cura pelas cores. Por fim, numa livraria de obras metafísicas, deparei-me com *The Serpent Power*, de *Sir* John Woodroffe, *The Chakras*,* de C. W. Leadbeater, e *Colour Healing*, de Mary Anderson — todos ingleses.

(Se hoje você procurar no Google.com da Internet pela palavra "chakra", encontrará 805.000 menções. Em janeiro de 2005, o Amazon.com catalogava 391 livros sobre os chakras e 366 sobre a cura pelas cores.)

Fiquei perplexa ao notar que a informação do livro de Mary Anderson se coadunava perfeitamente com a de Laing. Mas as descrições que ele fazia dos tipos de personalidade correspondentes a cada chakra iam além do que ela afirmava. Mais tarde descobri que Christopher Hills havia descrito esses tipos em *Nuclear Evolution*, publicado nos anos de 1970. Seus dados combinavam com os que o dr. Laing me transmitiu em 1979. Em 1997, Ambika Wauters escreveu *Chakras and their Archetypes*: sua visão também é similar à do dr. Laing.

---

* *Os Chakras*, publicado pela Editora Pensamento, São Paulo, 1960.

Laing nasceu, antes da passagem do século, na Índia. Seu pai era um médico inglês, e tanto ele quanto sua mãe eram místicos. Laing foi para a Inglaterra e ali trabalhou com medicina convencional durante o fim do século XIX e começo do XX.

Depois que ele me falou sobre os chakras, descobri o livro de Katrina Raphaell, *Crystal Enlightenment*, que divulgou uma compreensão inteiramente nova dos cristais. Depois, Laing começou a me transmitir informação específica sobre diferentes tipos de cristais de quartzo translúcidos e passei a me comunicar diretamente com as pedras. Logo as estava aplicando em meus clientes. Seu poder me surpreendia. Quer eu trabalhasse com regressão a vidas passadas, hipnose, limpeza de chakras ou alívio emocional, tudo ficava mais fácil e rápido quando usava as pedras.

Em 1986, enquanto eu estava ministrando um seminário sobre "Cor, Som, Cristais e Chakras" no Paul Pitchford's Holistic Healing Retreat em Idaho, fui abordada por uma cantora de ópera de Nova York. Ela se ofereceu para demonstrar um método que havia desenvolvido para sentir a energia dos chakras. Deitei-me na mesa de massagem e ela manteve um pedaço comprido de cristal a uns poucos centímetros acima do meu corpo, direcionando-o para cada chakra e movendo-o circularmente.

Quando detectava a energia em cada centro, proferia sons estranhos e bizarros de considerável profundidade emocional, como se fosse capaz de sentir minhas emoções e dar-lhes voz. Os sons para os chakras inferiores eram graves e guturais; à medida que ela subia em direção à minha cabeça, eles se tornavam agudos e sobrenaturais.

"Sua energia está equilibrada", observou ela. "Você tem os pés no chão e a cabeça no céu. Isso não é comum."

Quando chegou ao terceiro olho, emitiu um som incisivo que penetrou no meu crânio como uma furadeira. Então anunciou com firmeza: "Você fez esse trabalho numa vida passada e o fará de novo." Eu sabia que ela estava se referindo ao trabalho que ela estava fazendo comigo.

Experimentei uma dor vaga no meu terceiro olho por vários dias após a sessão e, de súbito, sem que ninguém me recomendasse isso, adquiri uma lâmina comprida e fina de cristal, passando a usá-la para "sentir" a energia dos chakras. O trabalho veio até mim naturalmente.

No ano seguinte, desenvolvi meu próprio sistema de Diagnose pelos Chakras e um método exclusivo de Alinhamento Vibracional® para equilibrar os chakras. Com o passar do tempo, associei o uso de cristais, som e aromaterapia aos chakras. Esses são os principais métodos que emprego e ensino atualmente.

Diagnose pelos Chakras

Explicarei agora como fazer diagnósticos a partir dos chakras e, na próxima sessão, abordarei o Alinhamento Vibracional®. Mas, por favor, não use essas técnicas profissionalmente até ser qualificado pelo Vibrational Healing Program [Programa de Cura Vibracional] (ver Recursos). *Não tente aplicar essas técnicas sem ter sólida formação em termos de aprendizado e contato com sua voz interior. CUIDADO: a Cura Vibracional destina-se a facilitar a cura da própria pessoa. Não deve substituir o médico ou o psicólogo.*

A diagnose pelos chakras é um método de colher informações sobre o corpo, a mente, as emoções e o espírito a fim de formar um quadro coerente da pessoa inteira. Psicólogos, consultores e agentes de cura energéticos acham essas informações inestimáveis para entender a jornada interior de seus clientes.

O psicólogo clínico Ronald Wong Jue, ex-presidente da Association for Transpersonal Psychology, emprega um método similar de diagnose que chama de Avaliação Física Holográfica. "O corpo é uma espécie de microcosmo, um universo em si mesmo: reflete os diversos desafios que a pessoa enfrenta e procura integrar", explica. Ele pousa as mãos no corpo do paciente e sintoniza-se com os "filmes" que descrevem dados importantes da vida dele, como episódios emocionais, problemas graves e padrões de relacionamento. Depois, usa a informação para agilizar o processo terapêutico.[46]

A diagnose pelos chakras é um método similar, mas sem toque no corpo físico. O Agente de Cura Vibracional mantém uma comprida lâmina de cristal fino cerca de cinco centímetros acima de cada chakra e movimenta-a em círculos até receber informação sob a forma de sensações, imagens visuais ou reminiscências de vidas passadas.

O profissional consegue sentir o grau em que cada chakra está aberto ou fechado. Os leigos também podem aprender essa técnica, mas na verdade as pessoas têm habilidades psíquicas diferentes: uma vê auras, outra ouve vozes, outra ainda capta energias. Captar a energia dos chakras é um dom bastante comum, mas algumas pessoas descobrem que têm habilidades mais apuradas em outras áreas. Por exemplo, eu não consigo ver auras (pelo menos, até o momento), mas tenho forte sensibilidade para sentir o movimento giratório dos chakras.

Se você quiser captar a energia dos chakras, sente-se ao lado de seu cliente ou amigo. Se for destro, sente-se com a mão direita na direção de seus pés e a esquerda, de sua cabeça. Use a mão direita para sentir os pés, pernas e os cinco primeiros chakras. Use a esquerda para sentir os dois chakras superiores. Se for canhoto, faça o contrário. O cliente deve ficar deitado numa mesa de massagem, divã ou cama. Se necessário, uma colcha fina pode ser usada. Coloque um travesseiro pequeno sob sua cabeça e outro maior sob seus joelhos.

Mantenha uma lâmina comprida, fina e pontuda (de um só lado) de cristal de quartzo translúcido cerca de cinco centímetros acima de cada chakra. Eu uso um cristal com mais ou menos 15 cm de comprimento por 2 cm de diâmetro. Pode ser de forma natural ou artificial. Você talvez queira usar apenas a mão, mas a maioria das pessoas acha que o cristal amplifica a energia.

Em lugar do cristal, talvez você prefira usar um pêndulo (ver Glossário). Quando o pêndulo é suspenso sobre cada chakra, costuma descrever um movimento circular: a amplitude e o impulso do giro darão a medida da abertura relativa do chakra. Não desanime se, a princípio, for incapaz de sentir ou ver claramente a energia. Esse método é ensinado no meu programa só depois de quatro semanas de preparação.

Segure o cristal pela base, com a ponta na direção do chakra. Descontraia os músculos da mão enquanto a movimenta no sentido anti-horário, fazendo um círculo a uns cinco centímetros do chakra. Espere até se sentir em contato com a energia, como se estivesse mexendo uma panela de sopa e testando-lhe a consistência. Além de sentir o grau e a velocidade da energia, você talvez tenha experiências com imagens, emoções, sensações físicas, sons, sabores ou cheiros.

Pelo que sei, os chakras giram em sentido horário, da mesma forma que a energia eletromagnética. A fim de sentir a energia dos chakras, movimente-se primeiro em sentido anti-horário, como se nadasse contra a maré para testar-lhe a resistência. Isso também ajuda a dispersar energias negativas.

Comece pelos pés (veja abaixo) e passe por cada chakra até chegar à coroa. Daí, agora em sentido horário, vá descendo até os pés, para restaurar o giro normal.

O lado esquerdo relaciona-se à natureza feminina do cliente e tende a ser influenciado por sua mãe. O lado direito relaciona-se à sua natureza masculina e tende a ser influenciado por seu pai. Ao sentir a energia, pense no seguinte:

Pés — Está ele no caminho certo? Está evoluindo na vida?

Joelhos — Como ele encara suas responsabilidades?

Quadris — Como se sentiam sua mãe (lado esquerdo) e seu pai (lado direito) a respeito dele durante os três primeiros anos de vida e antes do nascimento (quando se achava no ventre materno)? Como encaravam seu papel de pais?

Primeiro chakra (no cóccix) — Recebeu ele o amor incondicional e afeição física quando criança? Quão grande é sua vontade de viver? Até que ponto se sente estável? Consegue manifestar com desenvoltura os objetos de seus desejos? Está satisfeito com o seu corpo?

Segundo chakra (abaixo do umbigo) — Como se comporta perante sua sexualidade? É sociável? Quão forte é o seu desejo (não apenas sexual, mas por tudo): amigos, amor, bens materiais, Deus? Consegue expressar o que quer e o que considera necessário?

Terceiro chakra (no plexo solar, acima do umbigo ou junto a este) — Como se sente consigo mesmo? É autoconfiante? Sabe o que tem a dar ao mundo e está se empenhando nisso? Seu Sol interior brilha esfuziantemente? Sua digestão é boa ou má? (Todos os órgãos digestivos, exceto o intestino grosso, estão localizados aqui.)

Quarto chakra (no peito) — Tem ele muralhas à volta do coração? De que espessura? Consegue dar e receber amor incondicional?

Quinto chakra (na base da garganta) — Consegue ele se comunicar bem? Fala com desembaraço em público? Canta sem constrangimento? Sua criatividade flui sem obstáculos?

Sexto chakra (no centro da testa) — Está aberto a idéias metafísicas? Consegue captar sua intuição superior?

Sétimo chakra (no topo da cabeça) — Está aberto ao Espírito? Encontra-se num caminho espiritual que o satisfaça?

Um chakra aberto saudável tem mais ou menos o tamanho de uma mão humana espalmada (com diâmetro equivalente à medida da ponta do polegar à do dedo mínimo). Uma pessoa grande, de mãos avantajadas, terá chakras de tamanho proporcional. Entretanto, a energia emanada e recebida por uma pessoa pequena não é necessariamente menor, assim como um diamante minúsculo não tem menos brilho que um pedaço enorme de cristal de quartzo.

Quando a energia, num dado chakra, é equilibrada e forte, a roda da energia se move livre e facilmente, sem entraves. Pode projetar emanações e pulsações ou subir em espiral, perpendicularmente à superfície onde a pessoa está deitada. A irradiação de um chakra aberto às vezes chega a uma grande distância.

Há, aproximadamente, sete etapas de abertura em cada chakra. Passo a relatar o que sinto em todas elas e como interpreto essa sensação, da menor à maior quantidade de energia. Lembre-se o leitor de que estamos aqui às voltas com uma experiência altamente subjetiva.

Quase fechado — você mal pode sentir o vórtice de energia. O chakra parece sem vida e débil. O círculo tem o diâmetro de uma moedinha de cinco centavos. Esse chakra só dispõe de energia para manter funcionando os órgãos internos e as glândulas endócrinas correspondentes. Nesse caso, a pessoa se torna muito suscetível à doença e talvez esteja na iminência de morrer.

Ligeiramente aberto — a energia é lenta, letárgica. O diâmetro do círculo não vai além do de uma moeda de dez centavos. Esse chakra está funcionando no nível mínimo. A pessoa apresenta pouca resistência à infecção e não tem grande vontade de viver.

Aberto em menos de metade — o giro da energia é lento e sem ímpeto. O diâmetro do círculo não é maior que o de uma moeda de cinqüenta centavos. Esse chakra está funcionando e a energia é adequada, porém fraca.

Aberto em mais de metade — o giro da energia é um pouco mais lento que as batidas do coração. O diâmetro do círculo equivale ao da palma da mão da pessoa. É um chakra normal e saudável.

Medianamente aberto — a energia gira no ritmo do coração. O diâmetro do círculo equivale ao da palma da mão mais a falange dos dedos. É um chakra energizado e com boa saúde.

Amplamente aberto — a energia gira no ritmo do coração. O diâmetro do círculo é o da mão inteira. Esse chakra projeta energia radiante, dinâmica e entusiástica.

Extremamente aberto — a energia gira no ritmo do coração. O diâmetro do círculo é o de duas mãos abertas. A energia é forte e o círculo é bem delineado e coerente. A pessoa se regozija na luz.

Excessivamente aberto — a energia parece exagerada. O diâmetro do vórtice excede o da mão aberta (incluindo os dedos), mas não apresenta coerência, tem forma indefinida, parece frágil e delgado. Pode ser muito rápido ou muito lento. Lembra o óleo na água, espalhando-se a esmo. Isso acontece quando a pessoa quer "abarcar o mundo com as pernas". Equivale mais ou menos à terceira etapa de abertura (aberto em menos da metade).

Em certas circunstâncias, o diâmetro do vórtice é bem grande, chegando a quase um metro, mas com a substância da energia acentuadamente fraca. Isso acontece quando a pessoa "exige muito de si" ou "ama demais".

Em geral, a energia se manifesta num plano relativamente horizontal, mas não raro sobe em espiral a partir do corpo (se este está deitado). Temos aqui, o mais das vezes, uma emanação positiva, característica das etapas avançadas de abertura. Mas pode ocorrer também quando a pessoa sente necessidade de escapar ao corpo. Por exemplo, se uma adolescente emite espirais de energia do segundo chakra, talvez esteja abandonando o corpo para evitar o abuso sexual.

Quando desenvolvi essa técnica, observei correlações óbvias. Por exemplo, ao apontar o cristal para o quadril esquerdo da pessoa, captava imagens e sensações relacionadas à sua mãe e sentia essa pessoa como bebê ou criança pequena. Após examinar uns cem clientes, concluí que o quadril esquerdo preserva a energia da mãe e o direito, do pai — durante os três primeiros anos de vida e mesmo antes de nascer.

Eu ficava então intrigada com a complexidade da informação que recebia. Era como fazer uma leitura psíquica em cada chakra. Às vezes, eu penetrava no corpo e na alma dos pais da pessoa. Podia conversar por cinco ou dez minutos com a mãe: como ela se sentira ao ter o filho, o que achava deste, se estava feliz, deprimida ou indiferente, como encarava sua própria situação, como convivia agora com o marido.

Em geral, a informação recebida era bastante acurada, com detalhes quase imperceptíveis. Por exemplo, quando senti a energia do quadril esquerdo de uma mulher, notei uma sensação de energia jovial e entusiástica em metade do círculo, enquanto a outra metade estava deprimida. Perguntando-lhe se aquilo fazia sentido para ela, respondeu que a mãe — de boa índole e que a amava muito — morrera quando ela tinha apenas um ano de idade. O pai se casou novamente. A madrasta sofria de depressão profunda. O fato de existir semelhante possibilidade implica que trazemos conosco, ao longo da vida, a marca das primeiras impressões do corpo emocional de nossos pais.

Alinhamento Vibracional®

O Alinhamento Vibracional® é uma técnica exclusiva e extremamente eficaz que venho desenvolvendo nos últimos quinze anos. Se você resolver usá-la profissionalmente, não a chame pelo nome até ser qualificado pelo Programa de Cura Vibracional (ver Recursos). Esse processo combina aconselhamento intuitivo e diagnose pelos chakras com um amplo leque de modalidades de cura transpessoal, inclusive o uso de instrumentos vibratórios. Reconduz a energia dos chakras ao equilíbrio, colocando o corpo em alinhamento harmonioso com a terra e os céus. Num próximo livro, explicarei e descreverei as outras modalidades que uso e ensino.

Comece a sessão sentando-se ao lado do paciente e conversando com ele. Servir chá é uma boa idéia. Esse deve ser um momento de descontração. Sobretudo quando se trata de um cliente novo, vocês desejarão se conhecer melhor, gerar confiança e superar a ansiedade. Um cliente apreensivo oporá resistência e você terá trabalho duplo para vencer suas defesas. Alguns momentos de bate-papo descontraído melhorarão cada aspecto do trabalho.

Você poderá simplesmente falar sobre o tempo, sua família ou temas inócuos. O cliente talvez rompa em lágrimas e abra o coração. Não importa. Ele não precisará dizer nada, pois a energia dos chakras revelará tudo.

Quando o cliente está à vontade, receptivo e confiante (em estado alfa ou mais além), as energias dele se mesclam às suas e às dos instrumentos vibratórios, sendo então imperativo que você mesmo esteja descontraído e equilibrado.

Um Agente de Cura Vibracional sempre emitirá suas próprias vibrações juntamente com as das pedras, aromas e sons. Um Agente de Cura Vibracional lembra mais uma parteira que um médico: facilita as coisas, partilha emoções, proporciona um clima favorável à liberação de sentimentos reprimidos e dá amor incondicional para que o cliente se sinta capaz de fazer o necessário à sua própria cura.

Não é preciso que o cliente acredite na Cura Vibracional. Um ceticismo saudável é bom. Como acreditar naquilo que não se vivenciou? Mas, se ele oferecer resistência insuperável, não há sentido em prosseguir o trabalho. Este requer participação plena do cliente. É uma parceria. Você pode agir como guia, como parteira da pessoa; mas quem terá o bebê será ela! Por esse motivo, peço que o próprio interessado marque a consulta. Se uma mulher pressiona o marido a ver-me, não é nada provável que cheguemos a ter uma sessão produtiva. O tratamento é como um quebra-cabeça. As peças se encaixam e formam um quadro perfeito quando você sente todos os chakras dos pés até o alto da cabeça. Por exemplo, um problema que apareceu nos pés certamente reaparecerá nos quadris ou no terceiro chakra, porque a jornada da pessoa (os pés) é afetada pelo modo como se sente e expressa a força interior (terceiro chakra), refletindo muitas vezes a influência da mãe e/ou do pai durante sua primeira infância (quadris). Um problema nos joelhos (responsabilidade) também será afetado pelos quadris e o terceiro chakra, pelas mesmas razões. A energia nos quadris (pais) pode afetar qualquer outro chakra, particularmente o primeiro (estabilidade), o terceiro (poder pessoal) e o quinto (comunicação confiante). Problemas no segundo (sexualidade) podem influenciar o coração (quarto), tanto quanto o centro de poder (terceiro). Tudo está inter-relacionado.

Por exemplo, apenas pelo exame do vórtice de energia nos pés você conseguirá descobrir se a pessoa está "andando com os próprios pés" (a energia se manifesta com grande intensidade e descreve um círculo completo da ponta dos dedos ao calcanhar) ou "pisando em ovos" e "na ponta dos pés" (a energia se manifesta com pouca intensidade e o círculo tem por centro a protuberância da sola do pé, sem recuar até o calcanhar). Sentindo o vórtice de energia em cada parte do corpo, o profissional pode detectar desequilíbrios de que a pessoa talvez nem se dê conta. *Nota: você sentirá o mesmo vórtice tanto na parte de cima quanto na de baixo do pé.*

Quando o vórtice está desequilibrado, você deverá trabalhar com uma combinação de técnicas, inclusive discorrendo sobre problemas relacionados àquele chakra. Poderá empregar hipnose leve para orientar a pessoa na evocação de traumas da infância, hora do nascimento, concepção, vidas passadas ou período entre vidas.

Enquanto faz isso, pouse cristais apropriados em seu corpo, emita sons vocais — ou peça ao cliente para emiti-los — a fim de liberar, intensificar ou remover energias. Uma alternativa é o uso de óleos essenciais em diferentes partes do corpo. Não espere que cristais, sons vocais ou óleos curem por si mesmos (embora isso possa acontecer); considere-os assistentes que trabalham com você para criar harmonia e equilíbrio tanto no universo quanto no interior da pessoa.

Por meio do Alinhamento Vibracional® e várias formas de alívio emocional é possível modificar a energia dos chakras. Por exemplo, se a pessoa rumina ressentimentos e dor com respeito à depressão da mãe, a energia em seu quadril esquerdo será bloqueada, o que pode levar à artrite e ao debilitamento. Mas se ela liberou essas emoções, perdoou e aceitou a mãe tal qual é (ou era), a energia fluirá sem obstáculos por seu quadril e a doença não se alojará ali. Vá sempre devagar na interpretação da energia. Lembre-se de que ela é subjetiva. Não se apresse a concluir que sua interpretação é exata. Ao descrever a energia que está sentindo, formule a frase como pergunta: "A energia parece fraca em seu terceiro chakra. Este se relaciona com a auto-confiança e a auto-estima. Você tem algum problema nessa área?" Por favor, não diga nunca: "Você está com sérios problemas de auto-estima."

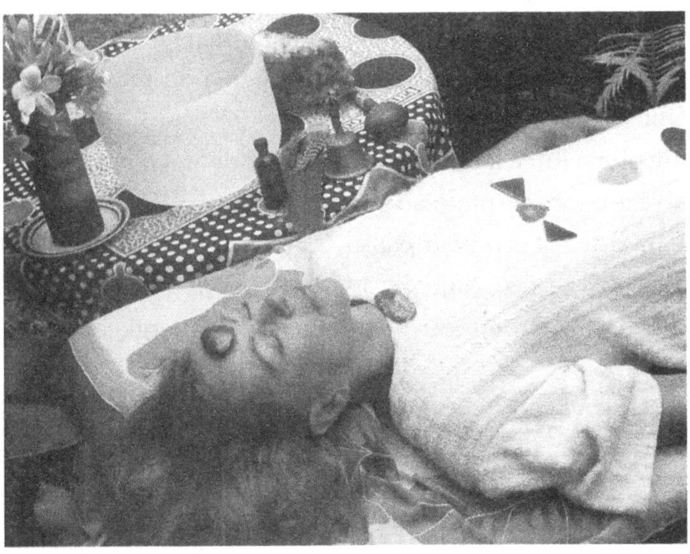

Tenha sempre a máxima consideração por seu cliente. Lembre-se de que seu dever é servir — não controlar. Seja humilde. Sentir a energia é uma experiência íntima. A pessoa tem de estar bastante vulnerável para permitir que você penetre em seu campo energético. Respeite isso.

O Processo. Antes de iniciar qualquer processo terapêutico, sente-se em silêncio por um minuto. Respire fundo e espere até ficar calmo e equilibrado. Então, você poderá invocar a luz branca, em seu benefício e do seu cliente ou amigo. Isso implica utilizar a visualização, de par com a respiração consciente, para criar um escudo de energia protetora em redor do campo eletromagnético da pessoa. Eis um cenário. Sinta-se livre para improvisar o seu próprio.

Tome três respirações bem profundas. *Faça uma pausa.* Depois, inspire e sinta a luz branca penetrando pelo alto da cabeça. Encaminhe-a para o coração. A seguir expire e sinta-a irradiar-se para dentro de cada célula do seu corpo, expelindo toda energia negativa ou estagnada. Sinta essa energia descendo, pesada, para o chão. Faça isso mais duas vezes. Inspire para absorver luz branca e expire para enviá-la a cada célula. Repita.

Agora inspire a fim de absorver a luz branca pelo topo da cabeça e encaminhá-la ao plexo solar, acima do umbigo. Expire e sinta a luz branca irradiar-se do plexo solar, atravessando o corpo e a aura até que você esteja completamente rodeado por um escudo protetor de luz branca. Repita isso mais duas vezes. *Faça uma pausa.* Muito bem, mais duas. Inspire e absorva a luz branca. *Faça uma pausa.* Expire e projete-a do plexo solar. *Faça uma pausa.* Repita.

Agora inspire e force a luz branca a descer de novo até o umbigo; ao expirar, envolva a você mesmo e ao cliente nessa luz. *Faça uma pausa.* Encha o recinto com a luz. *Faça uma pausa.* Agora, ambos estão completamente protegidos. Só os Guias, Anjos e aqueles que os amam podem penetrar através da luz branca protetora. No entanto, toda energia emitida pelos dois conseguirá sair.

Nesse ponto, você talvez queira fazer sua própria invocação. Não é, porém, necessário. A finalidade da invocação é convidar guias, mestres ou seres do outro lado para virem em seu auxílio. Eu, antes de começar, digo: "*Farei uma invocação.*" Você deve sentir-se livre para acrescentar qualquer coisa que quiser. Convém evitar alusões a divindades cristãs ou pagãs, ou a outra coisa que possa fazer seu cliente sentir-se pouco à vontade.

Minha invocação é mais ou menos assim: *Pai Celestial, Mãe Terrena, todos vós que, no planeta, nos reinos animal e mineral, quiserdes estar conosco hoje. Aos nossos Guias, Mestres e Anjos — obrigada por estardes aqui. Peço para ser um canal desimpedido a fim de ajudar ________ naquilo que sua próxima etapa de desdobramento possa ser. Obrigada pela oportunidade de fazer este bom trabalho.*

Pergunte em seguida: *Há algo que gostaria de acrescentar?* E por fim: *Desejaria declarar suas intenções para esta sessão?* Agora, você está pronto para começar.

Levante-se e estenda os braços para os lados, como um grande pássaro, as palmas na direção do seu cliente. Isso lhe permitirá sentir o campo eletromagnético dele da cabeça aos pés. Se o cliente projetar bastante energia e você for sensível a ela, talvez sinta os braços e as mãos sendo empurrados para trás. Se o cliente for receptivo à energia de outras pessoas, você poderá sentir os braços e as mãos sendo atraídos na sua direção. Teoricamente, haverá um equilíbrio entre essas duas energias.

Você nunca conseguirá curar outro ser humano a menos que ele esteja pronto para ser curado. Toda doença é um dom — uma oportunidade para crescer, purificar-se e renovar-se. Se pura e simplesmente removermos a doença, privaremos a pessoa desse dom. Como agentes de cura autênticos, nossa função é trabalhar com o enfermo e ajudá-lo a apreender a natureza do desafio que a doença lhe apresenta. A cura, em si, não é o nosso ofício. Aprendamos a "entregá-la nas mãos de Deus" sem permitir que nosso ego se preocupe com o êxito ou o fracasso do empreendimento. Talvez nosso papel consista apenas em auxiliar um cliente a morrer em paz.

Quando você sentir o vórtice de energia, poderá recorrer a uma combinação de técnicas para reequilibrar os chakras. Poderá falar sobre a energia e as informações que está recebendo, à medida que correlaciona o impulso sentido em cada chakra com a compreensão que tem de suas funções. Poderá emitir sons vocais para descrever a energia. (Por exemplo, se ela estiver fraca e deprimida, esses sons serão lentos e tristes.)

Se houver alguma mágoa persistente ou algum tipo de bloqueio no chakra do coração, você deverá criar uma oportunidade para a pessoa liberar essa dor e drenar seu poço de melancolia. Às vezes, o papel do agente de cura cifra-se em ouvir, para que os próprios clientes curem a si mesmos. Empregue suas faculdades intuitivas a fim de descobrir quais instrumentos vibratórios ajudarão o cliente a reequilibrar-se. Graças à perfeição inata do seu ser, as flores e os cristais dividem conosco sua ressonância energética; na presença deles, lembramo-nos de que também somos perfeitos.

Passar dos pés à cabeça leva normalmente mais de uma hora. Ao fim da sessão, volte da cabeça aos pés, movendo o cristal no sentido horário para restaurar o giro normal (a menos que isso seja desagradável para seu cliente). Durante esse tempo, você estará apenas se assegurando de que todos os chakras voltaram ao equilíbrio. Isso, em geral, se faz em poucos minutos. No entanto, se encontrar um chakra ainda desequilibrado, remova os cristais dessa área e substitua-os por outros. Um pouco mais de trabalho será necessário. Nem sempre é possível reequilibrar todos os chakras numa única sessão.

Quase sempre, basta sentir a energia da parte da frente do corpo. Entretanto, se a pessoa se queixar de problemas nas costas e eles persistirem após a passagem por todos os chakras, peça-lhe para se deitar de bruços de modo que você possa auscultar os vórtices de energia nas áreas doloridas das costas (que podem ocorrer ou não nos chakras).

Quando chegar aos pés, remova todos os cristais e varra toda a aura com as mãos, uns poucos centímetros acima do corpo, três vezes a partir da cabeça até os pés. Isso remete a energia negativa para o chão. A seguir, faça a varredura dos pés até o coração mais três vezes. Isso extrai a energia da terra por intermédio dos chakras inferiores, o que ajuda na estabilidade.

Nesse momento, talvez você se sinta inspirado a proferir sons sobre a pessoa, permitindo que vários xamãs realizem sua mágica por meio das mãos e da voz. Meus clientes costumam cair em transe profundo nessa última fase. Creio que isso acontece porque os sons penetram seu corpo no nível celular, provocando mudanças no DNA. Alguns de meus alunos aprenderam essa técnica; outros descobriram meios diferentes, com que se deram melhor.

Feito isso, saia do recinto sem fazer barulho, permitindo que o cliente fique deitado tranqüilamente por cinco ou dez minutos, absorvendo a experiência. (Informe-o com antecedência de que agirá assim.) Quando ele se levantar, pergunte-lhe se deseja um abraço, caso isso convenha a ambos. Dê-lhe então um pedaço ou um "ovo" de obsidiana e peça-lhe que o segure durante alguns minutos, até ficar suficientemente estável para ir embora. Se o cliente se sentir tonto ou desorientado, aconselhe-o a caminhar um pouco antes de entrar no carro.

A melhor maneira de explicar como a Cura Vibracional funciona é descrever uma sessão do princípio ao fim. Farei isso tomando para exemplo o trabalho que realizei recentemente com Lucille, uma senhora com problemas de senilidade. A filha de Lucille, Hannah, leu a meu respeito no livro de Susanne Sims, *Healing Vacations in Hawai'i, A Travel Guide to Retreats, Alternative Healers, and Spas* (Watermark Publishing, Honolulu, 2004). Mãe e filha vinham para o Havaí durante o inverno nos últimos dez anos e Hannah temia que aquela fosse sua última viagem juntas porque Lucille estava piorando rapidamente.

Quando Hannah telefonou para marcar uma sessão, não estava certa de que a mãe concordaria. "Ultimamente, é impossível conversar com ela. Às vezes parece bastante lúcida e no dia seguinte não se lembra de nada."

"Está tudo bem", assegurei-lhe. "Vou marcar uma consulta e então veremos."

No domingo de manhã a filha e a mãe estavam à minha porta. Lucille, de andador, calçava sapatos cinzentos ortopédicos, em flagrante contraste com as sandálias simples que as pessoas tiram antes de entrar nas casas da ilha. Seus olhos tinham o tom embaciado dos anciãos que "estão no ar".

"Pode entrar calçada", disse-lhe eu enquanto Hannah tirava suas próprias sandálias e ajudava a mãe a entrar com o andador. Levei-as para a varanda que abre para um grande rochedo aos fundos. Ofereci-lhes água gelada e nos sentamos para conversar, ao som do regato que corre ao lado da casa e das melodias dos grandes carrilhões agitados pelo vento.

Lucille olhava para longe. Perguntei-lhe se ficaria bem ali enquanto eu cuidasse de sua filha. "Oh, sim", respondeu, sorrindo cortesmente.

Hannah me seguiu até o escritório e confessou-se muito preocupada com a mãe. "Há dois anos, ela estava normal. Nadávamos juntas no mar. Ela só tem 76 anos. É forte. Tem vista boa, ouve bem, a família a ama. Mas parece que a estamos perdendo. Hoje mesmo ela ficou sentada ao lado da piscina durante uma hora, conversando com um peixe imaginário."

Passei as duas horas seguintes fazendo Alinhamento Vibracional® em Hannah, que eliminou sua dor de cabeça e deu-lhe meios para reduzir o stress a fim de melhorar-lhe o sono. Depois, voltamos à varanda.

"Você parece ótima!", disse Lucille depois de observar a filha, que ostentava no rosto um largo sorriso. "Este lugar é maravilhoso", continuou, virando-se para mim, enquanto me sentava a seu lado à mesa. Não tardamos a descobrir que éramos ambas aquarianas e que tínhamos vivido vidas um tanto rebeldes. Logo estávamos rindo e fazendo brincadeiras.

"Agora você cuidará de mim?", perguntou Lucille.

"É claro", respondi, "e com muito prazer." Hannah e eu trocamos um aceno de cabeça e ajudei Lucille com seu andador a caminhar pelo vestíbulo até o escritório. Ela se sentou no sofá e, enquanto tirava os sapatos, borrifei o ambiente com Crystal Clear, um remédio floral de Pentaltones, Inglaterra, que purifica a energia. Dirigi-me ao banheiro e lavei as pedras que tinha usado em sua filha em água fria corrente, sequei-as e recoloquei-as na mesa, ao lado de outros cristais que utilizo para curar.

Depois, sentei-me junto de Lucille e informei-a do que faria durante o Alinhamento. Ficamos em silêncio por um minuto. Disse uma prece e absorvi luz branca. Em seguida, auscultei-lhe a energia geral. Ela não emitia nenhuma, mas estava pronta para recebê-la. Informei-a disso e Lucille compreendeu.

Captei o vórtice de energia em ambos os pés: estava muito lento. Ela realmente não iria longe. Não tinha mais entusiasmo pela vida. Concordou com isso também. Coloquei uma granada vermelha perto de cada pé. As granadas são pedras boas para aumentar a energia e o entusiasmo.

O joelho esquerdo de Lucille estava bem em termos de responsabilidade (o círculo apresentava um giro desimpedido, com razoável porção de energia), mas o direito parecia um pouco refratário a isso (círculo irregular, lento em alguns pontos). Ela me confessou que estava cansada de pagar contas e queria alguém que se encarregasse desse trabalho. Eu sabia, após conversar com Hannah, que Lucille podia se permitir tal coisa. Não achei necessário fazer nada para mudar o curso dessa energia.

O vórtice no quadril esquerdo era forte, saudável, cheio de entusiasmo. "Ao que parece, sua mãe tinha abundância de energia quando você era pequena. Creio que ela adorava ser mãe", disse eu.

"Sim, é verdade", assentiu Lucille, "era ótima para os três filhos."

"Curioso", observei, "Hannah recebeu o mesmo tipo de cuidados de sua parte quando era bebê, conforme pude notar." Lucille ergueu os olhos azuis e era como se seu olhar compreensivo atravessasse a névoa cinzenta da idade.

Captei então o vórtice do quadril direito e não tive dúvidas de que o pai fora um homenzarrão de grande energia, mas nem sempre presente. (O círculo era enorme e forte; enquanto o sentia, pude literalmente ver uma face redonda, barbada, rindo e falando com voz trovejante — mas também havia partes do círculo onde a energia parecia dissipar-se.) Perguntei a Lucille se o homem que eu estava vendo era seu pai; ela fez que sim e sorriu deliciada, enquanto o evocava. Em seguida, perguntei com muito tato se às vezes ela não o achava um pouco distante. "Ah, sim! Era um sujeito muito ocupado. Bastante ativo na comunidade. Era da maçonaria." Coloquei um pedaço de jade, originário da Colúmbia Britânica, em seu quadril direito. Essa pedra verde encerra a energia protetora e estimulante do pai.

O primeiro chakra, na área do púbis, combina a energia de ambos os quadris. Ele revela se a pessoa recebeu amor e afeição incondicionais na infância. O vórtice no primeiro chakra de Lucille era forte e equilibrado. Eu lhe disse isso e ela confirmou.

O segundo chakra, abaixo do umbigo, relaciona-se à sexualidade, sociabilidade e desejo. Ao avaliar esse vórtice, senti que mergulhava num estado ligeiramente alterado. Ele apresentava uma textura muito rica. "A família é muito importante para você, certo?"

"Sim", foi a resposta. "Minha família é tudo para mim."

Súbito, lembrei-me de que, segundo Hannah, Lucille estivera bem até dois anos antes. "Que aconteceu há dois anos?", perguntei.

"Há dois anos?", repetiu Lucille. Pude perceber que seus olhos se embaciavam novamente. "Por que pergunta isso?"

Resolvi ser franca. "Sua filha me contou que foi quando você começou a perder a memória. Penso então que, talvez, algo de muito traumático lhe sucedeu na época. Algo que, possivelmente, se referia à sua família."

"Não, não consigo me lembrar de nada", respondeu ela num tom inexpressivo.

"Está bem", disse eu. "Vamos em frente e talvez a lembrança acabe por lhe ocorrer."

Quando cheguei ao terceiro chakra, a energia ali parecia boa. "Você deve se sentir muito bem consigo mesma", declarei.

"Sim, de fato. Vivi a vida plenamente. Tenho dois filhos maravilhosos, dos quais me orgulho muito."

"Dois filhos?", estranhei. "Não sabia que tinha mais um."

"Ron é um empresário bem-sucedido", informou ela, voltando-se para me encarar. "Comprou-me uma bonita casa à beira de um lago em Seattle e tenho duas jovens que cuidam de mim diariamente. Ron viaja pelo mundo inteiro, mas a família sempre se reúne comigo no Natal." Ergueu um dedo. "Menos no último. Laura estava lá com o marido e os dois garotos. Mas Ron, não."

"Está bem", disse eu, enquanto movia o cristal em direção ao chakra do coração. A energia ali era fraca e lenta. Parece que ela estava evitando alguma coisa. Algo sobre o qual não desejava falar. Movi o cristal para o chakra da garganta: nesse centro de comunicação, a energia era indubitavelmente fraca. Sem dúvida, alguma coisa relacionada à família, que acontecera há dois anos. Quando executo esse trabalho, às vezes é como se estivesse no meio de um romance de mistério.

"Por que Ron não compareceu no último Natal?", perguntei.

"Oh, ele também não veio no anterior!", exclamou ela, casualmente.

"Por que não?", insisti.

"Precisava fazer uns exames, acho."

Aos poucos, ia ficando claro que Ron tinha câncer. Ele havia descoberto a doença dois anos atrás. Mas não queria que ninguém falasse a respeito. Sobretudo, que ninguém chorasse. Lucille, toda vez que pensava no filho, sentia vontade de chorar. Todavia, se o fizesse na presença dele, o filho iria embora. Ela não queria isso, razão pela qual evitava pensar ou falar sobre o caso porque, então, não conteria as lágrimas. Mas só conseguiria deixar de pensar na doença do filho se deixasse de pensar em tudo o mais. O resto era óbvio.

Pus uma pedra de azurita—malaquita na garganta de Lucille, a fim de estimular seu aparelho vocal e induzi-la a falar sobre o assunto. Logo mais chamaria Hannah para junto de nós e então conversaríamos à vontade. Primeiro, porém, tinha de completar o alinhamento. Senti o vórtice de energia em sua testa, forte e aberto. "Você é bastante acessível a questões metafísicas, não é?"

"Sim, desde que era menina ouço vozes."

"De que tipo?", indaguei.

"Bem, depois que morreu há dois anos, meu marido voltou algumas vezes para conversar comigo. Faz isso ainda."

"Seu marido morreu há dois anos!", exclamei. "Você estava falando com ele hoje de manhã, à beira da piscina?"

"Sim, sim!", espantou-se ela. "Mas como você sabe disso, mocinha?"

"Adivinhei", sorri.

Movi o cristal até o chakra da coroa. Vórtice forte, bom. "Você acredita em Deus?"

"Acredito. Vou à igreja todos os domingos e tenho um pastor que estimo muito."

"Não se incomoda se eu chamar Hannah para conversar conosco?"

"Não, claro que não."

Removi os cristais. Hannah entrou. Sentamo-nos e pusemo-nos a falar de Ron. Pedi a Hannah que contasse à mãe tudo o que sabia sobre o estado de saúde do filho, os exames que tinha feito, o tratamento a que estava se submetendo, como ambas se sentiam a respeito de sua doença, quais eram as chances dele sobreviver. As duas se abraçaram e começaram a chorar.

Nem precisei avaliar os outros chakras. Quando Lucille saiu do meu escritório, já não usava o andador. Não quis calçar os sapatos ortopédicos. Ria e assegurava que iria comprar umas roupas mais coloridas. Estava farta daqueles tons cinzentos que vestia.

Recebi um e-mail de Hannah alguns meses depois. Agradecia-me efusivamente pelo tratamento que ministrara a ela e à mãe. Hannah já não precisava de comprimidos para dormir. Admitia que a insônia se devera à impossibilidade de falar a respeito da doença do irmão. Agora que ela e a mãe podiam conversar abertamente sobre o assunto, e chorar sem empecilhos, controlavam melhor o sofrimento. Queriam que Ron viesse me ver. Ele de fato o fez, mas essa é uma história para outro livro.

Sinta seus Próprios Chakras

Deite-se de costas e passe a mão pela linha mediana do corpo, do púbis ao topo da cabeça, a uns poucos centímetros de distância. Ao passar por sobre cada centro energético, irá senti-los como intensas concentrações de energia. Procure fazer isso primeiro com a mão direita, depois com a esquerda.

Você poderá avistar as cores dos chakras com sua visão interior, ainda que não olhe diretamente para eles (o melhor é fechar os olhos), pois não é a visão exterior que estará sendo usada.

Movimente a mão em círculos por cima de cada chakra e preste bem atenção ao que sente. A energia parece mudar? Você sente uma sensação de calor ou frio? A energia se detém ou flui livremente? Quando em determinado chakra, você tem impressões visuais ou corpóreas?

Você poderá usar canetas coloridas para desenhar seus chakras ou registrar num diário as impressões que recebe de cada um deles.

LUZ, COR E FREQÜÊNCIAS

Quando nascemos, saímos das trevas para a luz. Os hopis costumavam manter os recém-nascidos no escuro por vinte dias. Depois, o bebê era levado para fora e apresentado a seu Pai Divino, o Sol.[1] A maioria de nós, ao contrário, começa e termina a vida em hospitais esterilizados, sob luzes ofuscantes, cheiros acres de anti-sépticos e o som barulhento de um televisor.

Tempo houve em que vivemos numa escuridão úmida, embalados por freqüências suaves. As contrações rítmicas do útero de nossa mãe empurravam-nos para a luz, onde nos apartávamos da cadência familiar do coração e do sangue maternos para assumir os aspectos sonoros únicos que nos iriam acompanhar por toda a vida.

Que poderia ser mais intrigante que esse movimento para fora da escuridão, rumo a uma determinada freqüência de som que ainda nos mantém na forma exclusiva que reconhecemos como nosso corpo? Todo ruído que ouvimos passa pelo filtro dos três sons primários dos nervos, músculos e sangue. Tudo o que vemos atravessa as lentes de nossa aura eletromagnética rósea ou de outra cor qualquer.

A Ciência do Eletromagnetismo

Bem se vê que nosso corpo é constituído de carne sólida, sangue e ossos. Você não ignora que hormônios e substâncias químicas afetam o funcionamento do seu organismo; portanto, achará fácil concluir que drogas (farmacêuticas ou não) também podem afetar seu bem-estar físico e emocional. Mas como poderão a luz, a cor e o som afetar suas emoções e mesmo alterar a estrutura do seu corpo?

Não espero que você se converta prontamente ao mundo da Cura Vibracional. Não vou exigir-lhe que deixe para trás suas convicções. Quando perceber quão *pouco sólido* o seu corpo é, reconhecerá que suas vibrações são altamente variáveis e plenamente capazes de se harmonizar com as freqüências hígidas, equilibradas, da natureza — por meio da luz, som, cor, aromas e estruturas cristalinas.

A seção seguinte descreve a linguagem das ondas e freqüências para que você entenda melhor o mundo das vibrações. Não é imprescindível ler essa parte para usar os instrumentos da Cura Vibracional, mas ela o ajudará a compreender como eles funcionam. Se você é um agente de cura, você se sentirá mais confiante e apto para explicar o processo a outros.

Essa seção é bastante técnica; portanto, se você não tem vocação para a ciência, talvez a ache complicada. No entanto, caso se disponha a lê-la rapidamente e relê-la mais tarde, ficará perplexo ao descobrir como se torna mais fácil da segunda vez.

Após compreender a natureza e a linguagem básicas das vibrações, você conseguirá apreciar até que ponto — nas condições ideais — as forças da natureza alimentam seu campo vibratório. Você verá por que os aparelhos construídos pelo homem alteram esse campo — tanto positiva quanto negativamente. Os instrumentos vibratórios ajudam a eliminar os efeitos prejudiciais de campos de força destrutivos — mas o melhor é não se expor a eles. Se você souber quais são os ambientes saudáveis e insalubres, sem dúvida acrescentará muitos anos à sua vida.

O Espectro Eletromagnético

A radiação eletromagnética é um amálgama de radiações de diferentes comprimentos e intensidades de onda. O espectro eletromagnético inclui, em ordem crescente de freqüência: energia elétrica e ondas telefônicas, ondas de televisão e freqüência modulada, microondas, luz infravermelha, luz visível, luz ultravioleta, raios X e raios gama, e raios cósmicos.[2, 3] (*Ver ilustração.*) As diferentes formas de energia têm impacto direto sobre sua saúde, mas a maioria das pessoas ignora seus efeitos porque quase todas essas freqüências são invisíveis. Se você se dispuser a estudar esses efeitos, poderá capacitar-se a escolher quais freqüências permitirá que entrem em seu corpo e em que grau.

O Espectro Eletromagnético pode parecer confuso porque diferentes fontes são medidas em unidades diferentes. A distribuição de comprimento de onda é ampla, sendo por isso impossível colocar todas as fontes numa tabela, de acordo com uma escala. O comprimento de um raio cósmico é tão curto quanto 0,0000000000003937 (10^{-9} m) de uma polegada (0,0000000000009842 cm aproximadamente) e o de uma onda elétrica pode chegar a 3.100 milhas[4] (cerca de 5.000 km)! Sem dúvida, seria por demais enfadonho fornecer as frações de uma polegada para 3.100 milhas.

O eletromagnetismo é definido como a física da eletricidade e do magnetismo. A energia elétrica flui por nosso corpo e é por ele produzida. Campos magnéticos operam dentro e ao redor do corpo.[5]

O campo magnético do Sol aumenta de cem a mil vezes durante a atividade variável da mancha solar, afetando os campos magnético e elétrico tanto da Terra quanto de sua atmosfera.[6]

A cientista Valerie Hunt fez experimentos que explicam até que ponto o eletromagnetismo afeta o corpo humano. Num deles, ela monitorou sujeitos no Anechoic Room da UCLA, onde um grupo de quatro pessoas se submeteu a um campo destituído de energia eletromagnética, com som e luz completamente bloqueados. "De imediato, sentimos estranhas aberrações sensoriais. Perdemos a noção do tempo ... nossa consciência se alterou tão rapidamente que não conseguíamos operar instrumentos."

Em seguida, um pequeno grupo foi conduzido a um cubículo blindado no Departamento de Física, onde as freqüências eletromagnéticas normais podiam ser alteradas sem modificar o nível de força gravitacional ou o conteúdo de oxigênio do recinto. Quando a energia elétrica diminuiu, os participantes sentiram-se incapazes de determinar a localização de seu corpo no espaço.

ESPECTRO ELETROMAGNÉTICO EM FREQÜÊNCIAS HERTZ

Fora de Escala

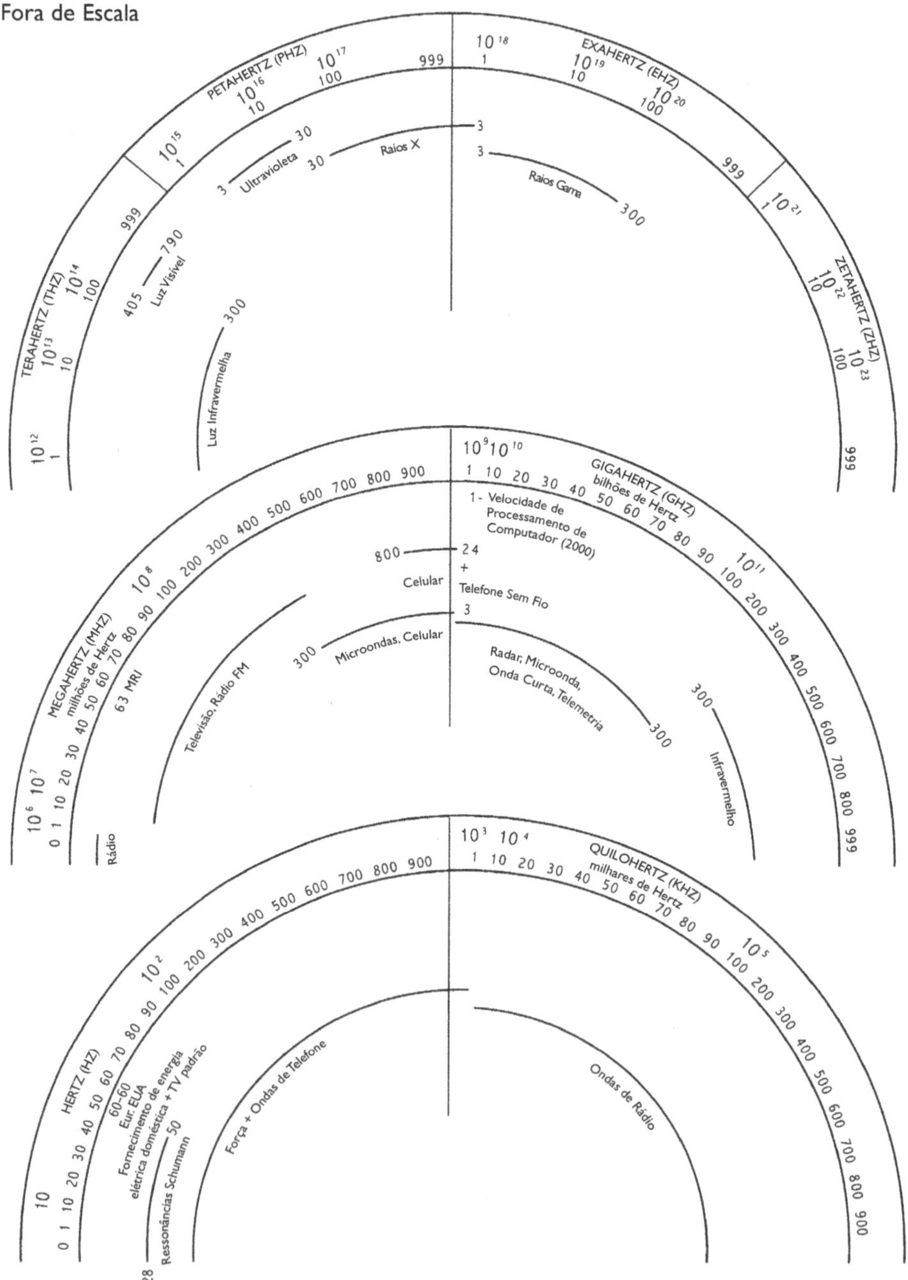

"Os sujeitos romperam em lágrimas e soluços, experiência que jamais haviam tido. Embora garantissem que não estavam tristes, seus corpos responderam como se eles se achassem sob ameaça, o que poderia ocorrer caso o ambiente eletromagnético que os sustentava fosse suspenso. Desapareceram o senso de limites corporais e a imagem do próprio corpo. ..."

Quando o campo elétrico era intensificado acima do normal, a mente dos sujeitos tornava-se clara e eles experimentavam uma sensação de expansão da consciência. Quando o nível elétrico no recinto permanecia normal, mas o magnetismo decrescia, os sujeitos perdiam a coordenação e a percepção cinestésica. O senso de equilíbrio ficou abalado e não conseguiram executar tarefas simples como levar um dedo ao nariz.

Quando o campo magnético era intensificado acima do normal, os sujeitos exibiam extraordinária coordenação motora e equilíbrio. A dra. Hunt deduziu que um ambiente eletromagnético normal é necessário para a execução dos processos fisiológicos e a vivência de experiências emocionais normais. Um nível elevado de eletromagnetismo estimula o desempenho motor, o bem-estar emocional e o senso de uma consciência superior. Um nível baixo de eletromagnetismo resulta em habilidades motoras, sensoriais e intelectuais diminuídas, assim como em ansiedade e emotividade maiores.[7]

Muitas autoridades nos asseguram que o eletromagnetismo do nosso planeta vem decrescendo regularmente e hoje está mais baixo do que nunca. Por isso, não surpreende que as pessoas se vejam às voltas com uma carga impressionante de ansiedade, depressão e incapacidade de aprendizado. Níveis mais elevados de eletromagnetismo, trazidos para sua vida seja de que maneira for, ajudarão você a contrabalançar esse efeito. Uma das maneiras é passar o maior tempo possível fora de casa, no seio da natureza. Mais luz, cor, som, óleos essenciais e cristais em seu lar, escola e escritório intensificarão a energia eletromagnética, erguerão os ânimos, facilitarão a concentração e aguçarão o senso de percepção corporal.

Terminologia das Ondas e Eletromagnetismo

O mundo das vibrações inclui som, luz e mesmo aromas que, no entanto, parecem esferas totalmente diversas. Pela terminologia das ondas e do eletromagnetismo, você descobrirá como todos eles estão interconectados.

Figura A
Freqüências em Hertz

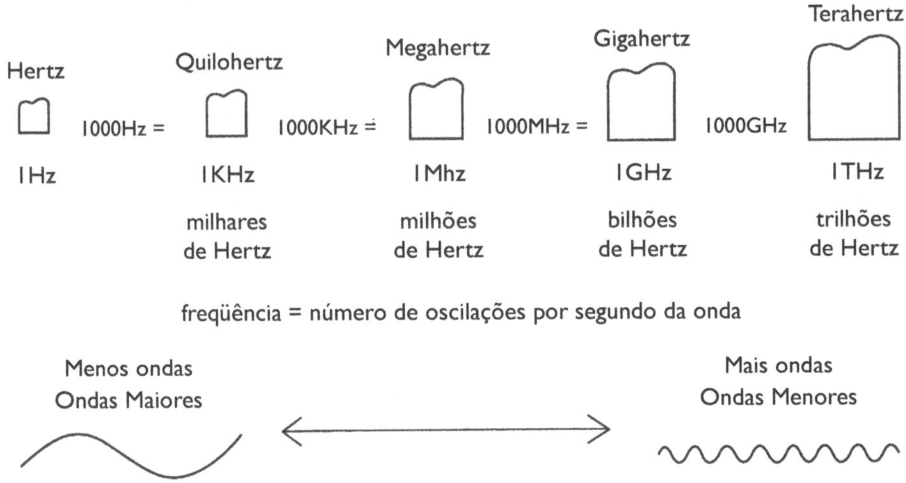

A **freqüência** é medida pelo número de **oscilações** ou **ciclos por segundo** (**cps**) de uma onda (*ver figura A*). A medição se faz em **Hertz (Hz)**, o número de cps que a energia descreve ao mover-se de forma cíclica. Cada oscilação perfaz um ciclo completo, incluindo a subida e a descida da onda.

As **freqüências em Hertz** são usadas para medir as taxas de eventos que sobrevêm periodicamente num ciclo fixo e definido. Essa unidade é assim chamada em homenagem ao físico alemão Heinrich Rudolph Hertz (1857—1894), o qual em 1887 demonstrou que a energia se transmite no vácuo por meio de ondas eletromagnéticas. O **becquerel** também equipara um evento a um segundo e é usado para medir as taxas de fatos que acontecem aleatória ou imprevisivelmente.

O **comprimento de onda** é a distância entre a crista de uma onda e a crista da onda seguinte (*ver figura B*). Quanto maior a freqüência, mais curto o comprimento da onda. O comprimento de uma onda se mede em nanômetros (nm), cada um dos quais corresponde a um bilionésimo de metro. O nanômetro, na verdade, tem mais ou menos o comprimento de dois átomos.

Uma oscilação completa é um comprimento de onda completo. Diz-se que um objeto oscila quando se move em ciclos regulares e repetidos. O período de uma oscilação é o período de tempo que ela leva para perfazer um

Figura B
Ondas Colocadas em Caixas

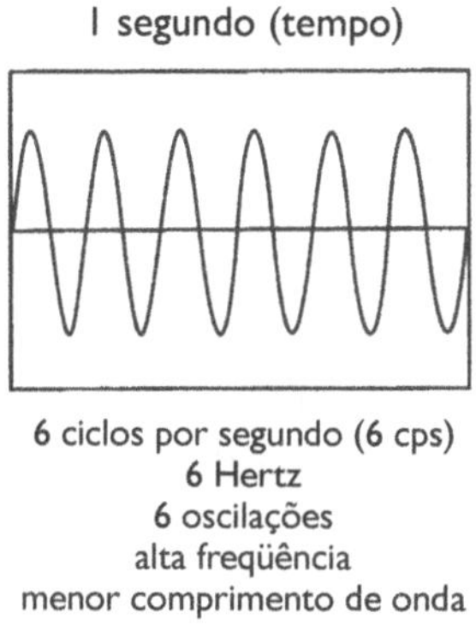

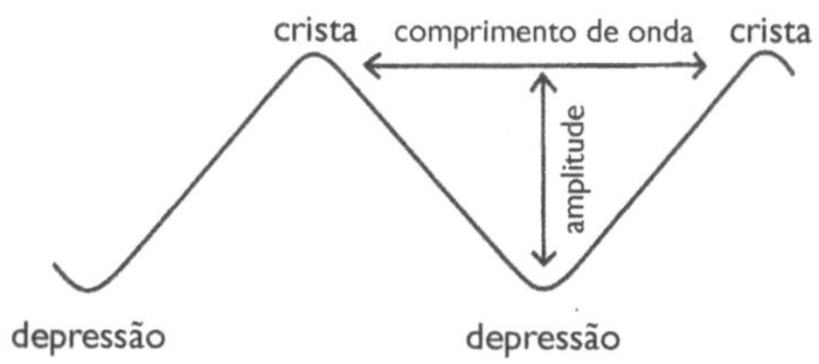

círculo. Se a crista de uma onda marinha atinge a praia a cada dois segundos, o período de oscilação é de dois segundos. Uma vez que a freqüência é o número de ciclos completados por unidade de tempo, a onda estaria se movendo a dois cps.

O topo de cada onda é chamado **crista** e a parte inferior, **depressão**. A distância entre a crista e a depressão recebe o nome de **amplitude**. A rapidez com que a onda se desloca é a **velocidade**. Quanto maior a amplitude de uma onda, mais energia ela encerra. Sons baixos (como os das ondas marinhas quando se chocam contra os rochedos da costa) são produzidos por ondas de grande amplitude, cheias de energia. A amplitude do som diminui drasticamente à medida que a onda se desloca, pois ela se espalha pelo espaço tridimensional em vez de seguir uma linha única, por um meio unidimensional.

A energia eletromagnética e as ondas sonoras estão sempre sujeitas a uma velocidade constante. É como colocar uma onda de determinado comprimento numa caixa que represente um segundo no tempo. (*Ver figura B.*) O comprimento de uma onda eletromagnética dentro da caixa é de aproximadamente 300.000 km constantes, de modo que uma onda de luz leva um segundo para viajar 125 km. A onda dentro da caixa pode abrir-se e estender-se em duas longas e lentas oscilações (o equivalente a 2 cps ou Hz) ou encurvar-se em, digamos, seis pequenos e rápidos impulsos (o equivalente a 6 cps ou Hz).

Uma metáfora tosca, mas memorável, é comparar o comprimento de onda à medida dos quadris de uma mulher. Você poderá ter três mulheres avantajadas lado a lado num banheiro (semelhantes à banda esquerda do espectro eletromagnético) ou seis mulheres magras lado a lado no mesmo banheiro (semelhantes à banda direita do espectro eletromagnético).

Eu nada disse sobre a altura das mulheres (nem das ondas). Seriam todas igualmente altas. Quando você ajusta a amplitude, as mulheres (ou as ondas) crescem ou diminuem. Quanto maior a amplitude, mais fortes as ondas. Nessa metáfora, as mulheres altas seriam mais agressivas. Mudanças de amplitude explicam sinais de rádio mais fortes ou mais fracos, volume maior ou menor, luzes brilhantes ou foscas da mesma cor.[8]

Um bom website interativo em http://micro.magnet.fsu.edu/primer/java/wavebasics ensina a ajustar diferentes freqüências e ver como freqüências cada vez maiores (mais ondas) automaticamente diminuem o comprimento das ondas (mais mulheres magras). Diminuir as freqüências (menos ondas) automaticamente aumenta o comprimento das ondas (menos mulheres gordas). Freqüência e comprimento de onda variam na razão inversa de uma e outro. Quando se adiciona ou subtrai amplitude ou energia, o número e a largura de cada onda permanecem os mesmos, mas sua altura aumenta ou diminui.

As terminologias do som e da luz são diferentes. A medida da luz, ou fótons, é em nanômetros, a do som em freqüências hertz. As ondas de luz se medem primariamente pela freqüência. Empregando-se linguagem matemática, medimos a luz em freqüências hertz, o que nos permite captar a conexão vibratória entre som e luz.

Luz Visível: Freqüências de Cores

A estreita banda de luz visível ao olho humano equivale a apenas 2% do espectro eletromagnético. A luz invisível tem comprimentos de onda mais longos e mais lentos (infravermelha) e mais curtos e mais rápidos (ultravioleta) do que o olho humano consegue captar. No entanto, o corpo pode *sentir* os raios que aquecem e a pele pode experimentar os raios ultravioleta penetrantes do Sol, que (em excesso) causam queimaduras.

Pensamos o espectro colorido como vermelho, laranja, amarelo, verde, azul, anil e violeta, mas na verdade existe uma mescla contínua de cores que vai do vermelho ao violeta. As cores são em geral medidas em nanômetros. O comprimento de onda da luz violeta é de cerca de 380 a 440 nm; o do anil (um azul-escuro), de 440 a 485 nm; o do azul, de 485 a 500; o do verde, de 500 a 565; o do amarelo, de 565 a 590; o do laranja, de 590 a 625; e o do vermelho, de 625 a 740 nm.

As cores da luz também podem ser medidas pelas freqüências Hertz, usando-se trilhões de Hertz (THz). À medida que o comprimento de onda aumenta, diminui a freqüência, de sorte que, ao passar do violeta ao vermelho, os números ficam menores. A freqüência luminosa do violeta é de, mais ou menos, 790 a 680 THz; do anil, 680 a 620; do azul, 620 a 600; do verde, 600 a 530; do amarelo, 530 a 510; do laranja, 510 a 480; e do vermelho, 480 a 405. Isso significa que, quando você fixa a cor vermelha, seus olhos recebem mais de quatrocentos trilhões de ondas por segundo.[9]

As ondas eletromagnéticas movem-se num fluxo de partículas ou pacotes de energia chamados *fótons*. Todos os pacotes de uma dada cor possuem a mesma quantidade de energia. Portanto, todos os pacotes de energia de luz vermelha têm o mesmo tamanho, ocorrendo outro tanto com todos os pacotes de luz violeta. Os pacotes de energia vermelha são relativamente pequenos; os de energia violeta, relativamente grandes.[10]

Os fótons não têm massa, mas as freqüências associadas à cor vermelha apresentam um comprimento de onda mais longo que o das outras cores. (*Ver figura C.*) O vermelho pode ser visto à esquerda do leque de luz visível; o violeta, à direita. Quando você passa da esquerda para a direita, sai de Hertz de freqüência relativamente baixa para Hertz de freqüência progressivamente mais alta.

Eu achava tudo isso muito confuso por pensar que a luz vermelha tinha energia elevada, era quente e penetrante; assim, a extremidade vermelha do espectro possuiria enormes quantidades de ondas pequenas e rápidas, enquanto a extremidade violeta do espectro possuiria ondas grandes, frias e lentas.

Figura C

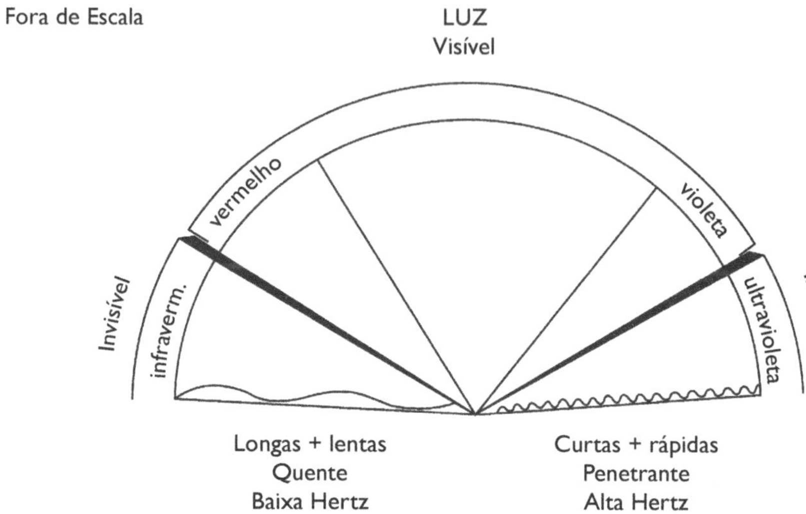

De fato, quando ultrapassamos a extremidade violeta, chegamos aos raios ultravioleta invisíveis, depois aos raios X e aos raios gama. Tornando-se cada vez menores, os comprimentos de onda vão ficando tão delgados que conseguem penetrar facilmente na pele, provocando queimaduras e até câncer. Se nos movermos na outra direção, ultrapassando a extremidade vermelha do espectro, encontraremos os raios infravermelhos: lentos, invisíveis, quentes e benéficos à saúde.

Voltando à metáfora das mulheres no banheiro, você poderá vestir as gordas de vermelho e as magras de violeta, obtendo com isso um visual bem bonito.

A cor é uma experiência subjetiva, governada pelo olho. Uma pessoa daltônica vê cores que a pessoa normal não consegue ver. Há apenas três cones de células sensíveis à cor na retina, cada qual com um pigmento que capta um leque específico de comprimentos de onda luminosa. Sob condições normais de luz, a cor que você vê depende do grau em que cada pigmento é estimulado.

Quando você vê uma folha verde, é porque a clorofila está refletindo o verde e a folha está absorvendo todas as outras cores. O preto não tem cor nenhuma: absorve todos os raios luminosos. O branco é a soma das cores: reflete todas elas.[11] A interpretação usual é que a folha contém todas as cores, *exceto* o verde. Eu discordo. Interpretamos a clorofila como verde. A folha já tem abundância de verde, por isso o expele por não precisar dele. Assim, essa cor, comprimento de onda ou freqüência se torna acessível à nossa visão e uso.

A luz é vista como branca quando os três cones de células do olho são estimulados por quantidades iguais de luz vermelha, verde e azul. Essas são as cores primárias em uma soma. Quando os cones de células vermelhas e verdes são igualmente estimulados, você vê o amarelo (complemento do azul). O vermelho e o azul produzem o magenta (complemento do verde), e o verde e o azul resultam no azul ciânico (complemento do vermelho). O azul ciânico encontra-se entre 600 e 620 THz. Uma vez que esse vermelho e esse azul estão em extremidades opostas do espectro natural, o magenta não aparece ali. A tela de um televisor em cores ou de um monitor de computador contém uma combinação de apenas três tipos de pontos: vermelho (onda longa), verde (onda média) e azul (onda curta). Esse é o sistema de adição de cores: uma superfície preta, quando recebe as três cores, torna-se branca.[12]

No sistema de subtração comumente usado em impressão e pintura, as cores primárias são o vermelho, o amarelo e o azul. Começa-se por uma superfície branca, como uma folha de papel, e adicionam-se quantidades diferentes de vermelho, amarelo e azul. Na impressora, adicionam-se o azul ciânico, o magenta e o amarelo.[13]

Em se tratando de cura psíquica, quando você visualiza a remoção de alguma coisa do corpo, a prática corriqueira consiste em envolver essa coisa em luz violeta, que segundo se pensa pode dissolvê-la em átomos livres. Sempre imaginei a luz violeta naquela zona cinzenta na qual um objeto chega a tal extremo que se transforma em seu oposto (os chineses diriam que o yin se transformou em yang e vice-versa). Talvez fosse mais exato sugerir que o objeto seja submetido à luz magenta.

Luz Invisível

A luz solar começa pela banda infravermelha invisível, indo de 700 nm a 1 mm. O comprimento dessas ondas é maior que na luz visível. Quando a luz solar passa para o feixe ultravioleta invisível (180 a 380 nm), os comprimentos de onda se tornam tão minúsculos que só podem ser medidos em elétron-volts (eV). Um elétron-volt é a energia ganha por um elétron (ou próton, que tem a mesma quantidade de carga elétrica) quando é acelerado por uma diferença de voltagem de um volt.

Luz Infravermelha. Em 1800, o astrônomo *Sir* William Herschel procurava descobrir por que os diferentes filtros de seu telescópio pareciam aquecer-se em graus diversos. Herschel separou a luz solar em seu espectro, com um prisma, e usou três termômetros com os bulbos escurecidos com fuligem. Colocou um bulbo em cada cor do espectro e usou os outros dois como controles. Descobriu que cada cor de luz produzia uma temperatura superior à dos controles, temperatura que aumentava quando ele ia do azul para o vermelho. Indo além do vermelho, encontrou uma região onde uma luz invisível produzia a temperatura mais alta. Concluiu então, corretamente, que havia uma banda de luz além do vermelho, que hoje chamamos de infravermelha.[14]

Câmeras ao lado das rodovias podem tirar sua foto com luz infravermelha apontada para seu carro à noite. Você não verá a luz e nem sequer saberá que foi fotografado. A luz infravermelha é usada para mapear a poeira entre as estrelas. Alguns animais, como o crótalo, possuem detectores infravermelhos que lhes permitem encontrar a presa na escuridão. O infravermelho tem um comprimento de onda maior (portanto, menos energia) que a luz vermelha regular. A banda infravermelha da luz solar transmite calor à pele. Todo objeto quente emite radiação eletromagnética infravermelha.[15]

Luz Ultravioleta. A radiação ultravioleta vai de 3 a 100 elétron-volts, aproximadamente. O pequeno comprimento de onda do ultravioleta fornece mais energia e penetra mais que a luz visível, podendo por isso causar queimaduras solares e câncer de pele quando há excesso de absorção. As abelhas conseguem enxergar essa luz e certas flores que tomamos por brancas lhes parecem multicoloridas.

A luz ultravioleta estaca abruptamente em 290 nm. Para além dessa intensidade, seus raios não conseguem atravessar a atmosfera terrestre e só podem ser detectados por aparelhos localizados no espaço. Existem três categorias de luz ultravioleta:

Quase Ultravioleta (320 a 380 nm): Esses comprimentos de onda longos e aparentemente inócuos atravessam a atmosfera terrestre com intensidade semelhante à da luz branca, inclusive a da luz negra ultravioleta, que produz efeitos luminosos inusitados.

Ultravioleta Média (280 a 320 nm): Comprimentos de onda de alcance médio, também conhecidos como luz ultravioleta bronzeadora, têm a classificação UVB. Seu alcance pode queimar e danificar a pele, mesmo em baixas intensidades. Fontes que emitem UVB não devem ser dirigidas para o corpo humano, exceto sob condições cuidadosamente planejadas e controladas, como exposições terapêuticas e sessões de bronzeamento, nas quais uma distância adequada entre a luz e a pele é mantida, o tempo de exposição controlado e os olhos, cobertos.

Além de Ultravioleta (180 a 280 nm): Esses comprimentos de onda mais curtos incluem as emissões germicidas, que podem ser muitíssimo prejudiciais. As estrelas e outros objetos "quentes" do espaço emitem radiação ultravioleta.[16]

Outras Formas de Energia Eletromagnética

Ondas de Rádio. Ocorrem quase sempre, no espectro eletromagnético, entre 1 KHz e 1 MHz. As ondas de rádio compreendem uma banda bastante larga do espectro.[17] Têm freqüência maior e comprimento de onda mais longo que as ondas de luz, cobrindo uma distância que vai de mais ou menos 3 metros a vários quilômetros. São contínuas.

As ondas de rádio são emitidas por emissoras radiofônicas e também por estrelas e gases no espaço. Os radiotelescópios conseguem atravessar a atmosfera terrestre mesmo em dias nublados e dois telescópios podem obter detalhes mínimos de toda a distância entre eles.[18]

Microondas ou Ondas Milimétricas. Ondas de rádio milimétricas, também conhecidas como microondas, vão de 300 milhões de ondas por segundo (300 MHz) a 3 bilhões (3 GHz), aproximadamente.[19] Seu comprimento é de mais ou menos 3 cm. As microondas são usadas em fornos porque a energia é convertida em calor e facilmente absorvida pela água, cujas moléculas faz vibrar mais rapidamente.[20]

As microondas são usadas em radares. As ondas milimétricas são usadas em telemetria, nos programas espaciais. A cientista Valerie Hunt empregou-as para medir o campo energético humano. Transmissores de microondas, inclusive os que equipam os telefones celulares, precisam estar à vista um do outro. Cada antena tem comprimento de meia onda, não mais que uns 5 cm, e é secundada por uma antena parabólica que reflete as ondas, num raio muito estreito, para a torre seguinte.[21]

Sabendo-se que a força das vibrações afeta a saúde, deduz-se facilmente que pode também tornar-nos doentes. Telefones móveis e mesmo sem fio operam em freqüências potencialmente perigosas para o corpo. As ondas (Hertz), tornando-se menores e mais rápidas, tornam-se também mais penetrantes.

Depois das ondas de rádio, as menores são os raios X. Quando eu era criança, toda boa loja de calçados tinha uma máquina de raios X para você poder ver seus pés dentro dos sapatos. Depois que aprendemos um pouco mais sobre o assunto, ficou claro que tais máquinas eram muito perigosas e elas caíram em desuso.

De 1953 a 1976, os russos emitiam radiação de microondas na direção da embaixada norte-americana em Moscou a partir do teto de um prédio adjacente. Quando os funcionários souberam que isso podia comprometer-lhes a saúde, passaram a pesquisar os efeitos, para o corpo, da exposição àquelas ondas. Muita informação foi encontrada na literatura russa, indicando conseqüências adversas para a saúde em animais de laboratório e pessoas que trabalhavam com radares. Muitos sintomas relacionados às microondas eram psicológicos, inclusive letargia, perda de concentração, dores de cabeça, depressão e impotência. Jornais médicos russos chamavam a essa síndrome "doença da microonda". O padrão de segurança russo para exposição às microondas é cerca de cem vezes mais baixo que a recomendação americana.[22]

Raios X. Os raios X são outra forma de radiação eletromagnética com alta energia e pequeno comprimento de onda, que vai de 100 a 100.000 eV ou 100 eV a 100 KeV. A radiação de altíssima energia encontrada nos raios X e raios gama é produzida por partículas que se movem a grandes velocidades (velocidade de movimento) e produzem muito calor. Os raios X, ainda mais penetrantes que a luz ultravioleta, passam facilmente pela pele, músculos e tecidos humanos, mas não pelo cálcio dos ossos. Gases quentes do espaço também emitem raios X. Quando esses raios interagem com a matéria, geram radiação ionizante, capaz de provocar mutações e câncer nos tecidos.[23]

Raios gama. Todos os fótons com energia superior a 100 KeV são considerados raios gama. Têm o menor comprimento de onda (cerca de trinta vezes o diâmetro do átomo de hidrogênio) e o mais alto grau de energia e freqüência. Podem penetrar o metal, sendo usados para detectar pequenas rachaduras em asas de aviões e na radioterapia, um tratamento que destrói células cancerosas. Materiais radiativos naturais ou artificiais emitem raios gama, como usinas nucleares e grandes aceleradores de partículas.[24]

O Espectro de Freqüências Biológicas de Joy Gardner

Raramente pensamos no corpo como uma fonte de energia elétrica. Entretanto, todos nós sabemos que o coração emite uma carga elétrica que pode ser medida pelo eletrocardiograma (ECG) em cerca de 225 cps. Como 1 Hertz equivale a 1 cps, a freqüência do coração humano chega a mais ou menos 225 Hz.

A atividade ondulatória cerebral é medida pelo eletroencefalograma (EEG), oscilando entre 0 e 200 cps ou 0 e 200 Hz. Quando os músculos se contraem ou distendem, geram um impulso elétrico medido pelo eletromiograma (EMG), com alcance de 0 a 250 cps ou 0 a 250 Hz.[25]

Uma medida fundamental em física de partículas é a famosa constante de Planck. Ela foi definida, em 1900, pelo cientista alemão Max Planck (1858—1947). Ele mostrou que, nos níveis atômico e subatômico, a energia ocorre em feixes pequenos chamados quanta. Cada quantum (singular de *quanta*) tem energia hf, onde f é a freqüência da radiação medida em h, Hertz.

Uma vez que todas as formas de matéria são compostas de partículas atômicas e subatômicas, é lícito dizer que *tudo vibra* e pode ser medido em freqüências Hertz.[25] O biofísico alemão dr. Fritz-Albert Popp (nascido em 1938), desenvolveu um equipamento de alta sensibilidade graças ao qual

ESPECTRO DE FREQÜÊNCIAS BIOLÓGICAS de Joy Gardner

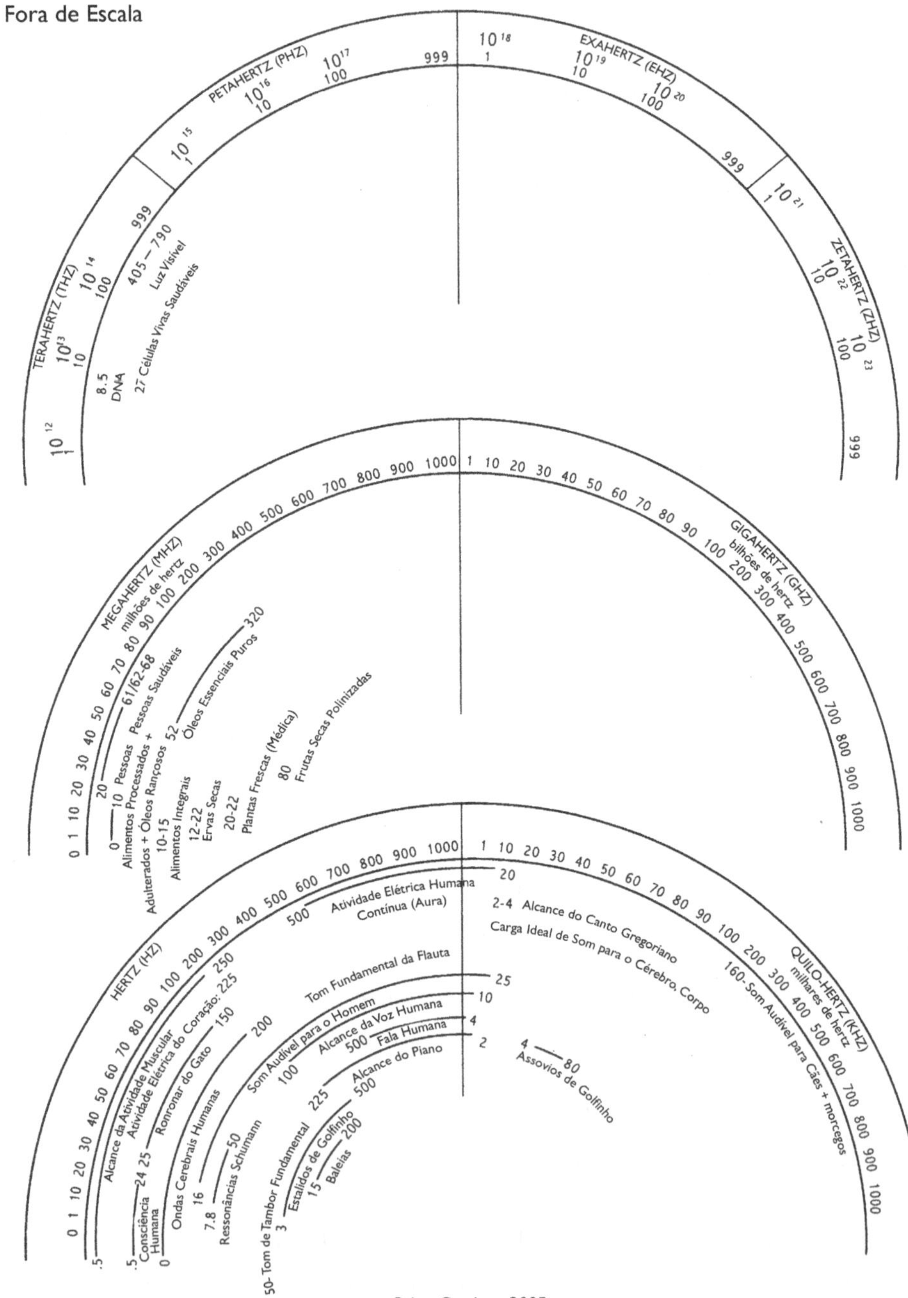

conseguiu demonstrar que toda célula viva emite ondas eletromagnéticas geradoras de uma fraca luz permanente no feixe visível (400 a 800 nm), chamada emissão biofotônica. Quando as células são saudáveis, emitem mais; quando não, emitem menos.[26]

O espectro eletromagnético (ver ilustração na página 74) mostra o feixe de luz visível e invisível. Eu me perguntava, entretanto, por que ele não mostra também as freqüências do som audível e inaudível. Hoje sei que toda energia eletromagnética se move à velocidade da luz (300 mil quilômetros por segundo) e que a velocidade do som não vai além de uns 75 mil quilômetros por segundo. A luz é geralmente medida em nanômetros (o comprimento da onda) e o som, em Hertz (a freqüência da onda ou quantas ondas existem numa unidade de tempo). Tomando por medida as freqüências Hertz, você pode perceber a conexão vibracional entre som e luz.

Depois, descobri que os *cheiros* também podem ser medidos em freqüências Hertz. Bruce Tainio, que inventou o Monitor BT3 para medir as freqüências das plantas, descobriu que a mesma máquina podia medir igualmente as freqüências dos óleos essenciais, alimentos e seres humanos.

Outro termo para as vibrações é "formas-onda", o que nos reconduz ao gênio matemático francês barão Jean-Baptiste Joseph Fourier (1768—1830), inventor de um tipo de cálculo. Fourier desenvolveu um processo matemático para converter qualquer padrão, por mais complexo que seja, em linguagem de simples ondas e depois retornar ao padrão original. Essas equações são conhecidas como "séries de Fourier". São usadas na análise de freqüência de Fourier (ver "A Ciência dos Chakras", p. 44) e constituem parte essencial da tecnologia do *laser* (ver "*Lasers*", p. 94).

Fourier descobriu que o córtex visual não responde a padrões e sim a freqüências de formas-onda. Ele investigou os outros sentidos e soube que, um século antes, o físico alemão Hermann von Helmholtz havia demonstrado que o ouvido é um analisador de freqüências.

Pesquisas mais recentes revelam que o sentido do olfato se baseia, aparentemente, nas chamadas freqüências ósmicas. George von Bekesy (1899—1972), biofísico norte-americano nascido na Hungria, provou que a pele é sensível a freqüências vibratórias e colheu indícios de que o paladar pode implicar análise de freqüência. Notou que os movimentos físicos são armazenados no cérebro por meio de um processo parecido ao das séries matemáticas de Fourier e ali se convertem em formas-onda.[27]

O chauvinismo dos homens induz-nos a pensar que a realidade só pode ser definida pelo que experimentamos com os cinco sentidos. É difícil, para nós, acreditar na existência de sons que não podemos ouvir e de vibrações que não podemos perceber. No entanto, todos sabemos que cães e gatos captam sons que nos são inacessíveis.

Munida de todas essas informações, pus-me a imaginar um espectro que incluísse a faixa dentro da qual os humanos (e outros animais) conseguem ver, ouvir, cheirar, degustar, tocar e sentir. Ruminei essa idéia por vários anos e, por fim, elaborei o Espectro de Freqüências Biológicas, que engloba todas as medidas confiáveis até agora disponíveis, relacionadas aos sentidos humanos e animais (ver ilustração). Conforme já disse antes, o espectro eletromagnético inclui tanto freqüência quanto comprimento de onda. A tabela eletromagnética mostra apenas as freqüências do fenômeno eletromagnético. Já o meu Espectro de Freqüências Biológicas fornece freqüências de luz e também de sons, aromas e valores alimentícios que nós (e os outros animais) somos capazes de perceber. Conto que esse espectro vá se aperfeiçoar no correr dos anos e peço que quem disponha de informação adicional entre em contato comigo por meio de meu website (ver Recursos).

Passemos em revista as freqüências Hertz:

1 Hz (hertz) = 1 ciclo por segundo (cps)
1 KHz (quilohertz) = 1 mil cps
1 MHz (megahertz) = 1 milhão de cps
1 GHz (gigahertz) = 1 bilhão de cps
1 THz (terahertz) = 1 trilhão de cps

Voltemos agora ao Espectro de Freqüências Biológicas da página 86. Examinando essa tabela, torna-se claro que vivemos num mar de vibrações. Se aprendermos como estimular ou reduzir as vibrações de nosso próprio corpo (cérebro, coração, músculos e aura) graças ao uso consciente de meios altamente vibratórios (som, óleos essenciais e luzes coloridas), conseguiremos manter o equilíbrio e a saúde. Essa é a essência da Cura Vibracional.

Se a página fosse maior, eu registraria um espectro contínuo de 1 Hz a 1.000 GHz. Como isso não foi possível, criei um espectro em três lances, começando do canto inferior esquerdo e terminando no canto superior direito. Observe-se que esse espectro não obedece à escala. Seria espacialmente impossível mostrar, de 0 a 1.000, os hertz, quilohertz, megahertz, etc., em diferenciais de 10. Preferi adotar diferenciais de 10 Hz a fim de ir de 10 a 100 e depois saltar para diferenciais de 100 Hz a fim de ir de 100 a 1.000.

Freqüências Cerebrais e Ressonância Schumann

As ondas humanas cerebrais até hoje gravadas, medidas pelo EEG, vão de 0,5 a 200 Hz. As faixas que definem os estados de consciência começam tradicionalmente em 0,5 e chegam a 30 Hz.

A sua consciência lúcida normal, quando você está conversando animadamente ou em estado de alerta, gera ondas **beta**, de 40 a 15 Hz. Isso é bom também para a meditação de enfoque variado usada no Zen-budismo, em que se presta atenção a tudo simultaneamente. À medida que você se descontrai e fica mais receptivo, as ondas do seu cérebro se tornam mais lentas e com amplitude maior, de sorte que você passa para **alfa** de 9 a 14 Hz. Este é o momento da reflexão, meditação e pensamento intuitivo, não-linear.

O nível seguinte, **teta**, de 5 a 8 Hz, dá acesso ao subconsciente, onde ocorrem a meditação profunda, hipnose, visualização, atividade xamânica e cura. Pode ser alcançado também durante tarefas repetitivas como correr, costurar, tecer ou dirigir por longas distâncias. A inspiração criativa original muitas vezes se manifesta quando estamos em teta e costuma ser associada também à saída do corpo (viagem astral). Essa é a região do sono caracterizada por intensa atividade onírica e rápidos movimentos dos olhos (REM, *Rapid Eye Movement*). Finalmente, as ondas cerebrais **delta**, de grande amplitude e baixa freqüência, vão de 0,5 a 4 Hz e ocorrem durante o sono restaurador profundo, bem como na meditação profunda e na hipnose. Na realidade, os quatro tipos de ondas cerebrais estão sempre presentes, mas apenas um predomina conforme a ocasião.[28]

O Monroe Institute em Faber, Virgínia, desenvolveu uma tecnologia chamada Hemi-Sync que usa fones de ouvido ou alto-falantes estereofônicos para emitir, por exemplo, um som de 300 Hz num ouvido e de 30 Hz no outro. O cérebro integra os dois sinais, produzindo a sensação de um terceiro som chamado **ritmo binaural**. As ondas cerebrais acompanham o sinal de 30 Hz, percebido pela estrutura óssea do ouvido interno, fazendo com que o cérebro passe para o estado alfa superior ou mesmo teta, onde a criatividade aumenta e os sonhos tornam-se mais lúcidos.[29]

Estudos do Center for Neuroacoustic Research, realizados com equipamento especial, revelaram padrões de freqüência de ondas cerebrais muito lentos, equivalentes a um quarto de cps, em pacientes mergulhados em estados de consciência extraordinários, inclusive estados yogues de animação suspensa. Esses estados profundos, abaixo do delta, são chamados **épsilon**. Em ocasiões assim, os hemisférios direito e esquerdo tendem a sincronizar-se quando, por acaso, a resposta a um problema ou um momento de grande inspiração ocorrem de súbito.

Há também um fenômeno relatado por outros pesquisadores no qual os padrões de ondas cerebrais vão de 40 a nada menos que 100 Hz e até mais. São as chamadas ondas cerebrais gama, sendo ondas hipergama as que atingem um raio muito acentuado. Estas se caracterizam pelo ato de reunir informações colhidas por todos os sentidos numa unidade de percepção de altíssimo nível, conforme se observa durante as experiências xamânicas e místicas. Houve até mesmo situações de êxtase registradas em freqüências de 200 Hz, chamadas estados de consciência de ondas cerebrais **lambda.**[30]

De um ponto de vista diferente, o físico experimental Bob Beck registrou as ondas cerebrais de místicos consagrados enquanto eles executavam seu trabalho e descobriu que vibravam a 7,8 cps, o que se situa entre os estados teta e alfa. A pesquisa de Beck sobre ressonâncias da Terra e seus efeitos nas freqüências das ondas cerebrais foi apresentada a uma conferência psicotrônica nos Estados Unidos e publicada no final dos anos de 1970.

A atmosfera de nosso planeta, entre a crosta e a ionosfera, tem uma freqüência básica de 7,83 Hz. Quando raios golpeiam a Terra, viajam à velocidade da luz, ou seja, 300 mil quilômetros por segundo. Um raio pode cobrir a circunferência da Terra exatamente 7,83 vezes em um segundo, desse modo transmitindo-lhe uma carga de 7,83 Hz.

Cerca de 1.000 tempestades com raios ocorrem a cada segundo no mundo e, coletivamente, explicam o fluxo atual medido na "cavidade" eletromagnética da Terra, entre a crosta e o centro da ionosfera, mais ou menos a 100 quilômetros da superfície. Essas tempestades não são provocadas por nada que esteja dentro da Terra, em sua crosta ou núcleo. Devem-se à atividade elétrica da atmosfera, que aumenta quando os raios se multiplicam e os ciclos de manchas solares aumentam, o que acontece a cada onze anos.

W. O. Schumann, físico alemão, previu e depois detectou essas ondas em meados da década de 1950. Afirmou que a ressonância se situava entre 7 e 8 cps. Bob Beck fixou-lhe o valor em 7,8 Hz, equivalente a 1/500 de um ciclo.[31]

Nos anos de 1960, essa freqüência foi monitorada pelo National Bureau of Standards em Boulder, Colorado. Descobriu-se que várias freqüências entre 7 e 50 Hz na verdade compunham as chamadas **Ressonâncias Schumann**, que começavam em 7,8 Hz (dado nominal) e variavam progressivamente em cerca de 5,9 Hz (7,8, 13,7, 19,6, etc.). Essas freqüências mudam de um sítio geológico para outro e, às vezes, apresentam interrupções que ocorrem normalmente.[32]

Comenta-se, em alguns círculos esotéricos, que a ressonância da Terra aumentou recentemente de 7,8 para 9 Hz. Não encontrei nenhuma fonte confiável que confirmasse isso, nem o fato parece possível a menos que a circunferência do planeta ou a velocidade da luz tenham mudado. Há também a crença de que isso apontaria para uma evolução da percepção humana. Na verdade, como a freqüência de 7,8 é detectada bem no ponto alto de teta (meditação profunda e atividade xamânica), nas imediações de alfa (meditação normal e devaneio), uma freqüência de 9 nos arrastaria *para baixo*, para fora de teta e para dentro de alfa, o que só acarretaria um retrocesso na consciência humana.

Segundo Valerie Hunt, quando os místicos se sintonizam na freqüência de 7,8 Hz, ganham acesso a todas as lembranças da Terra e das criaturas que a habitam, inclusive, possivelmente, informações do passado e do futuro. Os místicos falam dos *Registros Akáshicos*, uma biblioteca psíquica onde todos os acontecimentos ocorridos no planeta estão guardados. Se esse canal existe, ajudaria a explicar como certos psíquicos conseguem *transmitir* acuradamente informações do passado e do futuro. Considero esse canal de consciência parecido ao Canal Sonoro Profundo que, no oceano, as baleias utilizam para se comunicar a enormes distâncias (ver "Som, Ciência e Medicina", página 148).

Outras Freqüências Anatômicas e Alimentares

A freqüência elétrica da atividade muscular humana começa em 0 Hz e chega a 250 Hz, inclusive a do coração, que atinge 225 Hz. A aura humana, medida pela dra. Valerie Hunt, apresenta uma radiação contínua que começa em 500 Hz e provavelmente ultrapassa os 20.000 Hz (20 KHz), mas esse era o limite superior da máquina de telemetria de Hunt.[33] O DNA recebeu o valor de 8,5 terahertz (THz ou trilhões de Hertz) e as células vivas saudáveis, de 27 THz.[34]

Segundo Tainio, em colaboração com Gary Young, os indivíduos saudáveis ressoam numa faixa entre 62 e 68 megahertz (MHz). Esse número é obtido fazendo-se diversas medições pelo corpo todo e calculando-se a média. Pessoas doentes vibram entre 20 e 62 MHz. De acordo com medidas tomadas pelo Frequency Monitoring System BT3 de Tainio (ver Recursos), quando você contrai um resfriado ou gripe, sua taxa vibratória desce para 58 MHz; em presença de cândida (uma infecção sistêmica por fungos), a vibração é de 52 MHz; em caso de câncer, de 42 MHz. Uma vez iniciado o processo da morte, a freqüência baixa para 20 MHz.

Alimentos processados ou adulterados e óleos rançosos vão de 0 a 10 MHz. Não admira que esse tipo de alimento seja conhecido como *junk food*. Não tem vitalidade e não pode aumentá-la em você. Os alimentos integrais medem de 10 a 15 MHz; as ervas secas, de 12 a 22 MHz.

A planta viva média vibra de 20 a 22 MHz e o fruto polinizado pode chegar a 80 MHz. Não é de estranhar que frutas, verduras e sucos naturais sejam tão bons para sua saúde. Óleos essenciais de alta qualidade vibram sempre de 52 a 320 MHz.[35] Por isso levantam o ânimo, melhoram a concentração, acalmam o estômago, aliviam as dores de cabeça e, por sua simples aspiração ou aplicação, produzem efeitos fungicidas, antiinflamatórios e antibióticos.

Sons Audíveis e Musicais

Os seres humanos ouvem sons situados na faixa de 16 a 25.000 Hz (16 Hz a 25 KHz). O alcance da voz humana vai de 100 a 10.000 Hz (100 Hz a 10 KHz). O ouvido é mais sensível a tons entre 500 e 4.000 Hz, que é também a faixa da fala normal. Sons de 2 a 4 KHz situam-se na parte do espectro ideal para carregar o cérebro e o corpo, segundo o dr. Alfred Tomatis. O canto gregoriano insere-se inteiramente nessa faixa.[36]

No piano, o dó médio tem, em geral, a vibração de 256 Hz e o dó uma oitava acima, de 512 Hz (o dobro da quantidade do dó médio). A nota mais baixa do piano vibra em 27,5 Hz e a mais alta, em 4.186 Hz. Os violinos estão entre 200 e 2.000 Hz.

Por que um violino, tocando um dó médio, soa diferentemente de uma flauta que toca a mesma nota? Isso se deve à qualidade tonal. Quando a corda de um violino é ferida, produz diversas freqüências ao mesmo tempo. A mais baixa se chama fundamental e determina a altura. As outras freqüências são tons secundários que, no caso do violino, não passam de múltiplos de números integrais da nota fundamental. A qualidade tonal diferente de cada tipo de instrumento e de cada instrumento do grupo é determinada por sua própria mistura de tons secundários. A flauta produz uma onda de seno quase pura, um tom sem tons secundários. O tom fundamental da flauta ressoa a 440 Hz. O tambor produz seu tom fundamental a 50 Hz e seus tons secundários não dão nenhuma sensação definida de altura.[37]

Freqüências Luminosas. Como o som, a luz tem uma freqüência e seu espectro visível equivale a uma oitava (o dobro da freqüência), começando com o vermelho em 405 THz e terminando com o violeta em 790 THz.

Sentidos e Sons dos Animais. Baleias e elefantes emitem sons entre 15 e 35 Hz, de modo que seus tons baixos podem estimular a atividade cerebral alfa. As baleias Southern Right têm um chamado próprio usado para comunicação a longa distância, com pico de energia entre 50 e 200 Hz. Os golfinhos se comunicam por meio de estalidos que pulsam de 3 a 500 Hz e, simultaneamente, emitem assobios que vão de 2.000 a 80.000 Hz (2 a 80 MHz). A faixa dos golfinhos, na água, está impressionantemente perto do alcance da fala humana no ar.[38]

Cães e morcegos podem ouvir ou perceber freqüências de até 160 KHz. Há uma boa razão para muitos de nós acharmos o ronronar do gato tranqüilizador. Os gatos domésticos e selvagens ronronam durante a inspiração e a expiração num padrão consistente entre 25 e 150 Hz, que é a faixa ideal para aumentar a densidade óssea e promover a cura. Isso talvez explique por que os gatos ronronam quando sentem prazer, por exemplo ao serem embalados, ou em situações de dor e ameaça.[39]

Freqüências em casa

Embora as que se seguem não sejam verdadeiras freqüências biológicas, a presença delas em sua casa pode afetar seu corpo. Nos Estados Unidos, a energia elétrica doméstica é fornecida a 60 Hz, ou seja, a corrente muda de direção ou polaridade 120 vezes ou 60 cps. Na Europa, essa freqüência é de 50 Hz ou 50 cps.

A maioria dos países escolheu seu padrão de televisão adequando-o à freqüência de suprimento que adotam. Cada imagem é produzida por um raio de elétrons muito rápido de meias imagens que ocorrem de 50 a 60 vezes por segundo num televisor convencional de 50 ou 60 Hz. É por isso que você vê "chuviscos" quando fixa bem o olhar. Hoje, há aparelhos de 100 Hz, sem esse contratempo.

Lasers

Nada demonstra o poder da radiação eletromagnética tão espetacularmente quanto o *laser*. É quase impossível acreditar que a luz possa literalmente atravessar a carne humana, soldar metais e abrir duzentos buracos na cabeça de um alfinete. Em lugar de "luz *laser*", diríamos melhor "radiação *laser*", pois os *lasers* usam radiações de vários tipos, inclusive (mas não só) luz visível.

Laser é uma sigla para "*light amplification by stimulated emission of radiation*" (amplificação da luz por emissão estimulada de radiação). O primeiro *laser* foi construído num meio condutor de microondas e foi chamado de MASER (*Microwave Amplification by Stimulated Emission of Radiation* [Amplificação de Microonda por Emissão Estimulada de Radiação].

Examinemos o que a sigla significa e como o *laser* funciona:

1) A luz laser é monocromática — de uma só cor condensada.

É fácil para a mente concentrar-se num só elemento de uma fotografia, quando, por exemplo, todos os outros elementos ficam fora de foco. Do mesmo modo, uma única faixa de luz colorida permite ao olho concentrar melhor o foco. Você nota isso quando coloca óculos coloridos. Quanto mais pura a cor, mais intenso o foco. Ocorre o mesmo com a cura pela cor. Certos tipos de vidro e de plástico propiciam uma leitura relativamente exata da freqüência vermelha, por exemplo, e esse material é dos mais desejáveis para tratar condições que respondem bem à pura luz vermelha, que não contenha elementos de rosa, laranja ou púrpura.[40] Um cristal de rubi foi usado na primeira luz *laser*, pois a cor vermelha é muito pura.

Como explica o fotógrafo John Ott, a introdução de filtros coloridos no microscópio permite aos cientistas fotografar material celular sem usar corantes, que matam substâncias vivas. (Tome nota: corantes artificiais matam substâncias vivas, mas a propaganda nos diz que alimentos coloridos artificialmente não são danosos aos seres humanos. Será que *nós* não somos feitos de substâncias vivas?) Os filtros coloridos eliminam algumas das faixas de freqüência, estreitando assim o espectro acessível aos olhos.[41]

A luz *laser* é cerca de 10 milhões de vezes mais monocromática que as melhores fontes de luz de laboratório convencionais. O aspecto monocromático do *laser* permite que ele seja usado para medidas de alta precisão: por exemplo, a posição dos mecanismos que armazenam e recuperam dados em discos de computador.

2) A luz laser é coerente — altamente organizada.

A maioria dos elétrons se encontra no estado mais baixo de energia que a natureza permite. São considerados estáveis porque, normalmente, não mudam durante longos períodos de tempo. Quando a energia é bombeada para dentro deles, absorvem-na, agitam-se e passam para um estado energético superior. Nesse estado, expelem energia, geralmente na forma de feixes subatômicos de luz, os fótons. Níveis diferentes de energia produzem diferentes comprimentos de ondas luminosas e, portanto, cores diferentes são emitidas. Não havendo mais agitação, os elétrons retornam ao estado anterior de baixa energia.

O estado de agitação é dito quase-estável quando o número de elétrons agitados é maior que o dos elétrons em repouso. Essa inversão numérica permite que o meio emita mais luz do que absorve, amplificando assim o raio de luz.

Quando um elétron quase-estável é exposto a outro fóton, emite também um fóton. A isso se chama emissão estimulada (o dígrafo *SE* [*stimulated emission*] da sigla LASER). O novo fóton se moverá alinhado com o fóton que o estimulou. Como esses novos fótons emitem mais luz, agitam outros elétrons em seu meio e todos passam a mover-se alinhados uns com os outros. Essas ondas altamente organizadas permanecem juntas em fase por longas distâncias e longos períodos de tempo. Dá-se a isso o nome de estado de coerência.

Os espelhos refletem os fótons, que oscilam (vão para a frente e para trás num ritmo regular, ininterrupto) e se multiplicam até formar um raio *laser*.[42]

3) A luz laser é alinhada — altamente direcionada, movendo-se num cone estreito. Pode conservar o foco, percorrendo em linha reta longas distâncias sem perder energia. Pode também ser dirigida por uma lente a um ponto de concentração.

Daí o uso de *lasers* como régua de apontar em sala de aula, para medir a distância até a Lua e para mira em espingardas e satélites. Um *laser* pode focalizar um ponto com diâmetro praticamente igual ao comprimento de onda da radiação.[43]

4) A luz laser existe num amplo leque de níveis de força, de microwatts (milionésimos de watt) a terawatts (bilionésimos de watt). A energia é intensa e altamente concentrada.

5) A luz laser existe num fluxo contínuo de impulsos curtos e intensos.

Lembre-se de que, no espectro eletromagnético, quanto mais curtas forem as ondas, mais penetrantes serão: de fato, os raios X e os raios gama podem atravessar o corpo humano e até metais. Isso explica por que os impulsos curtos e intensos do *laser* são usados para seccionar e juntar tecidos.[44]

Quando a luz *laser* é dividida em impulsos extremamente curtos, damos a estes o nome de bits. Informações podem ser armazenadas em forma digital ligando-se e desligando-se os bits. Cada fibra óptica transporta 46 milhões de bits por segundo, o que lhe permite transmitir quatro mil conversas ao mesmo tempo. Um *laser* do tamanho de um grão de sal comuta os bits e outro *laser* minúsculo amplifica o sinal no espaço de uns poucos quilômetros.

No CD (compact disc, disco compacto), um *laser* bem mais poderoso é usado para converter música em bits e depois transmiti-los para o master.[45]

6) A luz laser existe numa ampla variedade de comprimentos de onda, inclusive todas as cores visíveis e lasers raios X, lasers de microondas e mesmo lasers de som.

Os seguintes elementos básicos são necessários para se fazer um *laser*.

O meio de condução: pode ser um gás, um líquido ou um sólido. Tem de ser transparente aos fótons que produz e apresentar estados de energia quase-estáveis para conseguir gerar a radiação.

Uma fonte de excitação: trata-se da fonte de energia do *laser*, que pode ser elétrica, química, nuclear ou óptica (como uma lâmpada de *flash* ou outro *laser*). A fonte fornece energia estimulando os elétrons do meio condutor a dar saltos quânticos do estado de repouso para estados de energia altamente excitados.

Um refletor óptico: uma vez amplificada, a energia de um raio de luz está pronta para emitir radiação óptica por meio de espelhos colocados em cada extremidade do meio condutor. Esses espelhos amplificam a radiação do meio até haver energia suficiente no raio para redirecioná-lo.

São inúmeros os usos do *laser*. *Lasers* de alta energia e contínuos podem soldar metais de até cinco centímetros de espessura. *Lasers* de baixa energia conseguem fazer soldaduras mínimas, precisas. A radiação se concentra na solda sem aquecer demais o material em redor. Os *lasers* podem também ser usados para microssolda de microcircuitos em computadores e outros equipamentos eletrônicos. A fusão é o processo pelo qual o Sol gera calor. Foi empregado na bomba de hidrogênio: um *laser* poderoso, com impulsos luminosos de curtíssima duração que provocavam fusão aquecendo fragmentos de deutério (elemento similar ao hidrogênio) congelado a milhões de graus. A fusão também é fonte de energia limpa.

Os *lasers* são usados em cirurgia para fazer incisões de alta precisão, que tendem a sangrar menos porque os tecidos são cauterizados (tal qual se queima a ponta de uma corda para impedir que ela desfie). *Lasers* ultravioleta conseguem remover tecidos decompondo-os instantaneamente.[46]

Resposta Celular à Luz e à Cor

A cabeça é o receptáculo dos cinco sentidos: visão, audição, olfato, paladar e tato (embora este último esteja distribuído pelo corpo todo). A glândula pituitária localiza-se bem dentro do cérebro, entre os hemisférios direito e esquerdo. Por trás e acima dela está a glândula pineal, em forma de pinha. Você a localizará com facilidade se aplicar os dedos indicadores diretamente atrás das orelhas e apontá-los para o crânio. Ela está no centro do ponto onde os indicadores se encontrariam caso penetrassem no crânio. No adulto, essa glândula tem o tamanho de uma ervilha, mas sua capacidade para absorver os raios luminosos vitais pode ser comparada à do estômago para digerir os nutrientes que amparam a vida.

A glândula pineal recebe a luz diretamente dos olhos. Estes são uma extensão do cérebro que, por sua vez, recebe a carga necessária dos impulsos elétricos oriundos dos olhos e dos ouvidos.[47] Uma das funções da glândula pineal é comunicar a duração dos dias e das noites ao cérebro. Uma vez que essa duração muda com as estações, a glândula pineal fornece aos animais uma informação vital sobre o momento de estimular o crescimento do pêlo ou preparar-se para o calor.

A glândula pineal libera o hormônio melatonina em resposta à escuridão, com pico entre as 2 e as 3 horas da madrugada. Aproximadamente cem funções orgânicas possuem ritmos diários que ocorrem a cada 24 horas.[48] Os pesquisadores suíços Walter Pierpaoli e Georges Maestroni adicionaram melatonina à água que ratos bebiam à noite e descobriram que ela retardava ou revertia consideravelmente os sintomas do envelhecimento, incluindo debilidade, doença e aparência física característica: seu prazo de vida era 20% maior que o dos controles. Os cientistas notaram ainda que a produção de melatonina cai na proporção da idade e sugeriram que essa substância fosse usada para aumentar a longevidade, reduzir o stress e controlar as moléstias a ele relacionadas.[49]

A melatonina chega a todas as células do corpo. Desregulada, pode provocar câncer. Na dose certa, é um poderoso anticancerígeno.[50] A glândula pineal tem um efeito poderoso sobre a reprodução, o crescimento, a temperatura corporal, a pressão sanguínea, a atividade motora, o sono, o aumento de tumores, o humor e o sistema imunológico, tanto quanto sobre a longevidade.[51]

A regulagem da luz desempenha um papel crucial na saúde e no bem-estar. Pode ajudar em muito a manter a boa condição mental e física.

Se você já viu algum filme de Walt Disney em que flores se abrem magicamente e abóboras percorrem todo o seu ciclo de vida em uns poucos instantes espetaculares, sabe alguma coisa sobre a fotografia periódica (*time-lapse*) de John Ott. Ott (1909—2000) explica em seu livro *Health and Light* que seu método especial consiste em tirar um instantâneo a cada hora pelo ciclo de vida inteiro de uma planta, o que pode levar dois anos. Esse trabalho lhe deu a oportunidade de observar o efeito notável da luz sobre o crescimento de células, plantas e animais. Após anos de estudo, Ott convenceu-se de que todas as coisas vivas exigem o espectro integral da luz solar para ser saudáveis.

Observando folhas da grama *elodea* ao microscópio, ele notou que a luz solar plena e natural permitia aos cloroplastos (estruturas celulares que contêm clorofila) seguir um padrão típico de disseminação dentro das células. Quando estas eram postas sob vidro comum, que retinha a faixa ultravioleta do espectro, muitos cloroplastos formavam um grupo moroso numa das extremidades da célula.[52]

Quando Ott colocava um filtro vermelho sobre a luz, alguns cloroplastos continuavam em seu padrão normal, enquanto outros se desgarravam inteiramente e outros ainda começavam a rompê-lo. Com filtro azul, os mesmos desvios ocorriam. Entretanto, ao adicionar luz ultravioleta à fonte luminosa do microscópio, a fim de simular melhor a luz solar, viu que todos os cloroplastos voltavam aos padrões normais. Estudos do mesmo tipo foram realizados na Universidade de Freiberg, Alemanha Ocidental, com resultados semelhantes.[53]

Jacob Liberman relata os mesmos estudos em seu livro *Light — Medicine of the Future*. E em seguida pondera:

> Será possível que as contorções celulares constituam o equivalente microscópico de um comportamento humano anômalo como a hiperatividade ou a ansiedade? O enfraquecimento da parede das células pode ser relacionado a rupturas no sistema imunológico do corpo? Face à quantidade de tempo que as pessoas gastam sob iluminação artificial, que não tem os aspectos nutricionais equilibrados da luz solar, é possível que certas diferenças comportamentais e psicológicas entre os seres humanos sejam de fato, ao menos em parte, resultado de seu relacionamento com o ambiente iluminado. ... Passando muito tempo sob iluminação artificial, talvez estejamos nos submetendo a uma luz de má qualidade, assim como nos impomos uma alimentação ruim ao ingerir uma dieta não-balanceada.[54]

O dr. Melyni Worth, na *World Equine Veterinary Review*, descreve experimentos com culturas de tecidos onde se observou que a luz visível é absorvida por enzimas no interior da célula. As mitocôndrias (pequenas estruturas em forma de bastão do citoplasma) absorvem os fótons da luz visível, enquanto a luz infravermelha invisível é absorvida pela membrana celular. Hoje sabemos que as células emitem e absorvem luz, e que a falta do espectro luminoso total acabará por enfraquecer as paredes celulares.

Quando, porém, a luz infravermelha é emitida — digamos, por meio de aparelhos de *laser* portáteis, de baixo nível de energia —, a luz é absorvida pelas células e as membranas celulares se tornam mais permeáveis. O aumento dos níveis de ATP gera mais energia, a produção de DNA sobe e todo o metabolismo celular torna-se mais eficiente.[55]

O trabalho de John Ott na área de luz e saúde começou com uma série cíclica sobre o crescimento das abóboras para *Segredos da Vida*, de Walt Disney. As abóboras têm flores masculinas e femininas na mesma planta. Ott tentou produzir abóboras em estufa, com luzes fluorescentes para simular o pleno poder do sol de verão. As flores masculinas reagiram bem, mas as femininas adquiriram um tom marrom e logo caíram. Quando Ott mudou para os, menos populares, tubos branco-azulados, as flores femininas vingaram, mas as masculinas adquiriram a tal tonalidade marrom e rapidamente murcharam.

Ott também cultivou uma maçã para o mesmo filme e encerrou-a numa caixa de vidro. Embora ela crescesse, continuou verde, sem a cor vermelha das outras. O vidro comum elimina 99% da radiação ultravioleta do Sol, de modo que ele o substituiu por plástico, que só permite a passagem de 95% dessa radiação. Em dois dias, a maçã se tornou vermelha.[56]

Um professor de biologia consultou Ott sobre o uso de fotografia periódica para sua pesquisa com ovas de peixe. Ott transferiu seu equipamento para o laboratório, aplicando tubos de luz branca fria, luz de clarabóia e tubos de luz rosada sobre dois ou três tanques de peixes, localizados a certa distância das janelas. Os cinqüenta peixes — de várias espécies — que ficaram sob as luzes rosadas eram fêmeas, embora 20% deles desenvolvessem mais tarde características masculinas secundárias.[57]

Nesse meio tempo, Ott contraiu uma artrite grave no quadril. O médico colocou-lhe uma larga cinta de metal, prescreveu extratos glandulares, que pareceram ajudar um pouco, e avisou que logo ele necessitaria de uma cirurgia de reparação. Ott contava que a luz do Sol melhorasse sua condição, de sorte que, indo para a Flórida a fim de atender a compromissos de conferências, passou ali o maior tempo possível ao ar livre, sempre usando óculos escuros para evitar o cansaço dos olhos. Ficou desiludido quando seu estado piorou.

Voltou para casa e, de uma feita, estava passeando com sua bengala quando quebrou os óculos. O tempo estava quente, e, enquanto esperava que lhe fizessem outro par, ficou andando pelo jardim. Logo percebeu que já não precisava da bengala e que há anos não se sentia tão bem.

Ott concluiu que a melhora poderia dever-se ao fato de estar em plena luz natural e sem óculos, de modo que passou a ficar ao sol pelo menos seis horas por dia, com céu claro ou nublado, sem óculos de qualquer tipo. Transferiu o escritório para a estufa. Quando estava dentro de casa evitava olhar pela janela; e quando estava de carro desviava os olhos do pára-brisa. Fugia da luz artificial, não via televisão e não ia ao cinema (isso foi antes da era do computador; senão, o teria posto de lado também). À noite, acendia uma lampadazinha azul de árvore de Natal no banheiro, pois havia observado que luzes ofuscantes exerciam efeito negativo sobre algumas de suas plantas.

Sua artrite melhorou de modo surpreendente e ele não mais precisou de extratos de glândulas. Resfriados e dores de garganta também desapareceram. Entretanto, via que a artrite piorava sempre que se expunha às luzes brilhantes do estúdio durante seu programa de televisão semanal ou quando tinha de dirigir por longas distâncias. Ott concluiu que a luz recebida pelos olhos devia estimular a pituitária e/ou a pineal, as quais, por sua vez, estimulavam as glândulas que lubrificavam suas articulações.

Após seis meses, o médico tirou raios X que confirmaram a cura completa dos 30% de comprometimento na rotação da articulação do quadril e o fortalecimento indiscutível da área. Para surpresa do seu optometrista, Ott já não precisava das grossas lentes antes exigidas para corrigir uma debilidade muscular nos olhos.[58]

Ott não se precipitou em tirar conclusões desses estranhos fenômenos, mas comunicou-os a um amigo que seguiu o mesmo regime e viu desaparecer sua febre do feno. Outro homem, que estava cego há quatro anos, começou a ficar mais tempo ao ar livre e, dentro de seis meses, passou a distinguir cores.[59]

Posso acrescentar a isso meu próprio testemunho. Trabalhando no presente livro, sofri por vários meses uma dor no músculo externo da coxa esquerda, que ia da nádega ao calcanhar. A dor se agravou a tal ponto, devido à constante posição sentada, que os dedos menores do pé esquerdo latejavam e, às vezes, minha nádega esquerda ficava adormecida. Tentei massagem, alongamento e uma visita ao meu quiroprático, mas nada propiciava alívio duradouro.

Depois de ler o livro de Ott, *Health and Light*, decidi passar no mínimo duas horas por dia fora de casa ou pelo menos ficar por um bom tempo sentada sob uma lâmpada de espectro total, sem óculos. Dentro de uma semana a dor e o adormecimento se foram, e minha saúde geral melhorou bastante.

A primeira vez que li o livro de Ott era inverno e eu morava em Seattle. Comprei um tubo de luz fluorescente de espectro total e instalei-o sobre a pia da cozinha. Nunca me importei com arrumações de casa; mas, de repente, lá estava eu *ansiosa* por lavar pratos!

Em 1970, a Chinchilla Research Foundation de Utica, Illinois, completou um estudo de cinco anos com mais de dois mil criadores de chinchila em todo o mundo. Quando se usava luz incandescente comum nos criadouros, apareciam cerca de 60 a 75% de machos. Quando se usavam bulbos de luz incandescente de estufa, apareciam cerca de 60 a 75% de fêmeas. Aumentando-se as horas de escuridão, os animais produziam pêlo abundante em qualquer mês do ano e não apenas durante o inverno.

Outro estudo, também publicado em 1970, mostrou que o número e o tamanho das cáries nos dentes de hamsters aumentavam quando os animais se viam privados do espectro total de luz natural ou luz solar simulada. Quinze machos foram mantidos sob luz acrescida de raios ultravioleta e outros quinze ficaram sob luz fluorescente branca comum. O primeiro grupo apresentou uma média de 2,2 dentes com cáries; o outro, uma média de 10,9 de dentes com cáries dez vezes mais graves. Observou-se ainda que o desenvolvimento dos órgãos sexuais masculinos só chegava a um quinto, no segundo grupo, do tamanho alcançado pelo primeiro.

Essas observações podem se aplicar aos seres humanos? Penso que sim. Quando eu tinha oito anos de idade, minha família se mudou de Chicago para San Diego. Algumas garotas de minha idade, na Califórnia, já começavam a ter seios e a menstruar. Pareciam muito mais maduras que as de Chicago. O mesmo acontece no Havaí, onde vivo agora.

Ott apresentou seu trabalho a inúmeros chefes de departamentos de pesquisa. Muitos mostraram interesse, mas ponderaram que "participar dessa idéia bizarra" poderia atrair gozações de outros cientistas. No entanto, a dra. Jane C. Wright, do Bellevue Medical Center de Nova York, quis saber mais a respeito da teoria de Ott sobre os vírus, por acreditar que o câncer talvez fosse provocado por esses organismos.

Quando Ott demonstrou os efeitos biológicos anormais produzidos nas células pela instalação de um filtro azul na fonte de luz do microscópio, dois eminentes virologistas disseram-lhe que alguns daqueles efeitos lembravam as características de células atacadas por vírus.

Ott falou a respeito dos problemas que alguns plantadores de tomates em estufa haviam tido em Toledo, Ohio, quando um vírus atacou as plantas após longos períodos de neblina e baixa intensidade de luz solar, nos dias curtos de inverno. O vírus atacava os frutos mesmo sob as melhores condições de esterilização e cuidados. Ott levou algumas das plantas afetadas para sua estufa de plástico e dentro de poucos dias elas voltavam à vida, lançando novos brotos e produzindo tomates normais.

Segundo Ott, ninguém "atentou para a possibilidade de um vírus originar-se das células vivas da própria planta. Parece ponto pacífico que o vírus tem de vir de fora". A seu ver, o metabolismo em si é um processo no qual fatores nutricionais são estimulados pela luz. Ele comparou isso a um motor de automóvel, com a gasolina fazendo as vezes de nosso consumo de alimento e a fagulha que provoca a combustão assumindo o papel do sol. Assim como uma fumaça tóxica pode resultar da combustão incompleta no motor, um subproduto químico nocivo pode originar-se de um metabolismo imperfeito ou desequilibrado dentro das células, devido a deficiências de alimento ou de luz.

Esse subproduto químico se enquadraria em todas as descrições do vírus. Não seria capaz de reproduzir-se, mas, uma vez injetado em outras células, alteraria o metabolismo delas e as forçaria a produzir mais venenos do mesmo tipo. O vírus poderia ser facilmente transmitido de uma planta ou pessoa a outra pelo contato direto ou algum intermediário. Poderia também ser isolado e cristalizado. Ele também poderia se enquadrar em todas as descrições do vírus e, ainda assim, se originaria da planta ou pessoa afetada.[61]

A dra. Wright pediu a quinze de seus pacientes de câncer do Bellevue que passassem o maior tempo possível sob o sol, sem nenhum tipo de óculos

los. Não deveriam ver televisão e evitariam quaisquer outras fontes de luz artificial.

> Segundo Ott, após alguns meses, "a dra. Wright informou que, embora fosse difícil fazer uma avaliação positiva, todos os colaboradores do programa afirmaram que catorze dos quinze pacientes não apresentaram aumento do tumor e vários até pareciam ter melhorado. O décimo quinto não tinha entendido bem as instruções e, embora tivesse evitado o uso de óculos de sol, continuou a usar os de grau durante o tempo ao ar livre".[62]

Quando a dra. Wright tentou levar adiante seu trabalho, foi severamente criticada.

Para seu próximo projeto, John Ott recorreu ao amigo, o dr. Samuel Lee Gabby, do Sherman Hospital de Elgin, Illinois. Eles iniciaram um experimento com ratos C3H, altamente suscetíveis a desenvolvimento espontâneo de tumores. Trinta pares de teste foram mantidos num recinto sob tubos fluorescentes de luz branca comum, trinta sob tubos de luz cor-de-rosa e oito (de controle) sob luz do sol filtrada por vidros comuns de janela.

Os ratos sob luz rósea tiveram apenas um ou dois filhotes, ao contrário do número normal de seis a quinze. Foram os primeiros a desenvolver o câncer. Um mês depois, os ratos sob luz branca também desenvolveram câncer; e ao cabo de dois meses, o grupo de controle perto da janela contraiu a doença. O relatório desse estudo foi submetido ao *Illinois Medical Journal*, mas não chegou a ser publicado. O dr. Gabby recebeu duras críticas por sua participação no projeto.[63] Esse experimento é inquietante, pois mostra não só que os tubos fluorescentes são carcinogênicos como que a ausência prolongada de luz ultravioleta pode, ela própria, provocar câncer.

A hiperatividade é outra doença que parece relacionada à privação de luz, conforme se vê por um projeto piloto conduzido em quatro salas de aula de primeiro grau em Sarasota, Flórida. Em duas das salas, foram instalados os tubos de luz branca convencionais. Nas duas outras, instalaram-se tubos de espectro total, protegidos com folhas de chumbo. Sob os tubos convencionais, algumas crianças mostraram fadiga nervosa, irritabilidade, lapsos de atenção e comportamento hiperativo.

Com os tubos de espectro total, e sem o uso de nenhuma droga, as crianças se sentaram e prestaram atenção aos professores. O nervosismo diminuiu e o aproveitamento geral da classe melhorou. Depois de alguns meses, um garoto que tinha sido um dos mais hiperativos já se sentava em silêncio e, concentrando-se, aprendeu logo a ler.

Resultados similares foram obtidos com experimentos em duas escolas da Califórnia, onde se observaram melhor comportamento e mais capacidade de aprendizado. A Sarasota County Dental Society monitorou o experimento e reconheceu "uma redução significativa no número de cáries e na extensão do desgaste dentário nos molares de seis anos das crianças sob luzes de espectro total".[64]

John Ott estabelece uma correlação entre a reação hiperativa às luzes fluorescentes comuns e a reação ao alimento artificialmente colorido e flavorizado, descoberta pelo dr. Ben F. Feingold, do Kaiser-Permanente Medical Center. A Dieta Feingold recomendava a eliminação completa dos alimentos com sabores e cores artificiais. Essa dieta melhorou consideravelmente o comportamento de quinze entre vinte e um alunos hiperativos.

O dr. Louis Pasteur descobriu que podia girar um raio de luz polarizada numa solução pura de nutrientes orgânicos naturalmente produzidos e a luz se moveria tanto para a direita quanto para a esquerda. Mas não podia fazê-lo em nutrientes orgânicos sintetizados.

Isso indica a possibilidade de uma interação entre faixas de absorção de comprimentos de onda desses pigmentos sintéticos, por um lado, e picos de energia e linhas de vapor de mercúrio nos tubos fluorescentes, por outro. Por exemplo, duas crianças numa família submetida à mesma fonte de radiação de baixo nível reagiriam de modo diferente se uma preferisse sucos naturais e a outra, refrigerantes artificialmente coloridos de verde ou amarelo. Assim, uma reação ou alergia à luz fluorescente poderia ser evitada eliminando-se, ou o suco, ou os picos de energia nos tubos fluorescentes e outros tipos de luz artificial.[65]

Após muitos anos de rejeição por parte da comunidade médica e científica, Ott recebeu em 1967 o Grand Honors Award of the National Eye Institute por sua importante contribuição à oftalmologia. A Loyola University, de Chicago, conferiu-lhe o título honorário de doutor em Ciência.[66]

Os experimentos do dr. Ott com luzes coloridas mostram, sem traços de dúvida, que a cor da luz tem efeito notório na atividade glandular e reprodutiva, nas cáries dentárias e no comportamento, calmo ou agressivo. É óbvio que estamos lidando aqui com um fator de grande impacto na saúde e na doença.

O dr. Jacob Liberman, em *Light — Medicine of the Future*, recomenda que passemos pelo menos uma hora por dia ao ar livre, ainda que à sombra ou numa varanda, perto de uma janela ou junto ao vidro aberto do carro. Se você for tomar sol, cuide para se expor gradativamente. Evite ou minimize a exposição entre as 10 h da manhã e as 2 h da tarde.[67]

Acredito que todo ser humano necessita de um mínimo de vinte minutos diários ao ar livre ou sob uma luz de espectro total, sem óculos nem lentes de contato. Use a luz de espectro total caso não possa sair. Tente instalar bulbos dessa luz em seu local de trabalho e na escola de seus filhos. A pequena despesa adicional vale a pena.

Aplicação Prática de Luz e Cor

Psicológica. Sabemos, por intuição, que a cor tem um poderoso impacto sobre as emoções, mas agora dispomos de dados concretos para asseverar isso. Em 1942, o cientista russo S. V. Krakov escreveu sobre a "Visão de Cores e Sistema Nervoso Autônomo" no *Journal of the Optical Society of America*. Em 1958, ele pôde demonstrar que a cor vermelha estimula a porção simpática do sistema nervoso autônomo e que a cor azul estimula a porção parassimpática.

Robert Gerard confirmara esses achados em 1951, relatando que quando 24 adultos normais do sexo masculino se sentaram diante de uma tela com luz vermelha por dez minutos, sua pressão sanguínea, estímulo via condutância palmar, movimento respiratório e batimentos de pálpebra aumentaram. Quando os participantes se sentaram diante de uma tela com luz azul ou branca, os mesmos fatores diminuíram. O azul incrementou seu senso de descontração, acalmando-lhes a ansiedade e a hostilidade, ao passo que o vermelho agravou-lhes a tensão e a excitação, bem como os níveis de ansiedade.[68]

Icterícia Neonatal. Essa condição ocorre em mais de 60% dos bebês prematuros. Sua pele se torna amarelada em conseqüência de um excesso de bilirrubina que pode provocar danos cerebrais e mesmo a morte. Os hospitais, comumente, expõem esses bebês a uma luz azul intensa durante vários dias, o que rebaixa o nível de bilirrubina. Antes da descoberta desse tratamento, era necessário proceder a uma transfusão de sangue completa nos recém-nascidos.

Atletas. Segundo o estudo de uma universidade texana, atletas que fixam uma luz vermelha experimentam um aumento de força física da ordem de 13,5%, com 5,8% a mais de atividade elétrica nos músculos dos braços, o que não ocorre em se tratando de outras luzes. Em contrapartida, uma redução da força muscular, juntamente com um decréscimo significativo nos índices de violência e agressividade, ocorreram no prazo de 2,7 segundos entre detentos colocados em pequenas celas cor-de-rosa.

Fadiga de Vôo. Pesquisadores da Universidade Cornell descobriram que, aplicando luz azul à parte de trás dos joelhos, podiam acertar o relógio interno do corpo, eliminando a fadiga de vôo e as perturbações de sono que acompanham as mudanças de turno.

Decoração de Interiores. O executivo de uma oficina de pintura ouviu queixas dos funcionários de um escritório pintado de azul de que o ambiente era muito frio. Quando as paredes foram pintadas de cor de pêssego, as blusas de lã foram tiradas, ainda que a temperatura não houvesse mudado.

Lâmpadas

Há três tipos comuns de lâmpadas artificiais. As incandescentes são as de bulbo em forma de ovo que rosqueamos nos soquetes. Sua fonte de energia é um filamento aquecido de tungstênio. O espectro luminoso mostra-se deficiente na extremidade azul. Os bulbos quase não emitem raios ultravioleta, mas muito amarelo e vermelho, com carga máxima de infravermelho, que é uma forma de calor.

Uma alternativa melhor seriam os bulbos incandescentes de espectro equilibrado. Eles usam uma camada apurpurada de neodímio por dentro, deficiente nas faixas amarela e verde. Não emitem a faixa ultravioleta, mas apresentam um espectro luminoso visível mais equilibrado. As lâmpadas Chromalux, por exemplo, têm a camada de neodímio.

Lâmpadas de descarga de alta intensidade (*high-intensity discharge*, HID) produzem uma luz brilhante vermelho-alaranjada ou azul e são usadas na iluminação pública de áreas de alta criminalidade.[70]

Os tubos fluorescentes são enchidos com gás argônio ou vapor de mercúrio. Os cátodos em cada extremidade descarregam elétrons quando a corrente é ativada. A corrente se move pelo vapor de mercúrio, formando um arco elétrico que gera luz ultravioleta de ondas curtas a 2.537 angstrons. Isso faz com que a camada interna de fósforo adquira fluorescência e converta a luz ultravioleta invisível de ondas curtas em comprimentos maiores de onda de luz visível. O tipo de vidro usado no tubo permite que os comprimentos de onda maiores passem, mas retém a luz ultravioleta de ondas curtas. Diferentes materiais à base de fósforo adquirem fluorescência em diferentes comprimentos de onda, produzindo assim toda uma variedade de cores.

A luz na verdade cintila a 60 Hz, o que consome nutrientes na retina.[71] Os tubos fluorescentes emitem traços de radiação nos cátodos (o mesmo tipo de radiação encontrado nos tubos de imagem dos televisores e nos aparelhos de raios X, mas em voltagens mais baixas). Os tubos fluorescentes normais também emitem freqüências de rádio. Segundo um jornal russo, as freqüências de rádio desses tubos foram detectadas em eletroencefalogramas das ondas do cérebro humano.[72] Não é de espantar que muitas pessoas se sintam cansadas quando sob esse tipo de luz.

Não bastasse isso, o dr. F. Alan Anderson, biofísico da U.S. Food and Drug Administration, aventou que as luzes fluorescentes não-protegidas poderiam representar cerca de 5% da dose total semanal de radiação que cada pessoa recebe. (Todos recebemos radiação de fontes naturais.) Em indivíduos suscetíveis, essa dose é suficiente para provocar câncer de pele.[73]

Seguem-se alguns tipos de tubos fluorescentes.

Branco frio: seu pico de energia situa-se na região amarelo-alaranjada do espectro. É deficiente em vermelho e azul-violeta.[74] Na experiência de Ott, esse tipo de tubo era bom para as flores masculinas da abóbora, mas mortal para as femininas.

Branco tépido: parecido ao branco frio, mas com pico de energia situado mais na região amarela do espectro.[75]

Branco luz do dia: com tom ligeiramente azulado. É bom para as flores femininas da abóbora, mas ruim para as masculinas.

Germicida: esse tubo é feito de um tipo de vidro que permite a passagem de ondas curtas de ultravioleta. Não tem camada de fósforo. Mata bactérias e, segundo Ott, pode ser perigoso para os seres humanos.

Espectro total: Ott acompanhou um fabricante de lâmpadas que, para desenvolver um tubo fluorescente de espectro total, adicionou-lhe o ultravioleta. Isso praticamente duplica o espectro natural da luz solar. Esse tubo tem uma camada protetora de chumbo que impede os cátodos de emitir traços de radiação. Uma combinação de envoltório de alumínio com tela de arame elimina a energia da freqüência de rádio produzida por outros tipos de tubos fluorescentes.[76] Vários tipos de tubos de espectro total estão no mercado, mas não possuem a camada de chumbo protetora.

Qualquer tipo de luz brilhante usada à noite compromete a função normal de nosso relógio biológico e suprime a produção de melatonina da glândula pineal. O dr. Glen Swartwout, optometrista, recomenda usar um filtro vermelho sobre toda lâmpada noturna, lanterna ou luz de relógio. John Ott usava uma lampadazinha de árvore de Natal no banheiro.

Em 1980, o dr. Fritz Hollwich monitorou os níveis de hormônios adrenais, ACTH e cortisol, em pessoas sentadas sob tubos fluorescentes de luz branca fria, comparando-os com os de pessoas sentadas sob luzes de espectro total. O primeiro grupo experimentou aumentos significativos nos níveis do hormônio do stress, ao passo que o segundo nada registrou sob esse aspecto. Com base no trabalho de Hollwich e outros, os tubos de luz branca fria foram proibidos nos hospitais e ambientes médicos alemães.[77]

Em dois estudos citados pelo jornal médico inglês *Lancet* — um em Londres e o outro em Sydney, Austrália —, os pesquisadores descobriram que a incidência de melanomas malignos era consideravelmente mais alta em trabalhadores de escritório do que em operários expostos à luz do sol, relativamente ao estilo de vida e à ocupação.[78]

Óculos de Sol e de Grau

Ott persuadiu várias grandes empresas fabricantes de plásticos a produzir um material para lentes de óculos e de contato com espectro total, capaz de transmitir o ultravioleta. Óculos de sol podem ser hoje adquiridos com lentes cinzentas neutras, que reduzem drasticamente a intensidade da luz, enquanto muitos outros tipos são feitos para eliminar todos os raios ultravioleta e infravermelhos, dando assim, dependendo da cor, um espectro consideravelmente distorcido dos comprimentos de onda. Alguns óculos cinzentos não apresentam o espectro contínuo.[79]

Os óculos de sol têm proteção ultravioleta porque a pupila do olho se contrai diante da luz brilhante, o que é uma arma natural contra o excesso dessa exposição. Os matizes dos óculos de sol evitam que a pupila se contraia; mas, se as lentes não absorvem raios ultravioleta, os delicados tecidos dos olhos se sujeitam na verdade a uma exposição ainda mais perigosa desses raios.[80]

Ott relata que um professor de psicologia submeteu a um grupo de colegiais um questionário onde perguntava se eles usavam lentes de contato ou óculos de sol coloridos e, em caso positivo, de que cor. Embora o número não seja estatisticamente relevante, três alunos de uma determinada escola declararam usar constantemente lentes "rosa-choque". Eles eram, em termos psicológicos, os mais perturbados do colégio.

Ott recomendou que parassem de usar as tais lentes. Um deles pertencia à equipe de futebol e o diretor, mais tarde, escreveu a Ott uma carta de agradecimento, dizendo que, quando o jogador passou a usar lentes medianamente cinzentas, "tornou-se, de agressivo e baderneiro que era, uma pessoa descontraída e confiante. Seu desempenho atlético melhorou muito".[81]

Ott proferiu uma palestra, durante um jantar, em que se sentou ao lado da filha do falecido dr. Albert Schweitzer. Ela falou dos tempos em que ajudava o pai em seus trabalhos na costa oeste da África. Ott indagou sobre a taxa de câncer na região e ela assegurou que não havia casos dessa doença quando ali chegaram, mas que logo se tornaram um problema. Ott perguntou se vidraças e luz elétrica haviam sido instaladas nas casas dos nativos; ela disse que não. Então Ott, meio por brincadeira, indagou se os africanos tinham começado a usar óculos de sol. Ela respondeu que os óculos de sol passaram a ser um símbolo de *status* na aldeia.[82]

O dr. Glen Swartwout, optometrista, adverte contra o uso de armações de metal nos óculos. Ele afirma que o metal põe em curto-circuito os hemisférios cerebrais, contribuindo para confusão mental, fadiga e dor de cabeça, particularmente naqueles em que há o predomínio significativo de um hemisfério. Diz ele que a maioria dessas armações contém metais tóxicos como o níquel, que pode se desprender em virtude de processos eletrolíticos, contribuindo para episódios de alergia e intoxicação.

O dr. Swartwout também condena as lentes que propiciam 100% de correção da visão. "Uma visão muito aguda reduz o fluxo total de informação e aumenta o stress." A corrente nervosa total recebida pelo cérebro é poderosamente afetada pelas lentes prescritas: aqui, menos parece melhor. Setenta por cento dos receptores sensoriais do corpo estão localizados nas retinas dos olhos; cada retina pode enviar tanta informação e energia eletromagnética ao cérebro quanto todos os outros sistemas sensórios combinados.[83]

Li o livro de Ott quando estava com quase trinta anos de idade e, por causa dele, mesmo tendo vista fraca, só uso óculos em caso de necessidade. Hoje tenho um par que propicia correção *quase* total: uso-o para dirigir. Outro par, de lentes mais fracas, uso-o para trabalhar no computador. Jamais uso óculos escuros, a menos que o sol bata diretamente em meus olhos quando estou dirigindo.

Com o passar do tempo, meu astigmatismo e cegueira noturna desapareceram totalmente. Sou hoje muito menos sensível ao sol. Com sessenta anos, posso ainda ler perfeitamente sem óculos e o grau prescrito é menor do que quando eu tinha vinte. Fui inspirada também pelo livro de Jacob Liberman, *Take Off Your Glasses and See*. Parecia que, ao ler alguns capítulos dessa obra, meus olhos melhoravam.

Meu optometrista testou a resposta de minha fóvea, no centro da mácula, que, por sua vez, se localiza no centro da retina. Explica ele que, nas pessoas jovens, esse ponto tende a refletir a luz, mas, à medida que envelhecem, sua sensibilidade diminui cada vez mais. A minha fóvea, porém, tornou-se mais sensível com a idade, indicando uma excelente saúde dos olhos, com pouco risco de degeneração macular (a principal causa da cegueira).

Loção Bronzeadora e Luz Ultravioleta

O dr. Liberman não recomenda *nenhum* protetor solar caso sua pele seja de morena a negra. Se ficar ao sol do meio-dia por mais de trinta minutos, ou se tem a pele muito sensível, use um creme que não contenha PABA.* Um relatório da US FDA de 1989 revelou que catorze de dezessete loções bronzeadoras testadas continham PABA (que bloqueia os raios ultravioleta), po-

* *PABA é a sigla de ácido paraaminobenzoico, um dos primeiros ingredientes de proteção usados nos filtros solares químicos. (NT)*

dendo por isso provocar câncer se usadas ao sol. O dr. Zane Krine, em seu livro *Sunlight*, afirma que o PABA provoca danos genéticos no DNA da pele, estimulando a proliferação de células cancerosas. Segundo ele, a gordura da loção é a responsável pelo problema.[84]

Com relação à crença popular de que a luz ultravioleta causa câncer de pele e outras doenças, John Ott nos conta que jantou com a esposa no restaurante de um hotel de Chicago chamado "Well of the Sea", onde lâmpadas de luz negra ultravioleta haviam sido instaladas no teto para fazer desenhos fluorescentes nos casacos dos garçons e nos cardápios. Ott perguntou-se se os garçons já haviam tido problemas nos olhos, câncer de pele ou esterilidade.

Ele voltou no dia seguinte para entrevistar os garçons e descobriu que as luzes estavam ali, em uso contínuo, desde a inauguração do restaurante, há dezoito anos, e praticamente o mesmo grupo de homens trabalhava no local desde então. Sua saúde sempre fora excelente, até durante epidemias de gripe que atacavam outros empregados do hotel. Segundo o gerente, eram pessoas corteses e eficientes, que conviviam muito bem. Nunca tinha havido problemas de olhos e nenhum usava óculos.

Ott deparou com as mesmas luzes negras ultravioleta sobre alguns tanques de peixes no Seaquarium de Miami, Flórida. De início, tinham sido instaladas para dar aos bichinhos uma aparência exótica e atraente, mas pareciam resolver um problema chamado exoftalmia ou "olhos de peixe", provocado por um vírus. Problemas nas barbatanas também desapareceram e alguns peixes que antes não sobreviviam em cativeiro se adaptaram.[85] As luzes negras são uma forma de UVA que atravessa vidraças e é considerada inócua. A UVB é a forma bronzeadora da luz ultravioleta, cujo feixe se mede pelo Fator de Proteção Solar (*Sun Protection Factor*, SPF).

Também se descobriu que as galinhas se beneficiam da luz ultravioleta. É fato conhecido na indústria avícola que a luz absorvida pelos olhos desses animais estimula as glândulas pituitária e pineal, aumentando a produção de ovos. Por essa razão, luzes ficam acesas nos barracões das granjas para simular um prolongamento da luz do sol durante o inverno. Um fato menos conhecido é que galinhas criadas sob luz de espectro total vivem duas vezes mais, são mais calmas, menos agressivas e botam mais ovos, que apresentam uma taxa de colesterol 25% menor.[86]

A CURA PELA COR (CROMOTERAPIA)

A cor é o ponto onde mente e universo se encontram — *Cézanne*[1]

A cor é uma fonte borbulhante de alegria e prazer! Hoje, estamos começando a valorizar o poder da luz colorida. Os experimentos de John Ott revelaram que a cor da luz afeta uma área importante como o sexo dos bebês e o tamanho de seus genitais — para não falar da saúde de seus dentes e de sua sociabilidade.

Nosso campo energético ou aura precede-nos aonde quer que vamos e todas as nossas percepções são coloridas por essa aura. A capacidade de apreciar intensamente a cor é um indício do grau de abertura de nossos canais. Você talvez goste da pessoa que vê a vida através de lentes cor-de-rosa ou daquela cujas percepções têm necessariamente de passar por uma bruma cinzenta.

Há inúmeros exemplos de pessoas que atingiram o estado de êxtase ou iluminação e descrevem sua experiência em termos de cor.

Uma mulher, informada de que tem apenas três meses de vida, passa a freqüentar um seminário sobre vida e morte, põe em dia todos os seus negócios e começa a viver plenamente. Gozando um dia de cada vez, cuidando do seu jardim, ela exclama: "Todas as manhãs, acordo imensamente grata! Durmo com as cortinas abertas para que, ao abrir os olhos, possa ver as flores multicoloridas nos vasos das janelas, piscando para mim à luz do sol!"

Um homem jejuou no deserto por sete dias, bebendo apenas água. Volta para casa queimado de sol, sujo e radiante. "As cores!", balbucia ele. "As cores são tão for-mo-sas!"

Uma mulher dá à luz em casa após catorze horas de trabalho de parto. Ergue nos braços o recém-nascido, mirando com gratidão o rosto das duas parteiras e do marido. "Vocês são tão bonitos! Estão cercados de cores brilhantes!"

"Você e seu bebê também!", sorri uma das parteiras, admirando-se dos tons de rosa, magenta e verde que dançam à volta da nova mamãe e seu filho.

Um homem faz uma "viagem" transcendente com LSD. Pára no centro da cidade à noite, olhando para as luzes de néon. "Caramba! As *cores* estão invisíveis!"

Vejamos agora como sua aura pode "colorir seu mundo". Um homem — vamos chamá-lo de Bill — investiu todas as suas economias em ações e elas despencaram. No mesmo dia seu cachorro foi atropelado por um caminhão e sua namorada lhe deu o fora. "É um dia cinzento", lamenta Bill para um amigo. Não tem como extravasar suas emoções e pensa seriamente no suicídio.

Outro homem, Ralph, investiu pesado em ações e elas caíram vertiginosamente. Ele não se preocupa muito com isso; o que desce pode subir. No mesmo dia seu cachorro é atropelado por um caminhão. O homem recolhe o corpo e sepulta-o carinhosamente, chorando sobre o túmulo. Horas depois, a namorada rompe com ele. Do fundo do coração, perdoa-a. E quando encontra o amigo, à tardinha, propõe-lhe um jogo de tênis. Descarrega a raiva na bola e ganha a partida. Depois, vai caminhar um pouco, sozinho. As cores do crepúsculo estão incrivelmente brilhantes e ele murmura para si mesmo: "Como é bom estar vivo!"

A vida não se mede pelo que nos acontece, mas pela maneira como reagimos aos acontecimentos. Quando os chakras estão limpos e abertos, você é como um mestre de artes marciais, totalmente descontraído, capaz de replicar instantânea e adequadamente a todos os desafios. Acha-se num estado de absoluta prontidão, lúcido e vivendo o momento.

Compare isso ao estado de medo (cinzento), que contrai cada músculo e cada vaso sanguíneo, provocando uma deficiência de chi (energia) em conseqüência da qual a pele perde o tom saudável e a elasticidade, tornando-se frouxa e incapaz de reação.

O vermelho é a cor básica da doença. É a cor da infecção, da cólera reprimida, da febre, da estafa. O azul, antídoto do vermelho, é a cor primária da cura. O azul acalma, suaviza, refresca. Sentar-se sob luz azul ajudará você a superar (e prevenir) a ansiedade e as úlceras. A combater a febre. Mas não fique sob luz azul por mais de trinta minutos, do contrário se sentirá disperso e deprimido.

Se você se "sentir azul" , se sua energia estiver baixa, sem vitalidade, se perceber uma deficiência de paixão (vermelho) e precisar de força para animar-se, talvez seja conveniente absorver um pouco de luz vermelha. Poderá mesmo beber vinho tinto e dar um passeio pela "zona da luz vermelha"! Se você for uma senhora e quiser um pouco de ação, ponha aqueles sapatos de salto alto vermelhos e saia por aí de queixo erguido.

Mas não se deixe levar a extremos nem permita que a raiva permaneça dentro de você por muito tempo, do contrário começará a ver "tudo vermelho" e ninguém mais o deterá.

Há muitas maneiras de pôr cor na vida. Você poderá, por exemplo, absorver luz colorida; aplicá-la a ossos ou tecidos doentes com um aparelho portátil de *laser*; vesti-la sob a forma de roupas ou jóias vistosas; ingeri-la como alimento, sucos ou água colorida; captá-la pelos olhos ou percebê-la graças à visão interior.

Antídotos

Um antídoto combate o efeito de uma substância: frio contra quente e quente contra frio, por exemplo. As cores e características dos três chakras inferiores podem ser contrabalançadas pelas dos três chakras superiores e vice-versa. O chakra central (coração) não precisa de antídoto nenhum porque tem em si o verde e o rosa: o verde para a proteção e o rosa para a vulnerabilidade. Assim, quando o coração está superprotegido, o rosa é útil. Quando se sente por demais vulnerável, o verde pode ajudar.

O conceito de antídoto funciona melhor quando aplicado às condições de vermelho e azul. Se o primeiro chakra tem energia excessiva, manifesta esse estado de um modo que associamos (literal ou figuradamente) ao vermelho, como inflamação, irritação, febre, cólera, ciúme e inveja. O azul (cor associada ao chakra da garganta, o primeiro dos três acima do coração) pode ser usado para acalmar e resfriar a energia do primeiro chakra ou qualquer condição de vermelho excessivo como queimadura ou inflamação.

Por outro lado, quando o quinto chakra (o da garganta, ligado à comunicação) apresenta energia excessiva, manifesta-se na condição azul: retraimento, arrepios, dormência, timidez exagerada e falta de comunicação. O vermelho será então usado para estimular e aquecer a energia do quinto chakra ou qualquer outra condição excessivamente azul como a sensação de frio intenso.

O conceito de antídoto tem muito a ver com os raios de cor laranja e amarela, tanto quanto com os de cor anil e violeta. O violeta e o anil são cores purpúreas que contêm elementos de vermelho e azul. No anil predomina o azul; o violeta apresenta uma concentração mais forte de vermelho. Quando o laranja (cor do segundo chakra) é excessivo, torna-se vermelho-alaranjado. Então o anil ou o violeta (cores ligadas ao sexto e ao sétimo chakras) devem ser usados como antídotos. Quando o amarelo (cor do terceiro chakra) é excessivo, pode também tornar-se vermelho-alaranjado e será suavizado pelo anil ou o violeta. O anil é calmante (pois tem mais azul que vermelho) e o violeta é mais estimulante (pois tem mais vermelho que azul).

Quando o sexto chakra está bastante estimulado, o laranja é um ótimo antídoto. Na verdade, jamais enfrentei o problema de uma energia por demais intensa no chakra da coroa; mas, caso haja esse problema, o amarelo será o antídoto.

O conceito de antídoto é essencial na cura pela cor, como se vê por esta declaração do dr. Laing:

> Se a pele do bebê ficou muito vermelha, então ele está demasiadamente excitado. Deve-se atentar bem para essa condição, pois poderá tornar-se habitual e levar a estados de vermelho como problemas cardíacos e

pressão alta na idade adulta. Se a mãe souber enfrentar a situação desde o início, esses padrões serão facilmente corrigidos.

Ajude o bebê a se descontrair. Mas antes, ajude a mãe a ficar descontraída. Convença-a de que isso será bom para seu filho. Dê-lhe luz azul em abundância. Coloque-a sob uma lâmpada azul. Peça-lhe que vista roupas azuis e ouça música suave. Que enfeite a casa com flores azuis e crie um ambiente repousante.[2]

História da Cura pela Cor

Algumas imagens narrativas gravadas em cavernas por aborígines australianos remontam a mais de vinte mil anos. Ali, a serpente aparece sempre associada à vibração e ao fluxo dos campos energéticos. A Serpente Arco-Íris é pintada como um espectro de diversas cores, freqüências e intensidades que lembram assombrosamente o feixe eletromagnético. A Serpente Arco-Íris sente-se atraída pelo sangue menstrual. Por ocasião dos rituais de fertilidade, as pessoas pintam o corpo com lama vermelha.[3]

Segundo a mitologia dos antigos egípcios, a arte de curar com cores foi inventada pelo deus Tot. Para os antigos gregos, quem a inventou foi Hermes Trismegisto, literalmente "Hermes Triplamente Poderoso", por causa de suas muitas façanhas na esfera do misticismo e da magia. Na tradição hermética, egípcios e gregos antigos curavam com minerais, pedras, cristais, ungüentos e tintas coloridas; também seus santuários eram pintados com cores terapêuticas. Os gregos antigos usavam a cor para restaurar o equilíbrio. Roupas, óleos, emplastos, pomadas e cremes coloridos eram empregados no tratamento das doenças.

Na Roma do século I d.C., Aurélio Cornélio Celso perfilhou as doutrinas de Pitágoras e Hipócrates, incluindo o uso de ungüentos, emplastos e flores coloridas em diversos tratados de medicina.

Avicena (980— *c.* 1037) foi um médico árabe, discípulo de Aristóteles. Em seu *Cânon da Medicina*, discorreu sobre a importância vital da cor tanto na diagnose quanto no tratamento. Elaborou um gráfico correlacionando a cor ao temperamento e ao corpo físico. Afirmava Avicena que o vermelho movimentava o sangue, o azul ou o branco esfriava-o, o amarelo reduzia a dor e a inflamação. Prescrevia poções de flores vermelhas para curar distúrbios sanguíneos, flores amarelas e luz solar matinal para sanar perturbações do sistema biliar.

Avicena escreveu também sobre os possíveis perigos da cor no tratamento, observando que uma pessoa com hemorragia nasal, por exemplo, não deveria mirar objetos de cor vermelha brilhante nem expor-se à luz dessa cor; o azul, porém, amenizaria o problema e reduziria o fluxo de sangue.

Theophrastus Bombastus von Hohenheim (1493—1541) foi um médico suíço conhecido como Paracelso. Ele conhecia bem os ensinamentos secretos dos rosa-cruzes, embora, ao que parece, não fosse membro dessa ordem. Atribui-se a Paracelso uma mudança decisiva na medicina ocidental: ele aperfeiçoou a farmacologia e incentivou os experimentos científicos, o que lhe valeu o título de Pai da Medicina Moderna. Considerava a luz e a cor essenciais à boa saúde e usava-as sem restrição juntamente com elixires, encantamentos, talismãs, ervas e minerais.[4]

Augustus Pleasanton estudou os efeitos da cor sobre as plantas e os animais, publicando em 1876 o livro *Blue and Sun-lights*, onde declarava que a qualidade, tamanho e rendimento das uvas podiam ser aumentados significativamente se fossem cultivadas em estufas cercadas com painéis de vidro transparentes e azuis, alternadamente. Alegou também poder curar certas doenças e aumentar a fertilidade ou a taxa de maturidade física em animais. Usava a cor para aliviar enfermidades e dores humanas.

Em *The Principles of Light and Color*, publicado em Nova York no ano de 1878, Edwin Babbit prescrevia o vermelho como estimulante do sangue, e o amarelo e o laranja como estimulantes dos nervos. Dizia que o azul e o violeta podiam acalmar todos os sistemas e apresentavam propriedades antiinflamatórias. Babbit recomendava o vermelho para paralisia, tuberculose, exaustão física e reumatismo crônico; o amarelo como laxante, emético e purgativo, e para problemas nos brônquios; e o azul para estados inflamatórios, ciática, meningite, dor de cabeça nervosa, irritabilidade e insolação.[5]

Pesquisas sobre o uso terapêutico da cor foram levadas a cabo na Europa no início do século XX. Na Áustria, Rudolph Steiner (1861—1925) relacionou cor a forma, configuração e som, assegurando que a qualidade vibracional das cores é amplificada por certas formas e que combinações de cores e formas têm efeito destrutivo ou regenerativo sobre os organismos vivos. Nas Escolas Waldorf, inspiradas na obra de Steiner, as salas de aula são pintadas e texturizadas para corresponder ao humor das crianças nas diversas etapas de seu desenvolvimento.[6]

Cor e Luz: Técnicas e Equipamento

Dinshah P. Ghadiali (1873—1966) nasceu na Índia e, em 1917, tornou-se cidadão americano. Estudou química, física e eletricidade sem pôr de lado suas práticas espirituais. Em 1891 entrou para a Sociedade Teosófica.

Ghadiali desenvolveu um método chamado Sistema Espectrocrômico, que usa a "matização": tratamento com apenas uma cor numa dada área (ou áreas), diretamente sobre a carne, por uma hora. Ele usava cinco filtros de cor para o vermelho, o amarelo, o verde, o azul e o violeta, combinando-os a fim de obter os seguintes matizes:

Vermelho e amarelo = laranja
Vermelho e verde = limão
Verde e azul = turquesa
Azul e violeta = anil
Violeta e amarelo = púrpura
Vermelho e violeta = magenta
Vermelho e azul = escarlate[7]

Inicialmente, usou cinco lâminas de vidro cuidadosamente polidas, pois cada filtro tinha de ser uma placa policrômica de proporções adequadas para gerar as cores certas quando fossem misturadas. Tinham de ser filtros de espectro amplo com preponderância da cor primária. Eram chamados filtros porque removiam partes específicas do espectro total de luz branca.

Após a morte de Ghadiali, seu filho Darius Dinshah mudou o próprio nome para evocar o prenome famoso do pai e retomou-lhe o trabalho escrevendo *Let There Be Light*. Nesse livro, ele explica que a intensidade da fonte de luz não influencia os resultados. A luz solar pode ser usada colocando-se grandes filtros na janela, mas isso só quando o sol estiver em determinado ângulo no céu. Luz de clarabóia não funciona. O tratamento deve ser feito ao ar livre, expondo-se a área do corpo e cobrindo-a com os filtros apropriados. Recomenda fechar os olhos durante a sessão, a menos que seja um tratamento de vista. (Isso contradiz diretamente o método Sintônico. Pessoalmente, gosto de fixar a luz colorida por breves períodos.)

Outro método primitivo consiste em trabalhar em recinto fechado, colocar o filtro sobre a área desejada e iluminá-la com uma lanterna (ou fixar os filtros na boca da lanterna). O autor enfatiza que *tudo* pode ser usado e dá inúmeros exemplos no livro.

Se você quiser adotar o uso terapêutico da cor na cura, *Let There Be Light*, de Dinshah, é um recurso valioso. Ele cataloga 331 matizes específicos para mais de quatrocentas condições de saúde.

Esse foi o método usado pela dra. Kate W. Baldwin (1855—1935), cirurgiã-chefe do Philadelphia Woman's Hospital, durante os três últimos de seus 23 anos naquela instituição. O que se segue é o resumo de um texto que ela apresentou durante uma reunião do setor de doenças dos olhos, ouvidos, nariz e garganta da Medical Society of the State of Pennsylvania, publicado no *Atlantic Medical Journal* de abril de 1927.

> Cada elemento emite uma onda de cor característica. A onda de cor predominante do hidrogênio é vermelha; a do oxigênio, azul, e assim por diante.
>
> Se uma pessoa necessita de uma dose de óleo de castor, não vai à drogaria e pede uma pequena porção de todos os frascos que estão na prateleira. Por isso, não vejo vantagem alguma no uso da luz branca total como medida terapêutica, quando as diferentes cores podem fornecer o que é solicitado sem sobrecarregar o corpo com algo de que ele não fará uso e que pode prejudicá-lo em maior ou menor grau. Se o corpo está doente, deve ser recuperado com o mínimo esforço possível. A maneira mais acurada e fácil é fornecer-lhe a luz equivalente ao elemento em falta: o corpo então se apropriará dela e restaurará o equilíbrio normal. A cor é, até o momento, a medida terapêutica mais fácil e acurada.
>
> Por cerca de seis anos venho estudando atentamente o efeito das cores na restauração das funções do corpo e posso dizer com franqueza: após quase 37 anos de intensa prática hospitalar e particular tanto em clínica quanto em cirurgia, consigo hoje resultados mais rápidos e precisos com as cores do que com quaisquer outros métodos combinados — sem exigir muito do paciente.[8]

Uma médica de Ohio, Teresa E. Quinlin, vem relatando resultados semelhantes e mostra-se igualmente entusiasmada com o método Espectrocrômico. "Minha experiência com a lâmpada tem sido, para dizer o mínimo, formidável. Queimaduras, infecções, dores e câncer registraram melhoras notáveis. Um caso de vírus do Nilo Ocidental cedeu após 72 horas de uso de lâmpada colorida, acupuntura, óleos essenciais, reflexologia e dieta do tipo sanguíneo. Enxaquecas e fibromialgias, quando não curadas, melhoram muito. Três casos de colite ulcerativa e/ou doença de Crohn estão em processo de remissão (atestado por biópsia em dois casos). E a lista não pára aí."[9]

Caixa de Luz. A caixa de luz deve ser grande o bastante para acomodar um holofote ou lâmpada comum. A base será construída de modo a permitir a inserção e remoção de diferentes lâminas de vidro coloridas.

A caixa mostrada tem três lados de 20 cm X 27,5 cm. O quarto lado, no qual os filtros de vidro ou plástico deslizam na base, tem 20 cm X 22,5 cm. O tampo é descoberto; é ali que será inserido e fixado o bulbo. A placa do

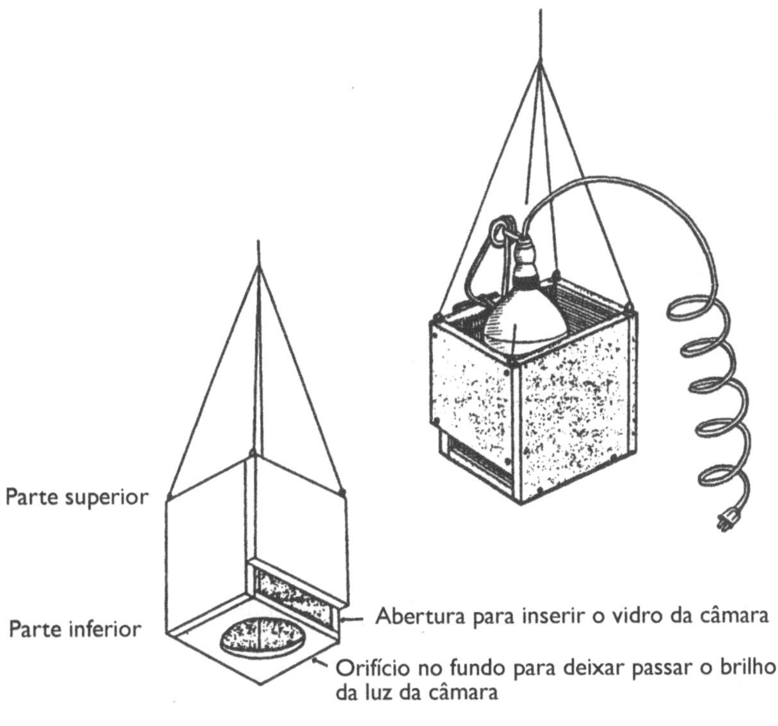

fundo tem 15 cm X 20 cm, com um orifício redondo de 12,5 cm de diâmetro que suporta o vidro e deixa passar o brilho da luz. A caixa é feita de madeira-de-lei, menos suscetível ao calor e à possibilidade de queimar-se caso a lâmpada seja deixada por muito tempo acesa ou muito perto das laterais. As placas terão cerca de 1,5 cm de espessura para permitir uma boa fixação da lâmpada e da corrente. A caixa fica suspensa da corrente, permitindo o ajuste da altura (a corrente deve ser à prova de fogo). Creio que esse modelo pode ser aperfeiçoado.

O objetivo da cura pela cor é fortalecer e purificar cada cor de sua aura. Penso que os vidros de alta qualidade, de fabricação alemã, fornecem a cor mais pura e a mais alta intensidade de vibração. Segundo minha experiência, os outros tipos de vidro são menos monocromáticos e, portanto, menos eficientes. Vidro ou plástico reforçado são necessários caso você queira colocar cristais dentro da lâmpada. O vidro pode ser comprado em lojas que trabalham com vitrais.

A lâmpada deve ser suspensa do teto para que a luz, atravessando o vidro, atinja a pessoa sentada ou deitada embaixo. Instale-a entre 15 a 30 cm de distância da parte do corpo a ser tratada.

Lâmpada Colorida. Uma tela de arame deve ser instalada à volta do bulbo ou holofote, juntamente com uma presilha que fixe o plástico através do qual a luz irá passar. O equipamento todo será colocado em local conveniente, que permita à luz incidir sobre a parte escolhida do corpo. (Ver Recursos.)

Bulbo Colorido de Luz. Lâmpadas incandescentes comuns vêm nas cores vermelha, amarela, rosa, verde e azul. Podem ser inseridas numa luminária ou receptáculo qualquer. À noite ou num quarto escuro, proporcionarão uma boa dose de luz colorida. Mesmo lâmpadas de Natal podem ser usadas.

Vidro Colorido. Leonardo da Vinci escreveu: "O poder da meditação pode aumentar dez vezes mais sob luz violeta que passe pelo vitral de uma igreja silenciosa." O poder da luz colorida foi percebido há muito tempo e explica a popularidade dos vitrais multicoloridos das igrejas.

Colorpuntura. Essa técnica é descrita no livro *Practical Compendium of Colorpuncture*, de Peter Mandel. Mandel emprega três conjuntos de cores opostas, comparáveis aos contrários chineses yin-yang, para determinar a natureza e o tratamento de uma doença. Ele utiliza o sistema de meridianos e diversos pontos de acupuntura; mas, em vez de agulhas, recorre aos impulsos sutis da luz concentrada que sai de uma espécie de lanterna com ponta de enfoque piramidal. Diz ele que essa luz se espalha em forma de leque, da superfície do corpo para os tecidos internos. Quando o paciente se declara incomodado com determinada cor, Mandel a substitui por seu complemento. O incômodo resulta de um excesso daquela cor e sua correspondente vibração no corpo.

Método Sintônico. Essa forma de terapia pela luz é usada pelo dr. Jacob Liberman, com base no trabalho do dr. Harry Riley Spitler. Inspira-se no conceito de que inúmeras disfunções são provocadas por desequilíbrio entre as porções simpática e parassimpática do sistema nervoso. Os filtros se dividem em três categorias: um estimula o sistema nervoso simpático, outro estimula o sistema nervoso parassimpático e o terceiro age como um elemento de equilíbrio fisiológico ou emocional.

O profissional escolhe a cor apropriada e ajusta o mostrador. O cliente olha para dentro da caixa. A cor pode brilhar continuamente ou em lampejos ritmados. Como optometrista, Liberman usava o método sintônico para tratar uma vasta gama de problemas de visão ou de aprendizado a ela relacionados.

Depois, elaborou sua própria técnica para tratar vícios e problemas emocionais. Mostrava ao cliente pares de cores (vermelho e azul, amarelo e violeta, limão e turquesa) e pedia-lhe para escolher o conjunto que mais lhe agradasse. Se o paciente escolhesse vermelho e azul, mas preferisse azul a vermelho, então vermelho seria provavelmente a cor de que precisava para uma cura definitiva. As cores mais desagradáveis para o paciente pareciam representar experiências penosas em sua vida.

> Nessa altura observei que o comportamento de pacientes com personalidades afetadas pelo vício se tornava mais ou menos dependente conforme as cores para as quais olhavam. Por exemplo, um alcoólatra mirava a cor a que era mais receptivo (com a qual se sentia melhor) e

ficava tranqüilo; a cor a que não era tão receptivo despertava-lhe uma certa ânsia de beber suco ou refrigerante; e a cor com a qual não se sentia bem suscitava-lhe logo a sede de álcool. Ficava então claro para mim que, quando determinadas situações na vida provocam medo ou incômodo, nossa incapacidade de enfrentar esses sentimentos força-nos a buscar proteção evitando ou *mascarando* tais situações por meio de um comportamento vicioso. ...

Uma vez que o grau de receptividade variava de cor para cor em cada paciente, decidi-me, por fim, a dispor as cores para o tratamento começando pela menos receptiva (mais incômoda) para a mais receptiva (menos incômoda). Iniciar o tratamento pela cor medianamente incômoda permitia ao paciente desenvolver aos poucos uma autêntica confiança em sua capacidade de ir adiante no processo. Isso se transferiria depois para sua capacidade de enfrentar situações de stress no cotidiano. ...

Embora a tecnologia da fototerapia seja em si mesma muito poderosa, sua verdadeira força só se manifesta quando a consciência que ela desperta é expressa em presença de um ser humano amável e compassivo. Ou seja, a interação entre paciente e terapeuta é essencial. ...

Uma de minhas descobertas clínicas mais importantes foi que as cores às quais os pacientes se mostravam pouco receptivos se correlacionavam em quase 100% dos casos às partes de seus corpos [segundo o sistema arco-íris de chakras] que armazenavam stress, desenvolviam doenças ou haviam sido feridas por eles próprios. Por exemplo, em presença de uma pessoa que não se sente bem olhando para a cor azul, durante a consulta descubro quase sempre que ela teve constantes inflamações de garganta, problemas dentários graves [e] dificuldades de se expressar verbalmente. ...

Afora isso, notei que depois de resolver os problemas emocionais dolorosos trazidos à tona pelas cores, os pacientes, ao olhar de novo essas cores, que tanto incômodo lhes causavam, sentiam-se alegres e mesmo eufóricos.[10]

Terapia com Laser de Baixa Intensidade. Essa terapia vem sendo atualmente usada na cura por médicos, dentistas, veterinários, acupunturistas e leigos. Na Europa, empregam-na para tratamento de lesões traumáticas, inflamatórias e causadas por movimentos repetitivos, como também para alívio de dores e artrite, redução de abscessos e controle de condições crônicas como herpes e úlceras. O tratamento à base de luz e *laser* de baixa intensidade pode estimular a formação de colágeno e cartilagem em articulações lesionadas, e reparar tendões ou ligamentos.

A luz infravermelha é emitida por aparelhos de *laser* portáteis, de baixa intensidade, e outros instrumentos. Já se demonstrou que ela pode acelerar o adensamento ósseo graças ao estímulo da proliferação fibroblástica e osteoblástica.[11] As membranas celulares se tornam mais permeáveis, os níveis de ATP sobem e a produção de DNA aumenta, de sorte que todo o metabolismo celular passa a funcionar com mais eficiência. O processo parece estimular bastante as células porque elas respondem rapidamente com maior densidade da rede capilar, redução da dor e da inflamação, rapidez da regeneração nervosa, acentuada descontração muscular e crescente tonificação dos músculos. Há também indícios de que a terapia com base na luz *laser* ajuda a acelerar a resposta do sistema imunológico.[12]

Além disso, a terapia com *laser* de baixa intensidade pode ser usada para reduzir a inflamação e a dor, estimulando a liberação de enzimas e endorfinas antiinflamatórias, que são substâncias químicas analgésicas naturais. Ajuda na drenagem linfática e no combate às cãibras, que provocam dores crônicas, e aos problemas de articulação e de mobilidade. Quando aplicada na freqüência certa, a terapia à base de *laser* de baixa intensidade parece igualmente combater os vírus, os fungos e o herpes.[13]

Os *lasers*, antes tão caros que só os hospitais podiam adquiri-los, custam hoje mais ou menos o mesmo que um computador básico. Acho que em breve nenhum profissional de saúde deixará de ter um: serão tão comuns quanto os computadores domésticos. (Ver *Lasers*, p. 94, e Recursos.)

Visualização e Respiração de Cores

Para visualização, feche os olhos e imagine uma cor. Se for difícil para você imaginar a cor amarela, imagine a cor limão. A visualização de cores torna-se mais eficaz quando combinada com a respiração de cores, conforme descrito adiante.

As cores dos três primeiros chakras são, de baixo para cima: vermelho, laranja e amarelo. Estão associadas à terra. Visualize-as alteando-se do chão como segmentos de arco-íris e penetrando, cada qual, em seu chakra correspondente. O chakra do coração, no peito, tem duas cores: rosa e verde. Pense em uma das duas cores vindo diretamente do horizonte na direção do seu coração. As três cores de cima (azul, anil e violeta) estão associadas aos céus. Visualize cada uma delas projetado-se do espaço como arco-íris invertidos e penetrando, cada qual, no chakra correspondente.

Suponhamos que você queira trazer o amarelo para seu terceiro chakra. Comece pela imagem mental, bem clara, de um objeto dessa cor. Um limão maduro, por exemplo. Inspire pelo nariz e visualize uma faixa amarela levantando-se da terra na direção do seu plexo solar (abaixo do esterno). Ao expirar pela boca, fixe-a ali.

Se quiser enviar essa cor a outra pessoa, comece inspirando-a algumas vezes e fixando-a em seu próprio chakra. Quando sentir que já tem quantidade suficiente para você mesmo, envie-a. O terceiro e o sexto chakras são centros de poder e, portanto, ótimas estações transmissoras. As três cores de baixo podem ser enviadas por meio do terceiro chakra, no plexo solar; o rosa e o verde, diretamente do coração; e as três de cima, por meio do terceiro olho.

Por exemplo, se você estiver enviando o laranja, inspire e traga essa cor para o segundo chakra (que é laranja). Expire e fixe-a ali. Repita várias vezes até sentir que absorveu quantidade suficiente. Quando estiver pronto para enviar a cor, inspire e traga-a para a superfície do seu segundo chakra, encaminhando-a em seguida para o plexo solar (sem tentar absorvê-la). Em seguida, ao expirar, dirija a cor como se fosse um raio laranja para a pessoa que dela necessita. Envie-a, a partir do plexo solar, à parte apropriada do corpo da pessoa.

Ao expirar, poderá também fazer entonações, o que empresta ao processo uma energia vibracional extra. (Ver Entonação para os Chakras, p. 183.) Repita o processo três vezes e pergunte à pessoa como se sente. Se os resultados forem bons, continue até que ela absorva a quantidade suficiente (em geral, de seis a doze vezes bastam). Não havendo resposta concludente após seis vezes, é bem provável que aquela não seja a cor certa. Caso a pessoa se sentir pior, aplique o antídoto, o qual, para o segundo chakra, será o anil ou o violeta.

A visualização de cor pode ser feita na presença da pessoa a quem ela será enviada ou a distância. A técnica é a mesma; mas em vez de direcionar a cor à pessoa que está bem à sua frente, visualize essa pessoa em sua mente e encaminhe a cor para a imagem, para uma fotografia ou desenho dela. Talvez você queira focalizar a cor em uma dada área de seu corpo. Isso é muito eficaz, pois cura pela cor é cura pela energia e esta não exige a presença do paciente. Contudo, você não conseguirá saber de imediato o efeito do tratamento, de modo que terá de confiar na intuição.

Antes de enviar cor (ou qualquer forma de energia) a outra pessoa, convém primeiro obter sua permissão. Nem todos querem ser curados ou mesmo se sentir bem. No entanto, se a pessoa estiver inconsciente ou incapaz de falar, ou for pequena demais para comunicar-se, você poderá começar por pedir-lhe mentalmente autorização. Depois, a menos que sinta uma resistência inequívoca, enviará a energia de cura.

Uma exceção é o uso de luz rosa para autodefesa. Essa é uma cor muitíssimo potente. O rosa é a energia do amor e, quando você a envia com toda a sinceridade, tem de estar pronto a perdoar a pessoa que a receberá. Se ela for agressiva, irracional ou irritadiça, enviar essa energia é uma forma muito eficaz de autodefesa — que, literalmente, desarma. Tão logo sente o raio de amor e perdão, a pessoa com toda a certeza muda de atitude. Isso talvez seja invasão de privacidade, mas outras formas de autodefesa seriam muito mais. Eis um exemplo.

Uma de minhas alunas trabalhava numa loja de produtos naturais e viu entrar um amigo que bebera exageradamente. O recém-chegado, fora de controle, passou a ofender os fregueses e a derrubar pacotes das prateleiras. Quando ela o instou a sair, ele não lhe deu ouvidos. A jovem estava a ponto de chamar a polícia quando se lembrou da luz rosa. Apesar do comportamento do amigo, ainda conseguiu sentir piedade e transmitir-lhe um forte raio rosa de coração para coração. Um minuto depois o baderneiro recolheu os pacotes, pediu desculpas pela inconveniência e deu o fora.

(Para adquirir minha fita *Toning the Chakras*, ver Recursos.)

Água Carregada de Cor

A água pode ser carregada com uma cor e depois usada para beber ou fazer aplicações externas. Por exemplo, a cor do segundo chakra é laranja e esse chakra se encontra na região do intestino grosso. Havendo constipação, convém tomar alguns goles de água carregada de cor laranja (*ambero*) antes de cada refeição.

Quando ouvi falar pela primeira vez de água carregada com cor, não quis acreditar. A água não parece nada diferente depois do processo. Todavia, tenho mente aberta e, quando fiquei constipada, resolvi fazer uma tentativa. Achei que uns poucos goles não iriam modificar nada, por isso bebi meio copo antes de cada refeição. À noite, tive diarréia! Desde então, passei a levar mais a sério a água carregada com cor e ela se mostrou eficaz em muitas ocasiões.

Para carregar a água, despeje-a num recipiente colorido (por exemplo, uma garrafa verde de vinho ou uma azul de água mineral) e coloque-a na borda da janela para que a luz atravesse o vidro até o conteúdo. (Não recomendo carregar toda a água que você for beber em garrafas verdes, a menos que queira retardar sua digestão ou tenha úlceras.) Poderá também colocar um prato de vidro ou um filtro de plástico colorido diante da janela e depois pousar a água em um recipiente colorido diante da fonte de cor. Ou então cobrir o recipiente com um pedaço de pano colorido. Deixe a água repousar de uma a quatro horas (quatro horas é melhor) e depois refrigere-a. Tome uns poucos goles duas ou três vezes ao dia, conforme necessário.

Nos dias frios ou quando refrigerada, a água carregada de vermelho, laranja e amarelo durará de duas a três semanas. No verão e sem estar refrigerada, ela perderá a carga após três ou quatro dias. As outras cores duram indefinidamente. Com efeito, frascos verdes, azuis ou púrpura ajudam a preservar óleos, ervas, etc.

A palavra francesa para "água" é *eau*, que se pronuncia "ô". Os seguintes nomes franceses são usados para as águas coloridas:

Vermelho — *rubio*
Laranja e amarelo — *ambero*
Verde — *verdio*
Azul — *ceruleo*
Anil e violeta — *purpuro*

Cura do Rosto pela Cor

O rosto é um microcosmo do corpo e, segundo o dr. Laing, as mesmas cores usadas para tratar os chakras podem tratar também as sete áreas do rosto que a eles correspondem:

1. Vermelho — queixo, mandíbulas, lábios
2. Laranja — interior da boca, gengivas, língua
3. Amarelo — garganta, passagem para o trato intestinal
4. Verde — nariz, passagem para o trato respiratório
5. Azul — olhos, que são as janelas da alma
6. Anil — ouvidos e terceiro olho
7. Violeta — chakra da coroa

Eis alguns exemplos de como aplicar essa informação. Depois dos quarenta anos, muitas pessoas sentem uma queda na energia sexual (segundo chakra). Por essa época, nota-se freqüentemente uma deterioração das gengivas. Isso pode ser tratado com uma tintura feita de calêndula (uma flor alaranjada) ou lavagens bucais com *ambero* (água carregada de cor laranja).

Quando os olhos estão muito cansados, o que pode ocorrer quando você trabalha demais ou não reserva tempo suficiente para dormir e meditar, o quinto chakra sofre. Essa condição costuma ceder quando colocamos uma pedra azul porosa sobre cada pálpebra ou deixamos que uma luz azul incida sobre os olhos fechados, durante dez minutos.

Como Usar a Cor no Dia-a-dia

O humor costuma afetar a escolha de nossas roupas. Quando compreendemos o poder das cores, conseguimos alterar conscientemente nosso estado de espírito. Por exemplo, se nos sentimos sombrios e retraídos, pendemos para o cinzento e o preto. E se queremos nos alegrar, preferimos vestir amarelo, laranja ou rosa.

O preto, porém, é a cor do mistério; assim, se você estiver num estado de espírito misteriosamente jovial, não hesite em recorrer a ela. O cinza é uma cor neutra; não nos induz a nenhum sentimento especial: se você estiver se sentindo retraído, continuará retraído. Entretanto, se se sentir bem, o cinza lhe dará a flexibilidade necessária para mudar de humor conforme a situação e se relacionar com diferentes tipos de pessoa. Você poderá então usar acessórios de cor neutra como lenços, cintos e jóias.

A cor de sua roupa íntima produz efeitos notáveis. Calcinhas vermelhas ou alaranjadas despertam o instinto sexual. As de cor azul-claro acalmam o prurido erótico e combatem o nervosismo. Camisetas vermelhas ou alaranjadas podem provocar tensão nas costas e não devem ser usadas quando você tiver problemas nessa área.

A cor das roupas também deve ser levada em conta quando se deseja criar uma impressão qualquer naqueles que as observam. Mantos de cor púrpura escura são envergados por monarcas e sacerdotes para gerar a impressão de poder e religiosidade. Em contrapartida, o vermelho-claro é muitas vezes usado para enviar uma mensagem de disponibilidade sexual.

O massagista pode usar lençóis rosa, vermelhos ou amarelos em sua maca de trabalho a fim de encorajar os clientes a respirar profundamente (todas essas cores fortalecem os pulmões e o diafragma). Na cama, uma atmosfera erótica pode ser criada com lençóis e cobertores de cor laranja ou vermelha. O amarelo produz um clima de jovialidade. Mas uma criança nervosa ou hiperativa nunca deve dormir com roupas de cama vermelhas, alaranjadas ou amarelas. Melhor recorrer ao verde e ao azul, que são calmantes.

Uma família que vivia discutindo resolveu mudar o carpete de alaranjado para azul e daí por diante seus membros passaram a conviver melhor. O compositor de óperas Richard Wagner criou melodias altamente espiritualizadas num quarto com cortinas de cor violeta. A cor do recinto ou dos móveis influencia o humor e a saúde. Armários amarelos na cozinha geram uma atmosfera alegre e são bons também para a digestão.

Quadros e enfeites coloridos nas paredes elevam o "astral". Você poderá mudá-los quando seu humor mudar.

A Cor na Natureza. A natureza está cheia de cores e você pode tirar partido de sua beleza. O modo como você decora sua casa e o fato de morar perto de arvoredos, jardins ou lagos têm efeito decisivo em seu bem-estar. A natureza apresenta um equilíbrio perfeito de cores, permitindo que você escolha suas prediletas de uma gama quase infinita. Mas procure trazer também para casa as que não aprecia tanto, pois é delas, muito provavelmente, que você mais necessita. Se o vermelho vivo lhe é desagradável, comece por um tom que não o incomode tanto.

Tomei a decisão de morar no Havaí. Contemplar flores viçosas e multicoloridas o ano todo — vermelhos ricos, alaranjados pujantes, amarelos preciosos — é uma bênção sem fim. Nos dias claros, quando o sol brilha, o oceano é de um azul esplêndido. Às vezes, assume uma tonalidade profunda. Outras, um matiz de esmeralda. Não raro a água, nas imediações dos corais, fica azul-turquesa, enquanto as ondas, a distância, adquirem um tom azul-escuro. Eu inalo essas cores e sinto como se elas me alimentassem.

Você também pode sentir-se nutrido pela natureza caso tenha estado muito tempo na cidade e, dirigindo pelo campo, parar para contemplar um panorama de relva verde. Inspire então esse verde e expire toda a poeira, toda a poluição da cidade. Em pouco tempo, você se sentirá restaurado e renovado. O verde nutre o chakra do coração, inclusive os pulmões. O verde das árvores e arbustos enche o ar de oxigênio, ao mesmo tempo que absorve o dióxido de carbono que expelimos.

Se você estiver tenso após um dia duro de trabalho, sente-se numa cadeira confortável ao ar livre, levante os pés, olhe para o céu e absorva essa extensão de azul. É espantoso: mas *onde quer* que vivamos neste planeta — mesmo nos tugúrios das grandes cidades —, o azul do céu estará sempre disponível para nós. Você poderá sair a passeio e admirar o espelho de um lago ou do oceano. O azul acalma e alimenta os chakras superiores.

Quando você se sentir exausto, deite-se ao sol e absorva seus raios dourados, que nutrem o terceiro chakra. Na primavera, um ramalhete de narcisos amarelos alegrará qualquer recinto — porque o amarelo é a cor da felicidade.

As pessoas que se qualificam de *breatharians* (de "*breath*", respiração) alegam não precisar de nenhum tipo de alimento. Acredito que, em tempos remotos, tenha havido Seres de Luz que se nutriam apenas das cores da natureza. Eu própria experimentei isso em várias ocasiões, com os arco-íris. A primeira vez foi quando fazia uma longa viagem e estava exausta após dirigir o dia inteiro.

Avistei um arco-íris luminoso, perfeito, e debrucei-me para admirá-lo. Calculei quão maravilhoso seria fixar apenas a faixa amarela e inalar sua energia. Movida por esse impulso, tentei a experiência. Então, para meu espanto, o amarelo — *e apenas o amarelo* — do arco-íris foi se tornando estranhamente diáfano. Sentindo-me restaurada, um tanto perplexa e com um pouco de remorso por ter diminuído a beleza do arco-íris para os demais, voltei ao carro e parti, não muito convencida de que se tratara de mera coincidência.

Depois disso, tive a mesma experiência em várias ocasiões. Às vezes, apenas a cor na qual me concentrava empalidecia; outras, todo o arco-íris ou somente a parte fixada desmaiavam. Parecia que, quanto maior minha necessidade, mais depressa as cores se diluíam. Não faço isso por diversão, pois é triste ver um arco-íris desaparecer, nem quero privar-me e aos outros da oportunidade de admirar um fenômeno tão abençoado. Já o fiz em companhia de uma ou mais pessoas e também elas concluíram ser capazes de tirar nutrição das cores.

O *Book of Guidance* diz: "Pense num gramado muito viçoso e, ao inspirar, traga diretamente para o coração o verde da relva. Nos tempos antigos, os homens faziam isso constante e automaticamente. Contemplavam a imensidão do céu azul e atraíam essa cor para dentro de seus espíritos. Miravam o dourado do sol e fixavam-no na fonte de sua felicidade".[14]

A Cor no Alimento e na Bebida. Na cozinha asiática, o cozinheiro procura de todos os modos incluir em seus pratos as quatro cores primárias. Quando uma comida parece apetitosa, agrada ao paladar e é mais fácil de digerir. Um prato que contenha as cores dos quatro primeiros chakras será geralmente bem-equilibrado em termos de nutrição. Por exemplo, uma refeição com tomate, cenoura, trigo e legumes levemente cozidos é sempre agradável e nutritiva. É boa prática cozinhar os legumes sem deixar que eles percam a cor; quando o verde escurece, o sabor e o conteúdo nutritivo diminuem.

A cor do alimento muitas vezes revela quais partes do corpo irá curar. Por exemplo, o primeiro chakra é vermelho e está associado ao sangue. Muitos dos alimentos que limpam o sangue, tonificam o fígado e os gânglios linfáticos, e desintoxicam o organismo pertencem à família vermelha: abóbora vermelha, morango, uva silvestre, amora, trevo vermelho, etc.

Os alimentos amarelos são ótimos para o fígado e a bexiga. A mistura de azeite de oliva e suco de limão promove uma limpeza geral desses órgãos. O chá de raiz de dente-de-leão fortalece o fígado e a bexiga.

A CURA PELA VOZ

Místicos de numerosas culturas concordam quanto ao poder absoluto do som. Começamos pelo som, somos mantidos íntegros pelo som e um dia regressaremos à Música cósmica das Esferas.

O som é a experiência mística original da criação. O mestre sufi Hazrat Inayat Khan, músico de grande renome, assim comenta a Bíblia e outras obras de igual importância:

> Na Bíblia, encontramos as palavras: "No princípio era o Verbo, e o Verbo estava com Deus, e o Verbo era Deus"; e vemos também que o Verbo é Luz, a qual, surgindo, fez com que a criação inteira se manifestasse. Esses não são meros versículos religiosos; para o místico ou o vidente, a revelação está contida aí. ...
>
> Eles ensinam que o primeiro sinal de vida a manifestar-se foi a expressão audível ou som — em suma, o Verbo. Comparando essa interpretação à filosofia do Vedanta, percebemos que ambas são idênticas. Ao longo das idades, yogues e videntes da Índia reverenciaram o Deus-Verbo ou Deus-Som; e em torno dessa idéia elaborou-se todo o misticismo do som ou da fala. Não apenas entre os hindus, mas também entre

os profetas das raças semíticas foi reconhecida a importância do Verbo. ... O sânscrito é uma língua morta há muito tempo, mas, na meditação dos yogues hindus, alguns de seus termos são ainda usados em virtude da força do som e das vibrações que contêm. ...[1]

Em 1986, tive o privilégio de assistir a uma dança dos índios coast salish. Foi maravilhoso estar entre jovens e velhos, homens e mulheres reunidos em círculo em volta de um grande tambor, cada qual marcando o ritmo com uma baqueta e entoando canções tradicionais, enquanto todos, inclusive as crianças e os anciãos, ensaiavam os passos simples e graciosos que passam de geração em geração.

Inteiradas do poder que vem da harmonização do ritmo dos corações da comunidade e de como a dança e a canção exprimem as emoções da alma, praticamente todas as culturas fazem uso dessas artes, saindo em procissão para fazer chegar suas vozes e espíritos à divindade invocada.

Os índios shoshone, coast salish e huichol do México acreditam (ou acreditavam) que os frutos não vingarão, o salmão não aparecerá e o Sol não se erguerá a menos que eles entoem suas preces de agradecimento e realizem seus ritos sazonais. Pensadores modernos costumam ver essas idéias como superstições, sem vínculo algum com a realidade.

No entanto, quando o último shoshone, o último coast salish, o último huichol, a última árvore portentosa e a última das gigantescas reservas de petróleo desaparecerem da face da Terra, ficaremos surpresos se o salmão não aparecer (como já sucede em muitas regiões), se os frutos não vingarem, se o planeta sair dos eixos e (como os hopis advertem) a Lua tomar a cor do sangue?

Como evitaremos essas catástrofes — ou sobreviveremos a elas?

Pela canção. Pela descoberta da voz interior. Pois, a crermos nos anciãos de todas as culturas, a vida começa com o Verbo. Graças à respiração e ao Verbo, damos vida aos pensamentos. Graças ao poder vibratório do Verbo e da Canção, penetramos no âmago da vibração da qual toda vida emerge.

Meu amigo índio Craig Carpenter costuma dizer: "Quando cantamos, agradecemos. E quando agradecemos, os milagres começam a acontecer."

Sei que isso é verdade. Minha vida se transformou numa sucessão de agradecimentos e fico constantemente espantada com as coincidências, a sincronia e os milagres que atravessam o meu caminho. Ouço o mesmo testemunho de amigos e alunos que se dispõem a meditar e a agradecer pelo dom da vida — com palavras, canções, preces e silêncio.

Quando achamos não ter ninguém a quem agradecer por nossa boa sorte, exceto nós mesmos; quando deixamos de cantar e dar graças pelo que temos; quando acreditamos ser indivíduos totalmente isolados num universo sem sentido e sem conexão alguma com o Grande Mistério ou cosmos; quando pensamos que nossas canções não afetam em nada o universo — então nossa vida é vazia e não levamos a sério os milagres.

Modificando nossa maneira de pensar, lembrando-nos de ser gratos por tudo quanto possuímos e dando voz às nossas canções interiores, adquirimos a capacidade de aumentar nosso próprio magnetismo, influenciar o magnetismo da Terra e criar — produzir — milagres. Já vi isso.

O modo como os aborígines australianos entendem (ou entendiam) a realidade é que a energia, em geral, se move muito depressa. Quando, porém, capta uma idéia, vai mais devagar; e quando diminui acentuadamente o ritmo, torna-se manifestação física.

O Verbo é a ponte entre a energia e a manifestação material. A energia se transforma em som e o som nos transporta para a realidade concreta. A palavra falada ou cantada é o elemento de manifestação com maior poder vibratório, motivo pelo qual o rádio e a televisão têm mais eficácia que os jornais. Povos nativos compreendem (ou compreendiam) bem a força da voz, especialmente na canção, para criar e perpetuar a realidade que desejavam.

Acredito que, quando não cessamos de reverenciar a vida — agradecer pelo que temos —, a energia à nossa volta se intensifica e tornamo-nos veículos de manifestação mais poderosos.

Para a maioria dos caucasianos da América do Norte, canção e dança se foram para sempre. Na maioria das vezes, a vida se resume na busca do dinheiro: o papel elimina as árvores frondosas e os metais preciosos são arrancados dos recintos sagrados.

Viver hoje em nosso planeta é encarar um momento de decisão assustador e penoso. Podemos adotar um modo de vida mais responsável e espiritual, descobrindo as canções pessoais e comunitárias que estão dentro de nós, solicitando orientação e milagres, ou tornarmo-nos apáticos e indiferentes.

Cura pelo Som. É a aplicação terapêutica das freqüências sonoras ao corpo/mente de uma pessoa com o intento de criar um estado de harmonia e saúde. A **entonação** é o uso de emissões vocais repetidas, durante a expiração, sem uso de melodia, ritmo ou letra (a entonação de OM, por exemplo). A **sonorização** é o uso de sons improvisados sem melodia, ritmo ou letra (embora melodia, ritmo e letra possam emergir espontaneamente).

Usos Culturais e Espirituais do Som

A física nos permite compreender o poder do som. Os cientistas achavam outrora que o átomo era a menor porção da matéria, até descobrir que ele se compõe de partículas/ondas infinitesimais a mover-se no espaço. Num átomo de hélio, por exemplo, dois elétrons são mantidos juntos por um vínculo invisível, mas poderosíssimo, apesar da distância maior, proporcionalmente, que a que existe entre a Terra e o Sol.

Segundo a antiga ciência hindu da medicina ayurvédica, o som primordial é o liame misterioso que mantém o universo unido numa rede que vem a ser, pura e simplesmente, o campo quântico. O corpo se conserva unido pelo som, e a presença de enfermidade indica que alguns sons estão em desacordo.[2]

O conceito de uma rede constituída pelo som primordial não é exclusivo do Ayurveda. *The Book of the Hopi*, de Frank Waters, fala em Quatro Mundos. No princípio era o Criador, e o Criador existia num Espaço Infinito. Ele criou Sotuknang, que criou a substância sólida, as águas e os ventos. Chegada a hora de criar a vida, Sotuknang deu alento "àquela que devia permanecer na terra e servir-lhe de amparo: a Mulher-Aranha". Disse-lhe: "Eis que não vemos nenhum movimento agradável. Nenhum som agradável. Que é a vida sem som e sem movimento?"

A Mulher-Aranha apanhou um naco de terra, umedeceu-o com saliva, cobriu-o com um invólucro de substância branca que era a própria sabedoria geradora e entoou a Canção da Criação sobre ele: nasceram daí gêmeos. Um devia impor as mãos à terra para solidificá-la e organizá-la. O outro devia "emitir um som que fosse ouvido pelo mundo inteiro. E quando o for, tu serás chamado 'Eco', pois todo som ecoa o Criador".

Então, "todos os centros vibratórios ao longo do eixo da Terra, de pólo a pólo, repercutiram essa ordem; a Terra tremeu inteira; o universo estremeceu ritmicamente. Assim fez ele do mundo um instrumento de som, e do som um instrumento para transmitir mensagens que exaltassem o Criador de todas as coisas".[3]

O Espírito Criador dos lakotas não tem nome e sua forma muda continuamente; entretanto, chamam-no às vezes Inktomi, a Aranha, que é também o Ardiloso.[4]

Os padrões invisíveis de onda que nos cercam lembram mesmo uma teia de aranha. Quase posso ver a Mulher-Aranha apanhando uma idéia em sua rede e tecendo-a sob a forma de manifestação. Na antiga língua aramaica da Bíblia, a palavra para "prece" equivale literalmente a "montar uma armadilha".

No idioma nativo do Havaí, o substantivo para "canção", "canto", "poema" e "prece" é *mele*. Quem compõe poemas e cânticos é um *haku mele*. *Haku* é o ato de escolher penas e dispô-las em padrões como num cocar.

Um dos rituais mais antigos dos índios lakotas é a Busca da Visão. A pessoa vai para o ermo, geralmente o alto de uma montanha considerada sagrada. Pode estar nua ou trajar uma simples tanga, sem comida e sem água. O ritual é precedido de vários dias de purificação: nada de sexo, álcool ou conversa fiada. Há também banhos, jejum, lavagem intestinal e sauna.

A palavra lakota que se traduz por "rezar" é *cekiya*, derivada de *ceya*, "chorar", "lamentar", com a preposição epentética *ki* significando "para". Do ponto de vista dos índios, prece e um certo tipo de entonação são a mesma coisa, como se não fosse possível falar ao Grande Espírito com tom de voz normal, mas sim cantando, chorando, gemendo ou empregando a antiga língua sagrada para chamar a atenção.[5]

Outro ritual importante dos lakotas foi transmitido a Horn Chips sob a forma de uma visão quando ele empreendia a Busca, ainda menino. O Yuwipi é um ritual lakota de cura. O Homem Yuwipi é uma combinação de sumo-sacerdote, médium e curador xamânico a quem os espíritos falam durante a cerimônia e que transmite a mensagem ao povo.

A palavra portuguesa para o ritual Yuwipi é "reunião", mas o substantivo lakota *lowanpi* deve ser traduzido por "cantoria" porque, na ocasião, canta-se muito. O chefe aprende suas canções dos espíritos e passa-as aos outros cantores, que devem estar presentes em todas as reuniões. As melodias são repetitivas, com apenas uns poucos versos para cada peça, de modo que todos são convidados a participar do ritual e "colaborar". Os cantores às vezes recorrem a um *falsetto* muito alto, outros a um tom baixo, acompanhados pela batida surda do tambor. Curas miraculosas ocorrem freqüentemente durante as reuniões.[6]

A Dança do Sol é outro ritual poderoso dos lakotas que foi ensinado a um santo homem chamado Kablaya, durante uma Busca da Visão. Seguindo as instruções, ele convidou todas as tribos vizinhas a participar da cerimônia. Ensinou melodias aos cantores e pediu-lhes que arranjassem um grande tambor redondo. O ritual tem início com cantos e danças, quando o Sol se ergue no horizonte. Os cantores devem cantar o dia inteiro sem descanso, a fim de manter a tensão para os dançarinos.

Nos velhos tempos, uma vareta bem fina era enfiada no peito do dançarino e ligada por uma correia a um tronco de choupo no centro da arena. Os dançarinos, inclinando-se para trás, rodopiavam sob o sol cálido, durante todo o dia, sem comer e sem beber, até que as correias lhes laceravam as carnes. Pouco antes do ocaso, um cachimbo era passado entre os dançarinos e tocadores de tambor, e eles paravam para fumar. Mais tarde dava-se uma festa estrondosa, pois as pessoas sabiam que uma grande coisa acontecera e a nação lakota sairia fortalecida por essa cerimônia.[7] A Dança do Sol ainda é executada hoje em dia, mas sem as lacerações.

Os ferimentos provocados nos dançarinos do sol não diferem muito da cerimônia da circuncisão praticada pelos aborígines australianos durante mais de cem mil anos. Tive o privilégio de passar algum tempo numa aldeia aborígine perto de Alice Springs, há cerca de dois anos, e acredito que uma versão desse ritual ainda seja observada. O que se segue é uma descrição extraída de *Voices of the First Day*, de Robert Lawlor. Quando li esse livro, pensei que o autor se referia a *todos* os aborígines australianos. Hoje, sei que há tantos grupos diferentes de aborígines quantos de índios norte-americanos; cada um tem seu ritual. Eis o que Lawlor presenciou ou do qual ouviu falar.

Vários meninos são levados para a mata e pintados com o sangue dos mais velhos, o que simboliza um novo nascimento na consciência. Não comem nem podem falar enquanto permanecem despertos noites a fio, sempre em presença de canções e danças repetitivas que acabam por mergulhá-los em transe. Então os anciãos, ainda cantando e dançando, os instruem nas leis, verdades e lendas imemoriais da tribo.

Como cadáveres, os meninos são levados de volta ao acampamento, onde as carpideiras desempenham o seu papel lamentando os filhos mortos. As mulheres alimentam os meninos, que em seguida são conduzidos numa jornada cerimonial para outras aldeias, onde se encontram com parentes distantes. Mais tarde regressam ao lar, para a etapa final da cerimônia.

Quando aparecem, toda a aldeia os aplaude. Mulheres choram e gemem, dançarinos pintados dançam em volta de uma fogueira até o instante do clímax. Então um grupo de homens corre para a fogueira, debruça-se sobre ela e forma uma espécie de mesa sobre a qual um menino é estendido. Um parente corta-lhe o prepúcio com uma lâmina afiada de quartzo, enquanto o avô o tranqüiliza.

Enquanto isso, toda a comunidade executa uma dança frenética, cantando, gemendo e agitando *bullroarers* (espécie de aerofones na forma de varetas com ponta em chicote) que produzem no ar um som baixo e lamentoso. A cerimônia da circuncisão é um teste da capacidade do menino de cair em transe sem sentir dor.

Terminada a circuncisão, o garoto permanece isolado, sem licença para falar (pode apenas fazer gestos). A dança continua noite adentro, enquanto os velhos instruem os meninos sobre seus deveres sagrados para com a terra e o sentido da jornada que terão de empreender após a morte.

Imediatamente depois da circuncisão, cada jovem é presenteado com dois *bullroarers* e informado de que esses são seus novos pais, a quem deverá recorrer em caso de necessidade. Os *bullroarers* encerram o poder hipnótico que assegura a entrada no Tempo do Sono.[8]

Espanta-nos como certos aspectos da circuncisão aborígine lembram a "captura" de candidatos relutantes para a Dança do Espírito dos índios nooksack coast salish, a noroeste de Washington. Por ocasião dessa dança, os participantes ficam possuídos por uma canção, *syowen*, que se apresenta e exige ser expressa.

A pessoa tem mais probabilidade de passar por essa experiência quando está numa condição altamente sensível: durante um episódio de febre, quando pranteia a perda de um ente querido ou mesmo num momento de cólera violenta contra a criatura amada. Ela deve chorar continuamente até que seus gritos se transformem nos gemidos característicos de um Dançarino do Espírito. Então, ao que se diz, a *syowen* fica com pena do infeliz.

Por outro lado, se a criatura amada está com câncer ou outra doença grave, a pessoa pode transformar-se num Dançarino do Espírito a fim de ajudar a curá-la. Os Dançarinos do Espírito, segundo se acredita, contam com proteção contra moléstias e acidentes, vivendo quase sempre até idade muito avançada.[9]

No final dos anos 70, cerca de 20% dos coast salish participavam da cerimônia (não tenho informações atualizadas). A "captura" era o meio mais comum de arranjar novos membros. Uma família podia escolher um filho a ser capturado por causa de um problema de alcoolismo ou comportamento rebelde. O garoto ou garota tinha que concordar ao menos em parte com a captura e a família devia desejá-lo ardentemente, por causa das obrigações rituais que daí decorriam.

Como nas práticas dos aborígines australianos, quando o candidato é escolhido, alguns homens da comunidade dançante literalmente o agarram, levantam-no no ar e levam-no embora, mantendo-o desperto e isolado por um longo período. Nessa condição de privação sensorial, combinada com cânticos e toques de tambor, o jovem, esgotado, cai em transe e começa a ter visões, geralmente de um espírito animal benfazejo. A força, a música e a dança do jovem vêm desse espírito.

Quando a pessoa está dominada pela dança e a música, a família e os amigos se juntam para dançar e percutir tambores, vertendo seus próprios sentimentos na melodia. O dançarino é dominado por uma sensação de liberdade e plenitude. "Quando o toque do tambor está no ritmo certo, parece que ele flutua!"[10]

A Igreja Pentecostal é uma das muitas seitas adotadas pelos nativos norte-americanos. Ela é muito popular entre os coast salish porque evoca de perto algumas de suas experiências de transe. Nas igrejas pentecostais e batistas, a possessão é reconhecida quando assume a forma de *falar línguas estranhas*, o que se parece bastante com o fenômeno da *syowen*.

Eis a descrição da experiência por uma mulher que, quando criança, pertencia à Igreja Pentecostal na Califórnia do Sul:

> Após o sermão, o pastor orou pelos pecadores, dando-lhes a oportunidade de aproximar-se para serem salvos — submetendo-se a Cristo. A igreja inteira pôs-se num estado de meditação enquanto rezava. Fechei os olhos e era como se a prece não terminasse nunca. Eu podia ouvir, aqui e ali, pessoas que falavam entrecortadamente, murmurando coisas como "Querido Jesus!", agradecendo a Deus e dizendo-Lhe quão bondoso Ele é, dando aleluias, e por aí vai.
>
> Se a pessoa se sentisse chamada, podia caminhar pela ala até o altar, ajoelhar-se e deixar que todos vissem a entrega do seu coração a Jesus. Às vezes, encontrava ali outras pessoas. Se você fica diante do altar, implorando o perdão de seus pecados, obviamente não contém o pranto; é tudo muito, muito emotivo. Tudo o que fez de errado vem à tona.

Em seguida, os líderes da igreja se aproximam, impõem-lhe as mãos e oram por você. A energia então parece aumentar. A sensação é indescritível. Lembro-me de quando fiz isso. Tínhamos um pastor visitante que pousou as mãos em minha cabeça, sujeitando-me ao poder do Espírito Santo. Parecia que eu ia desmaiar. Acho que alguém me colocou de pé, pois eu caíra de costas e lá ficara a murmurar palavras sem nexo. De repente, pus-me a falar sem parar coisas que eram de outra esfera, à qual eu não pertencia. Não mais tinha poder algum sobre minha língua.

É assim que emitimos sons e falamos línguas estranhas. Mas não parecia outro idioma. Não consigo reproduzi-lo, nem mesmo imitá-lo. Uma série de onomatopéias, de "lá-lá-lá". Usam-se repetidamente as mesmas sílabas, para captar-lhes o poder. Tudo numa certa cadência. É, pouco mais ou menos, uma música sem grandes variações.

Tudo termina, obviamente, por um "Ó Jesus, obrigado!" Você sente como se tivesse estado com Deus. Todos os problemas desaparecem. Já não tem mais preocupações, pois estas ficaram nas mãos de Deus. Depois, quando você ora, mesmo longe da igreja, tudo recomeça.[11]

Todos esses rituais são experiências espirituais autênticas, em que os participantes realmente alcançam as esferas do além com a ajuda da entonação e do canto. Não são de modo algum rituais vazios, nem obra de magia ou fraude. Os resultados podem ser curas miraculosas, mas a finalidade principal é expressa na canção mais apreciada dos Dançarinos do Sol:

Wakantanka, tem piedade de mim.
Quero viver; por isso ajo assim.[12]

Os Sons da Semente. Certos sons, incluindo os vocálicos, foram usados pelas culturas antigas de todo o mundo para aumentar ou diminuir as energias antes de se manifestarem no plano material. Os caçadores aborígines da Austrália sabiam que certos ritmos e sons coagulam (aumentam) ou dispersam (diminuem) as energias formadoras de cada espécie. Acreditavam que o magnetismo da Terra ou Serpente Arco-Íris (muito semelhante ao nosso espectro eletromagnético) engendrava as criaturas em nosso plano. Segundo Lawlor, antes de sair à caça de determinado animal, os homens emitiam os Sons da Semente "no lugar onde o poder daquela criatura havia sido depositado durante o Tempo do Sono" a fim de aumentar-lhe a fertilidade e a abundância.[13]

Isso talvez não seja tão absurdo quanto parece. A semente de nosso corpo está nos genitais. O aumento e o decréscimo da população dependem da fertilidade ou esterilidade de nossas sementes. A música e a canção quase sempre acompanham a dança; certas melodias e passos podem ser considerados uma espécie de preliminares e a música, não raro, acompanha a expressão sexual.

Na tradição céltica, o Beltane, último dos três festivais primaveris da fertilidade, ocorre no dia 1º de maio e é freqüentemente acompanhado por uma Dança do Mastro. Poucas pessoas se dão conta de que "o mastro é um símbolo óbvio do princípio masculino, enquanto a coroa de flores representa o útero. O mastro puxa a energia da Terra até o topo, disseminando fertilidade por todos quantos dançam à sua volta. ... Para os aldeões, era uma festa de sexualidade desbragada, com casais fazendo amor livremente nos campos e jardins a fim de proporcionar seiva às plantações".[14]

Também os hindus tinham sons de semente. Davam-lhes o nome de *bija* e acreditavam que certas vibrações se manifestam como sons correspondentes às diversas vibrações de cor de cada chakra. Cada chakra é visto como uma espécie de lótus com certo número de pétalas e cada pétala tem um som. Assim, os cinqüenta fonemas da língua sânscrita estão contidos nos chakras. Harish Johari, músico, compositor, poeta, artista e estudioso tântrico do norte da Índia, produziu uma fita com esses "Sons dos Chakras"[15] (ver Recursos).

Cura de Ossos Quebrados. Li dois relatos de duas culturas inteiramente diferentes sobre cura quase instantânea de ossos quebrados, ambos envolvendo som.

Max Freedom Long, em *The Secret Science Behind Miracles*, escrito originalmente em 1948, narra a história de seu amigo íntimo J. A. K. Combs, de Honolulu, companheiro de estudos dos ensinamentos havaianos *kahuna*. A avó de Combs foi uma das mais poderosas *kahuna* ou curadoras da ilha de Oahu.

Combs participava de uma festa na praia junto à casa da velha *kahuna* quando viu um dos convidados aparecer ligeiramente embriagado. Ao descer do carro e pisar a areia fofa, caiu. Ouviu-se o som característico de ossos quebrados. Uma inspeção sumária revelou duas lascas apontando da pele, acima do tornozelo. Combs, que também já tivera uma dessas fraturas duplas, preparou-se para levar o homem ao hospital.

Mas então a velha kahuna chegou. Esticou a perna do ferido e delicadamente pôs os ossos no lugar, pressionando a área onde as pontas haviam perfurado a pele e entonando uma prece em voz baixa. Depois, ficou em silêncio. Suas mãos se moveram de súbito, desprenderam-se da perna ferida e ela murmurou em havaiano: "A cura terminou. Levante-se. Já pode andar." O homem, agora completamente sóbrio, ergueu-se e, espantado, deu um passo, depois outro. A cura fora completa e perfeita: a perna não revelava sinal algum de fratura.[16]

É notável a semelhança desse relato com o de Marlo Morgan em *Mutant Message Down Under*, sobre um episódio que ela afirma ter testemunhado quando viajava com um grupo de aborígines australianos. Segundo Morgan, um dos caçadores caminhava à beira de um barranco quando o chão cedeu e ele caiu a uns três metros de profundidade. Os companheiros içaram-no e deitaram-no numa laje: apresentava uma grave fratura múltipla entre o joelho e o quadril. "O osso ressaltava como uma enorme presa, uns cinco centímetros para fora da pele escura", escreve a autora.

Os aborígines chamados Homem Médico e Mulher Curadora postaram-se dos lados do ferido. Morgan aproximou-se e viu o Homem Médico passar as mãos para cima e para baixo da perna machucada, cerca de três centímetros de distância da pele, em movimentos suaves, primeiro as duas juntas, depois alternando-as, uma em cada direção. O ferido e os dois curadores começaram a falar em tom de prece. O Homem Médico colocou ambas as mãos em volta do quadril e a Mulher Curadora ajoelhou-se do lado, pondo também as duas mãos sobre o joelho. Cantavam ou cantarolavam ao mesmo tempo, mas melodias diferentes, até erguerem as vozes em uníssono e gritarem alguma coisa. Morgan não percebeu nenhum movimento para empurrar o osso; mas "o osso recuou pelo orifício de onde saíra".

Finalmente, o Homem Médico juntou as bordas da ferida e a Mulher Curadora empregou uma espécie de visco negro (feito de coágulos de sangue menstrual) para selá-la. Escreve Morgan: "Na manhã seguinte, o Caçador Pedra Grande levantou-se e acompanhou-nos. Nem mesmo mancava. O ritual realizado, disseram-me, reduziria a pressão óssea e impediria o inchaço. Funcionou. Durante vários dias, observei bem a perna e notei que o visco negro ia secando até desprender-se. Em menos de uma semana, desapareceu; viam-se apenas leves cicatrizes no lugar por onde o osso havia saído."

Como pode o corpo curar-se assim tão depressa? Segundo Morgan, "Explicaram-me que o movimento das mãos para cima e para baixo sobre a área afetada, sem toque direto, era um meio de restaurar o padrão anterior da perna ferida. Eliminaria todo o inchaço durante a fase de recuperação. O Homem Médico forçara a memória do osso a evocar a verdadeira natureza de sua condição saudável. Isso silenciara o choque provocado pela fratura e o deslocamento do osso para fora da posição desenvolvida ao longo de trinta anos. Em suma, eles haviam 'conversado' com o osso".[17]

Max Freedom Long perguntou aos kahunas como conseguiam curar instantaneamente um osso quebrado e ouviu que "o corpo escuro (*aka*) do eu inferior é o molde de todas as células do corpo e, também, de sua forma geral ... para curar um osso quebrado, o Eu Superior dissolve-o, bem como a outros tecidos, em ectoplasma, que é invisível, mas nem sempre. Como o molde do corpo escuro é constituído de substância invisível, não pode romper-se nem ser afetado. Assim, com o molde da perna normal à mão, o material ectoplasmático das partes dissolvidas é novamente solidificado no molde, daí resultando que a cura é instantânea e o membro se restaura na condição primitiva".[18]

Experiência da Autora com Sonorização

Quando eu morava nas imediações de Taos, Novo México, em 1967, meus amigos apaches me convidaram para uma reunião da Igreja Americana Nativa durante a qual se iria abençoar sua nova terra. Fiquei sabendo que um Homem da Estrada (um ser sagrado que encabeça essas cerimônias durante a noite toda), chamado Little Joe, viria de Taos Pueblo e queria certificar-se de que estariam ali pelo menos seis pessoas conhecedoras das canções, para conservarem a energia. Nosso anfitrião assegurou-lhes que assim seria.

Quando cheguei, à tardinha, o Sol já mergulhava no horizonte, pintalgando com tons de salmão as mesetas. Uma tenda alta e bonita enfeitava a paisagem. Little Joe chegou com dois companheiros de Taos Pueblo, que iriam ajudá-lo na cerimônia. Era um homem pequenino, com uma notável combinação de humildade e sabedoria.

Reunimo-nos diante da tenda — éramos uns vinte — enquanto o Sol desaparecia por trás da meseta. Little Joe convidou-nos a entrar e o fizemos, sentando-nos de pernas cruzadas no limitado espaço, os joelhos se tocando. Little Joe sentou-se defronte à entrada, que dava para o leste. Então o Homem Cedro entrou e fechou a tenda. Em seguida, acendeu o fogo.

Fomos instruídos a não cair no sono e a não sair da tenda por motivo algum sem permissão do Homem Cedro, pois quem começava a cerimônia tinha de ficar até o fim, ao nascer do Sol, para manter a energia coesa.

Little Joe passou à volta o Bull Durham (puro fumo da Virgínia) e cada qual enrolou seu charuto, deu algumas baforadas e orou. A fumaça levaria nossas preces ao Grande Espírito. Pousamos nossos charutos no sulco quase circular que Joe traçou na areia, diante de nós, e o canto começou. Joe murmurou algumas preces em sua própria língua e todos voltamos a cantar. Joe confiou o tambor ao homem à sua direita e empunhou o chocalho. Quem tem o chocalho fala ou canta enquanto a pessoa à sua direita o acompanha no tambor.

Little Joe disse mais ou menos o seguinte: "Ho! Pai Celestial, Mãe Terrena, obrigado pela fogueira desta noite e por toda esta boa gente que veio para nos acompanhar na jornada, abençoando nossa terra. Obrigado por este belo dia e por todas as mulheres que acorreram a fim de nos ajudar a cozinhar. Obrigado pelo caminho encantador que nos destes para percorrer." Agitou o chocalho e seu assistente fez soar o tambor. O grupo começou a entoar um cântico exultante.

Little Joe agitou novamente o chocalho e prosseguiu: "Grande Espírito, gostaria que cuidasses do meu vizinho Jim, que sofreu um grave acidente há dois dias ao cair e machucar o ombro. Sua mulher e filhos não estão conseguindo dar conta dele. HO!" (Enfatizou a interjeição com um sacudir de chocalho e várias outras pessoas o imitaram dizendo "HO!")

Joe entregou o chocalho a George, à sua esquerda. George era um dos homens do *pueblo*. O tambor ficou então com Little Joe, que passou a tocar para George. A cantoria aumentou e George disse: "HO, Grande Espírito, Pai-Mãe. Esta noite estamos tomando a estrada, a boa estrada que deste para nosso povo. Pedimos-te que abençoes nossa terra e cuides bem de Jake, Jim, Sandy e Inez, para que haja abundância de águas, as searas cresçam bem alto e não falte alimento a ninguém.

"Imploro-te que cuides de minha mãe, pois sua artrite está indo de mal a pior nas costas e tem sido difícil para ela, nos últimos dias, sair da cama. Ela bem que gostaria de estar aqui esta noite, mas não teve forças para empreender a viagem. Peço-te que a confortes e deixes suas costas fortes novamente. HO!" O chocalho matraqueou, enquanto outras pessoas do *pueblo* também exclamavam HO! Percebi que todos conheciam a mãe de George, preocupavam-se com ela e estavam lhe enviando ondas e mais ondas de energia positiva. Em seguida, todos passaram a cantar com entusiasmo. A energia começava a adensar-se.

Por volta de meia-noite, uma mulher apareceu com um grande jarro de chá medicinal e deixou-o à porta da tenda. O Homem Cedro apanhou-o e passou-o em derredor. Depois que todos bebemos, a energia intensificou-se um pouco mais, o canto se fez mais forte e as preces pareciam mais emocionadas.

Nunca antes eu tinha ouvido pessoas comuns falando diretamente com Deus! Sou de uma cultura em que nem padres nem rabinos conversam com Ele. De onde venho, todas as pessoas em sã consciência sabem que apenas lunáticos pensam poder dialogar com o Ser Supremo. Mas aquela gente tão simples estava me ensinando coisa bem diversa!

Enquanto eu ouvia as batidas do tambor, os cânticos e as preces, tentando evitar a fumaça da fogueira, sentia-me fraca e mal podia combater o impulso de estender-me no chão. Estava quase adormecendo sentada, balançando para trás e para a frente ao ritmo constante das vozes e do tambor.

Havia algo de familiar e reconfortante naquele balanço e naqueles sons em língua desconhecida. A palavra *embalar* me ocorreu. Vi-me transportada a um lugar e época diferentes. Era uma criancinha, aninhada no colo de minha mãe. Estávamos na suntuosa sinagoga de Chicago, num dia santo especial. Minha mãe sem dúvida se lembrava desses grandes dias santos em sua infância na Polônia, quando os vizinhos acorriam em bando à casa de seus pais. Ela olhava para seu querido pai, que era ao mesmo tempo rabino e *chantre* da pequenina aldeia, com a comprida barba emaranhada e o *yarmulka* enterrado na abundante cabeleira negra. Ele envergava seu xale branco de oração e, balançando-se para a frente e para trás, lia o livro sagrado de preces.

Essas remotas experiências na sinagoga devem ter sido o meu primeiro despertar para a espiritualidade. A combinação da devoção de minha mãe com o canto inspirado do *chantre*, numa língua antiga, transportava-me para uma esfera transcendente. Era como o canto nativo na tenda.

O chocalho passou para o homem à minha direita, que orava com fervor. Era a segunda vez que o instrumento percorria o círculo e logo chegaria às minhas mãos. Na primeira ocasião, não falei nada. Não sabia o que dizer. A noite inteira fiquei ouvindo os nativos cantar e orar em voz alta por seus amigos, vizinhos, animais, plantações, filhos no Vietnã, presidente dos Estados Unidos e pais. De repente, achei estranho não ter conversado com meus pais nos últimos dois anos; ignorava até por onde andavam.

Quando minha família se mudou para a Califórnia e aderiu à igreja reformada, chocou-me o fato de não haver ali nem *chantre* nem preces hebraicas. Eu não conseguia achar Deus naqueles serviços religiosos. Pareciam-me vazios, vulgares, privados de espírito e paixão. Aos 8 anos de idade, recusei-me a freqüentar o local, aonde mulheres iam para exibir suas roupas novas. O templo parecia superficial, onde a hipocrisia simulava adorar Deus.

Por isso voltei as costas à religião e tornei-me descrente. Mas ainda buscava. Às vezes, meu avô me aparecia em visões. Nunca o conheci em carne e osso, pois ele tinha morrido num campo de concentração na Polônia. No entanto, contava-me coisas a seu respeito e, quando comuniquei esses fatos à minha mãe, ela confirmou que era tudo verdade.

Quando fiquei moça e saí de casa, continuei minha busca espiritual. Meus pais não viam com bons olhos o estilo de vida simples e despojado que adotei nos anos 60. E eu censurava sem meias-palavras seu consumismo. Por fim mamãe rompeu comigo e, por dois anos, não nos comunicamos. Agora eu tinha um bebê de seis meses e meus pais ainda não conheciam o neto.

Durante a cerimônia na tenda, sobreveio-me uma experiência profunda do Espírito pela qual não passava desde a infância. Ouvindo os índios cantar e orar em altas vozes por seus pais, a dura impressão que eu nutria dos meus arrefeceu.

Devo ter resmungado alguma coisa, pois, para meu espanto, o homem à minha direita começou a agitar o chocalho. Todos cantavam com entusiasmo. Meu corpo balançava ao ritmo das batidas e, subitamente, pude ouvir meu avô falando. Meu coração saltou de alegria. Fazia tanto tempo!

Vovô me mostrou uma longa linhagem de parentes, de mãos dadas. Ele próprio estava postado ao lado de mamãe, segurando-lhe a mão direita com a esquerda, enquanto com a direita se ligava a uma corrente que parecia perder-se no infinito. A mão esquerda de mamãe pendia livre, enquanto a minha própria se recusava a segurá-la. Eu podia sentir a ruptura de energia entre nós e o sofrimento que isso causava ao vovô. Eu teria de fazer muito esforço para alcançá-lo e aos outros parentes caso esse vínculo continuasse rompido.

Lágrimas desceram-me pelas faces e meu coração doeu quando o chocalho veio ter às minhas mãos. Eu fingira indiferença para com meus pais, mas agora a energia fluía do coração para a garganta e logo me pus a entoar um cântico sem palavras que parecia uma mistura de hinos dos dias santos, de que eu me lembrava vagamente, e das canções índias que ouvia há horas. Não me preocupei com o que os outros fossem pensar; a alma me saía pela boca enquanto eu expressava minha dor, tristeza e saudade de laços há muito desatados.

Após calar-me, agitei vigorosamente o chocalho e todos gritaram "HO!"

Tal foi a minha primeira experiência de sonorização, embora na época eu nem sequer conhecesse a palavra. Muitos anos se passariam antes que eu me dispusesse a usar novamente a voz dessa maneira. Foi, porém, o começo. Aprendi a ligar o coração à boca.

Depois que me despedi de Little Joe, procurei meus pais e fiz as pazes com minha mãe, preenchendo assim esse abismo para que meus filhos conhecessem os avós e todos os laços fossem reatados. Quando saí da tenda para o mundo, reconheci ter tido um contato direto com o Espírito. Eu senti isso ao cantar.

Som, Ciência e Medicina

Nós não vivemos no nada. O espaço aparentemente vazio à nossa volta está repleto de sons e ondas de luz que não podemos perceber. Influenciamos o espaço e somos influenciados por ele. Mas a maioria ignora os efeitos que provocamos nele e os efeitos que ele provoca em nós. Entretanto, podemos nos tornar personagens inteligentes e ativos desse drama cósmico. Podemos mesmo aprender a operar os milagres que outrora estavam reservados aos xamãs e às escolas esotéricas de cura.

O som é a chave de tudo.

Comecemos pelo útero de onde você veio. Durante dezoito semanas, suas células cresceram e se multiplicaram. Você podia sentir, mexer-se e até responder a certos estímulos.

Depois, aconteceu algo surpreendente que o modificou para sempre. De súbito, você começou a *ouvir*! O ouvido é o primeiro órgão que se desenvolve no embrião.[19]

Cito aqui meu próprio livro, *Healing Yourself During Pregnancy*:

> Um de meus clientes contou-me que apreciava muito, e havia aprendido facilmente de cor, algumas passagens da Bíblia. Mais tarde, sua mãe lhe disse que aqueles eram os trechos que ela lia em voz alta, repetidamente, quando estava grávida dele. ...
>
> Estive em trabalho de parto durante 36 horas para ter o meu primeiro filho. Nas últimas horas, as contrações foram muito dolorosas. Eu me preparei segundo o método Lamaze e fiz bom uso da técnica "inspirar-e-soprar", que consiste em três inspirações rápidas e uma expiração longa. Por vários dias após o nascimento, meu filho revelou o curioso hábito de tomar três inspirações rápidas seguidas de uma expiração longa![20]

O dr. John Ortiz, diretor do Institute of Applied Psychomusicology, psicólogo licenciado no interior da Pensilvânia e autor de *The Tao of Music*, cita diversas fontes de pesquisas atuais sobre os efeitos da música na cura.[21] A música está atualmente abrindo caminho para os berçários de crianças prematuras nos hospitais. Os pesquisadores descobriram que as cantigas de ninar provocam aumento dos níveis de saturação de oxigênio, estimulando o ritmo cardíaco e respiratório.[22]

Crianças autistas e com problemas de aprendizado também se beneficiam significativamente do uso da música, revelando mais habilidades práticas[23] e participando de maneira mais positiva das atividades sociais, sem recaídas.[24] Conseguem se concentrar mais, exibem menos sintomas de tédio[25] e têm memória melhor.[26]

Embora os adultos reajam negativamente à "barulheira" da música *heavy metal*, ela parece beneficiar adolescentes tomados de raiva, medo e sentimentos de desesperança.[27]

A música faz bem igualmente para os adultos. Vários estudos mostram que ela aumenta a resistência à dor.[28] Conforme já mencionamos, o dr. Mitch

Gaynor, oncologista, teve essa experiência com inúmeros portadores de câncer e mulheres com fibromialgia.[29] Muitos de meus clientes jogaram fora seus analgésicos. (Ver o exercício Entonação para a Dor no seu Corpo, p. 177.) Eis a história de uma aluna minha, Karen McDaniel:

> No final de 1998, uma infecção recorrente no pé levou-me de volta ao grande centro médico universitário onde eu passei por um transplante de pâncreas/rim (depois de sofrer de diabete do Tipo 1 por 35 anos). No terceiro dia, um interno avisou que o segundo dedo do meu pé direito estava completamente "morto" e precisava ser amputado imediatamente.
>
> A cirurgia correu bem e, graças ao apoio das orações de amigos zelosos, pude enviar energias curativas ao meu pé direito. O único problema é que a dor se revelou intolerável tanto no local da amputação quanto no "dedo fantasma". Medicamentos fortes à base de codeína nada conseguiam contra a dor, que me mantinha nervosa e insone.
>
> Há alguns meses, eu tinha freqüentado o curso intensivo de Cura Vibracional de Joy Gardner e acreditava que ela pudesse me ajudar. Telefonei-lhe então e Joy se dispôs a reservar-me cinco minutos diários durante as duas semanas seguintes, para entonar diretamente sobre a ferida, pelo telefone. (Ela estava no Havaí e eu em Ohio.)
>
> Por ocasião da primeira chamada, baixei o fone até o pé e pude ouvir sua entonação procurando fazer contato com meu dedo. Depois o som mudou, parecendo transformar-se na voz do próprio dedo, expressando revolta e aflição. Isso durou algum tempo. Joy concluiu emitindo sons suaves e benignos, que aquietaram a dor lancinante.
>
> Após a sessão, a dor se tornou menos aguda e menos insistente. Nos dias que se seguiram, Joy repetiu a entonação e, no terceiro, a dor desapareceu ao final da sessão. Voltou após algumas horas, mas com menos intensidade. Dia após dia o alívio se acentuava e os períodos sem dor iam aumentando.
>
> Um incidente cômico ocorreu certa feita, estando Joy no meio de uma sessão. Eu segurava cuidadosamente o fone perto do pé quando apareceu o cirurgião-chefe em sua ronda diária, acompanhado da coorte habitual de jalecos brancos. Eu insisti em terminar meu tratamento so-

noro e todos estacaram, perplexos, ouvindo a voz que saía do aparelho na direção do meu pé!

Dias depois, senti-me forte o bastante para fazer, eu mesma, algumas entonações, nos intervalos do tratamento de Joy. Felizmente, estava num quarto particular!

Na segunda semana, não pedia mais analgésicos. Já em casa, entonei para mim mesma nas raras ocasiões em que a dor voltava. Meu corpo parecia instruir-me quando a entonação tinha de mudar e passei a fazer uma espécie de tricô sonoro, como uma agulha a entrar e a sair das bordas da ferida. No fim, minha pele — que não se esperava fosse sarar completamente, devido ao diabete e às drogas imunossupressoras — se regenerou por completo.

O músico Jim Oliver acha que o corpo é capaz de responder a sons que os ouvidos não captam necessariamente. Ele ligou sons específicos a fones de ouvido e aplicou-os aos quadris de um cliente, com resultados positivos. Jim acredita que as células do sangue carregam rapidamente a ressonância pelo corpo todo.[30]

Nos anos de 1990, pesquisadores divulgaram inúmeros relatórios sobre os efeitos tranqüilizantes da música sobre a saúde física e mental. Entretanto, poucos estudos recorreram a metodologias rigorosas ou a amostragens adequadas, de modo que os resultados foram inconsistentes. Houve também discordância quanto ao tipo de música a ser oferecida aos pacientes. Em 1994, um resumo de Karen Allen e J. Blascovich apareceu no *Journal of the American Medical Association* com o título "Efeitos da Música sobre a Reação Cardiovascular em Cirurgiões". Nesse estudo, as reações cardiovasculares dos cirurgiões serenavam quando, em plena execução de tarefas estressantes, eles ouviam músicas selecionadas por eles mesmos ou pelos pesquisadores. O estudo concluiu que o conhecimento das músicas e o controle sobre sua seleção provocavam respostas fisiológicas positivas, ao passo que melodias presumivelmente "sedativas" não produziam resultados consistentes.

Num segundo estudo, a cargo da Universidade Estadual de Nova York em Buffalo, Karen Allen, psicóloga, e Lawrence Golden, cardiologista, acompanharam pacientes idosos que fariam cirurgias de olhos numa clínica ambulatorial e no mesmo dia iriam para casa. Esse processo, sabia-se, era estressante, sobretudo para velhinhos não-habituados a tais procedimentos. Selecionaram-se quarenta pacientes. Vinte e um tomavam drogas para controlar a pressão alta, dez no grupo experimental e onze no grupo de controle. Não pararam de ingerir os medicamentos.

Uma semana antes da cirurgia, tiraram-se a pressão sanguínea e a taxa de batimentos cardíacos, para servir de base. Nessa altura não houve nenhuma diferença significativa entre os dois grupos. No dia da cirurgia, os mesmos sinais vitais foram auscultados antes, durante e depois do ato cirúrgico. Os participantes do grupo experimental receberam fones de ouvido estereofônicos e um aparelho de som, podendo escolher entre 22 tipos de música, inclusive canções românticas, clássicos, música de câmera, canções folclóricas e sucessos populares das décadas de 1940 e 1950. Só três pessoas escolheram o mesmo gênero. Os participantes do grupo de controle ficaram descansando, sem fones de ouvido nem música.

Ambos os grupos apresentaram taxas de batimentos cardíacos e pressão sanguínea acentuadamente mais elevadas, depois de entrar na clínica, do que no momento em que chegaram. O grupo experimental então ouviu música e os efeitos fisiológicos diminuíram em cinco minutos. Durante a cirurgia, os pacientes providos de aparelhos de som tiveram taxas de batimentos cardíacos e pressão sanguínea similares às tomadas uma semana antes. O grupo de controle apresentou sistemáticas elevações da pressão, chegando ao mesmo nível de antes da cirurgia. Os pacientes com música relataram uma impressionante redução de stress e uma maior capacidade de enfrentar a situação, o que não ocorreu com os outros.

Quando os pacientes que ouviram música foram entrevistados, mencionaram várias vezes a palavra *controle*, assegurando que, ao entrar no edifício, logo se sentiram despojados de toda capacidade de se controlarem. Mas a possibilidade de escolher músicas restaurou-lhes em parte essa capacidade. O som também ajudou a bloquear "a tagarelice dos médicos e enfermeiras". No estudo anterior, publicado pelo *JAMA*, os cirurgiões também perceberam sem sombra de dúvida que o ensejo de controlar o tipo de música aumentou sua capacidade de executar tarefas cognitivas e influenciou suas reações.[31]

Um estudo da Universidade Estadual de Michigan, em 1993, permitiu aos sujeitos experimentais selecionarem músicas de quatro catálogos: Nova Era, jazz leve, clássicos e impressionistas. Os sujeitos de controle receberam apenas revistas. Depois de apenas quinze minutos, o grupo experimental apresentou, no sangue, um aumento de 12,5 para 14% no nível de interleucina-1. As interleucinas são uma família de proteínas associadas à produção de sangue e plaquetas, e ao estímulo dos linfócitos. Elas ajudam a proteger as células contra a invasão de AIDS, câncer e outras doenças. Nesse estudo, os participantes apresentaram níveis de cortisol diminuídos em até 25%. O cortisol, hormônio esteróide associado ao complexo adrenal, tem relação com o stress e a suscetibilidade a doenças inflamatórias. Os cientistas concluíram que músicas preferidas "podem desencadear uma profunda experiência emocional positiva, capaz de liberar hormônios que contribuem para amenizar os fatores responsáveis pela aceleração do processo mórbido".[32]

Em 2004, pesquisadores da Universidade Estadual de Ohio escolheram 33 pacientes cardíacos que haviam se submetido à colocação de marca-passos ou angioplastia. Esses procedimentos trazem o risco de degeneração cognitiva. Os pacientes fizeram testes de fluência verbal antes e depois de duas sessões separadas de exercitação numa esteira. Na primeira sessão, ouviram as *Quatro Estações* de Vivaldi. Todos os participantes se sentiram bem após o trabalho com a esteira e a fluência verbal após ouvir essa música mais que dobrou.[33]

Outros estudos revelam que a música alivia a depressão, a cólera e a solidão, ao mesmo tempo que aguça a percepção e o discernimento.[34] Pode aumentar a motivação, a resistência e o bem-estar psicológico e físico, combatendo ainda a ansiedade e possibilitando a descontração.[35]

Uma de minhas alunas formadas, Cynthia Mitchell (ver Recursos), ex-professora de arte dramática na Universidade Duke, Carolina do Norte, foi contratada pela Health Arts Network, do Hospital Duke, para cantar para seus pacientes. Ela entrava no quarto, conversava com os pacientes (e suas famílias, caso lá estivessem), e perguntava se gostariam de ouvir alguma música. Depois de entoar uma ou duas canções conhecidas, procurava sintonizar-se com as energias do doente e pedia permissão para cantar uma melodia especial. Valendo-se da intuição para descobrir os sons necessários, Cynthia podia perceber a respiração do paciente acalmar-se e aprofundar-se, seu rosto se descontrair e a tensão abandonar seu corpo.

Uma noite, passando pelo setor de terapia intensiva, a enfermeira de plantão pediu-lhe que entrasse e cantasse para sua paciente. Os batimentos cardíacos da mulher tinham se acelerado perigosamente (entre 120 e

94) naquela noite. Cynthia entrou no quarto, sintonizou-se com a doente e soube desde logo quais sons deveria emitir. Quando acabou de cantar, voltou-se para sair, mas a enfermeira pousou-lhe a mão no ombro — e, com um olhar atônito, murmurou: "Enquanto você cantava, as batidas dela caíram vinte pontos!" Horas depois, antes de ir para casa, Cynthia foi ver a mulher: a enfermeira disse-lhe, agradecida, que o coração dela havia se estabilizado em 74.

De que modo o som afeta as emoções? Segundo uma explicação, quando ele atravessa o ar, ativa o nervo vago, que se estende do ouvido à laringe e percorre todo o trato intestinal, onde suas fibras controlam as secreções gástrica e pancreática. Situa-se na área do terceiro chakra, que é um centro emocional. O nervo vago possui também fibras inibitórias que passam pelo coração,[36] área do quarto chakra e outro centro emocional.

Na verdade, o som é uma espécie de alimento para o cérebro e para o corpo (sem falar da alma). O dr. Tomatis, médico francês, psicólogo e neurofisiologista da audição, descobriu que o cérebro exige três bilhões de estímulos por segundo durante pelo menos quatro ou cinco horas por dia *para permanecer desperto*! Afirma que o ouvido produz mais de 90% da carga total do corpo.[37]

Sem dúvida, isso explica por que tantos jovens parecem viciados em música "pesada". Ela age literalmente como um estimulante. Quando você precisa de uma boa dose de energia, a música a proporciona. Durante a invasão do Iraque, em 2003, os soldados americanos ouviam CDs dentro dos tanques, enquanto atacavam. Uma das canções populares selecionadas para a ocasião era *The Roof Is on Fire*, da banda Bloodhound Gang, que continha os seguintes versos:

O teto o teto o teto está pegando fogo
O teto o teto o teto está pegando fogo
O teto o teto o teto está pegando fogo
Nada de água, deixa queimar,
Dane-se, deixa queimar.[38]

Que melhor maneira haverá, para jovens superarem o medo de tirar vidas humanas, do que ouvir música barulhenta, incessante e agressiva numa jaula minúscula que lembra uma cabine de telefone?

O dr. Tomatis sustenta que o ouvido é o condutor do sistema nervoso inteiro. Pela medula (projeção do cérebro), o nervo auditivo se liga a todos os músculos do corpo. Portanto, o tônus muscular, o equilíbrio, a flexibilidade e a visão são influenciados pelo som.[39] Isso explica em parte por que, quando o yoga é acompanhado por entonação, é possível alongar os músculos mais completa e satisfatoriamente. E também explica em parte por que tantas pessoas gostam de ouvir música enquanto se exercitam.

Segundo o dr. Tomatis, sons de alta freqüência (3.000 Hz ou mais) aumentam o potencial elétrico do cérebro.[40] A música de Mozart, ao que se diz, intensifica os poderes mentais, fato popularizado por Don Campbell em seu livro *The Mozart Effect*. Ele cita um estudo do dra. Frances H. Rauscher e suas colegas no qual 36 estudantes de psicologia marcaram oito ou nove pontos a mais, num teste espacial de QI, após ouvir durante dez minutos a Sonata para Dois Pianos em Ré Maior de Mozart. O efeito durou apenas de dez a quinze minutos, mas a equipe concluiu que havia uma relação óbvia entre a audição da música e o raciocínio espacial.[41]

Don Campbell assinala que o ouvido direito comunica impulsos auditivos aos centros da fala mais rapidamente que o esquerdo. Os impulsos nervosos do ouvido direito vão diretamente ao hemisfério esquerdo do cérebro (racional), no qual se localizam os centros da fala. Já os impulsos nervosos do ouvido esquerdo têm de fazer um circuito pelo hemisfério direito do cérebro, que é desprovido de centros da fala, antes de chegar ao hemisfério esquerdo. Isso resulta numa leve perda de atenção e capacidade para responder verbalmente.

Em conseqüência disso, Campbell aconselha a pessoa a posicionar-se com o interlocutor um pouco para a direita e a colocar o telefone na orelha direita para melhorar a audição, a concentração e a retenção das informações.[42]

O dr. Tomatis percebeu claramente quão importante é a voz para carregar o corpo quando foi chamado a um mosteiro beneditino na França, onde os monges tinham fama de dormir pouco, seguir um regime alimentar vegetariano, observar o silêncio e cantar de seis a oito horas por dia. O mosteiro passou a ser dirigido por um abade jovem que não via finalidade alguma nessa cantoria e abolira-a. Em pouco tempo, setenta dos noventa monges começaram a se queixar de uma fadiga inexplicável.

Os médicos convocados tentaram prescrever mais horas de sono e adição de carne ao regime alimentar, mas isso só piorou as coisas. Quando o dr. Tomatis chegou, aconselhou imediatamente a volta da prática do canto. Decorridos cinco meses, a maioria dos monges havia recuperado a saúde e o vigor.[43]

O canto gregoriano é uma coletânea de hinos provenientes de várias culturas e padronizados na Missa Católica por São Gregório (papa de 590 a 604 d.C.). Difere da música comum porque a duração não depende do ritmo e sim da capacidade dos cantores de prolongarem a expiração. O treinamento leva quatro anos; só depois o noviço vai para o coro.[44]

Uma vez que o canto se baseia na respiração, tem poderoso efeito sobre os ouvintes, os quais logo se põem a respirar fundo, diminuindo com isso a freqüência cardíaca e a pressão sanguínea. Tomatis explica: "Se você medir com um osciloscópio os sons do canto gregoriano, verá que todos eles se encaixam na banda de freqüência que carrega o ouvido. Nenhum escapa a essa faixa."[45]

Ouvir canto gregoriano cria uma atmosfera de serenidade e intensifica a energia, a memória e a concentração. Ouço-o muitas vezes quando estou escrevendo porque ele mantém minha mente calma e evita que meu corpo fique tenso. Nas palavras de Tomatis, a música em freqüências relativamente baixas (como o toque de tambor xamânico) afeta as áreas mais primitivas do cérebro, gerando um estado hipnótico, ao passo que o canto gregoriano estimula o córtex, deixando a pessoa alerta.[46]

Um estudo com 32 cantores de coro em Irving, Califórnia, em 2001, confirmou os benefícios dessa prática. Eles entoaram a obra-prima coral de Beethoven, a *Missa Solemnis*. Os pesquisadores recolheram com cotonetes amostras de saliva, que contém a proteína imunoglobulina A, utilizada pelo sistema imunológico para combater as doenças.

Segundo o estudo, a proteína aumentou 150% durante os ensaios e 240% durante a apresentação. Isso parecia estar diretamente relacionado ao estado mental dos cantores, que muitos participantes descreveram como feliz e eufórico. "Logo depois me sinto flutuar", declarou Morris, 62 anos, membro do coro. "É maravilhoso. Às vezes, antes de um concerto, estou resfriado ou com dor de garganta, mas vou assim mesmo e canto. Findo o espetáculo, eis-me nas alturas."

O professor de Pedagogia Robert Beck, que colaborou com Thomas Cesario no estudo, concluiu: "Quanto mais paixão durante o canto, maior o efeito."[47]

Ressonância e Sincronização. Os princípios da ressonância e da sincronização são essenciais para compreender como funciona a Cura Vibracional. Em 1665, o matemático holandês Christian Huygens (1629 a 1695) trabalhava no desenho de relógios de pêndulo. Descobriu que, quando dois relógios eram colocados numa parede perto um do outro, mesmo quando os pêndulos balançavam em ritmos diferentes acabavam, depois de certo tempo, por sincronizar-se. Sua conclusão foi que as fortes vibrações rítmicas de um objeto forçam o objeto mais fraco a aderir à vibração da fonte dominante.

De igual modo, quando células do músculo cardíaco são colocadas lado a lado, passam a pulsar em sincronia.[48] Na cura pelo som, o profissional deve começar emitindo sonoridades que lhe pareçam similares à energia deprimida ou exaltada do cliente. Depois que este começar a se harmonizar com a vibração, achará mais fácil sintonizar-se com o som terapêutico e alinhar-se com os sons suavizantes e relaxantes que o profissional emitir.

Os instrumentos vibratórios do som, cristais e óleos essenciais são tão eficazes e tão coerentes que conseguem simular as vibrações de órgãos ou tecidos deprimidos do corpo. Quando o som, cristal ou óleo correto é escolhido, evoca no corpo sua própria ressonância harmônica saudável.

O mesmo efeito se obtém quando você agita uma forquilha que vibre a 100 cps e a aproxima de outra da mesma freqüência: o segundo instrumento começará a vibrar sem ser tocado. Depois, ambos ressoarão um com o outro. Ritmos externos também podem ser usados para afetar os batimentos cardíacos, a respiração e a atividade ondulatória do cérebro.

Todo órgão, osso e célula têm sua própria freqüência sonora saudável. A agente de cura Shari Edwards possui a capacidade notável de ouvir essas freqüências e chegou mesmo a determiná-las, em hertz, para cada músculo, órgão e tecido do corpo. Shari consegue também reproduzir esses sons com a voz e projetou uma máquina capaz de fazer o mesmo.

Ela e eu demos palestras durante uma convenção de terapeutas, há alguns anos. Quando nos encontramos de novo, contei-lhe que tinha sofrido um acidente no qual uma pedra caiu sobre minha coxa esquerda, formando ali uma grande depressão que nunca se curou inteiramente. Eu pressentia que Shari poderia me ajudar, por isso expliquei-lhe detalhadamente a situação e fomos ambas para seu quarto, a fim de fazer uma tentativa.

Quando lhe mostrei a coxa, ela ergueu as mãos e pousou a ponta dos dedos na região deprimida. A seguir, abriu os lábios e proferiu um som estranho. Usou sua máquina para medir a freqüência daquele som e equalizou-o em hertz. Depois consultou seu manual e vimos que o som por ela proferido estava na freqüência exata para o músculo da coxa.

Shari colocou-me um par de fones de ouvido, com o som de que eu precisava. Lá fiquei sentada, absorvendo aquele ritmo repetitivo. Meia hora depois, ela me pediu para tirar os fones e levantar-me. Olhamos para a coxa: para nosso espanto e deleite, a depressão diminuíra em 80%.

Shari aplicou o princípio da *ressonância* ao invocar o som de um músculo saudável da coxa. Quando o músculo comprometido o escutou, acredita-se que se viu estimulado a imitar sua própria manifestação saudável. Quando nós ouvimos uma ponderação e declaramos que ela "soa bem", queremos dizer que nos parece verdadeira e tem uma vibração harmônica salutar.

Shari usou também o princípio da *sincronização* ao estimular o músculo enfraquecido de minha coxa a sintonizar-se com a vibração saudável de sua máquina. Se você tem a voz um tanto fraca, provavelmente passou por uma experiência de sincronização ao cantar com vocalistas mais possantes. É preciso muita energia para sustentar um tom em vibração fraca, de sorte que sua voz procura naturalmente harmonizar-se com vozes mais fortes.

Harmonia Corporal. O dr. Peter Guy Manners trabalha com som em sua prática médica na cidade de Worcester, Inglaterra. Escreve ele: "A experimentação revela que os seres humanos, como quaisquer outros objetos, irradiam ondas de som; portanto, seus campos são campos sonoros."[49]

Somos inclinados a crer que a realidade é limitada por aquilo que captamos com nossos cinco sentidos. Achamos difícil aceitar que existam sons para nós inaudíveis e vibrações para nós insensíveis. No entanto, sabemos muito bem que os raios luminosos infravermelhos e ultravioleta não são percebidos por nossos olhos, havendo igualmente ruídos subsônicos e supersônicos que não afetam nossos ouvidos, e altíssimas freqüências (UHF) e baixíssimas freqüências (ELF) que não podemos sentir.

O crocodilo marinho percebe vibrações elétricas a mais de cem metros de distância. O tubarão possui sensores elétricos no focinho que captam as vibrações de criaturas escondidas sob a areia. Os tubarões, aliás, têm um sentido auditivo-tátil (os cientistas chamam-no de linha lateral) que os habilita a perceber as vibrações da presa em movimento.[50]

Somos, por inteiro, vibrações — e cada parte do nosso corpo tem sua freqüência. O dr. Manners define a harmonia interna do corpo e explica como usar o som para detectar a fonte da desarmonia corporal. Ele afirma que, assim como cada um de nós tem forma e tamanho próprios, tem também um padrão ou conjunto distinto de tonalidades sonoras. "Dentro do corpo humano, qualquer quebra de harmonia resulta em má saúde. ... Podemos perceber facilmente que cada órgão possui seu campo sônico (ou sonoro). Corretamente circunscrito, esse campo nos fornece informações sobre o que se passa num determinado órgão."[51]

As descobertas do dr. Raymond Royal Rife, na década de 1930, mostram quão potentes podem ser as entonações certas para eliminar doenças. Ele descobriu que cada célula tem sua própria freqüência vibratória e todas as células de um determinado sistema orgânico emitem uma ressonância vibratória comum. Rife é mais conhecido pela invenção espetacular de um microscópio que amplia em milhares de vezes o tamanho das células vivas. Observando o comportamento interno das células humanas vivas, ele tomou um tubo Ray-O-Vac e um gerador de freqüências e carregou-as com freqüências diferentes. Ao final, produziu uma ressonância que as fragmentou.

Munido desse conhecimento, Rife começou a curar o câncer. No caso de câncer de mama, por exemplo, ele pegava uma amostra de tecidos, colocava-os sob o microscópio e observava as células doentes enquanto ajustava o gerador de freqüência até que elas se dissolvessem. Inteirado da freqüência que destruiria as células malignas, colocava a paciente perto do tubo e direcionava-o para seu peito; findo o tratamento, as células cancerosas desapareciam sem que outras partes do seio ou do corpo fossem afetadas.[52]

Talvez o trabalho de Rife tenha inspirado o desenvolvimento do *lithotripter* alemão (cuja tradução é "fragmentador de pedras"). Essa notável máquina médica destrói cálculos renais e da bexiga atacando-os seletivamente com a ressonância apropriada, que imita a freqüência das pedras e com isso as pulveriza. A máquina envia ondas de choque elétricas de alta voltagem por uma distância explosiva sob a água. As ondas de choque geram uma força de compressão e os cálculos começam a fragmentar-se em grânulos que passam para a urina. Pedras dos rins, uretra e bexiga podem todas ser tratadas por esse processo indolor, que não leva mais de duas ou três horas.[53]

O dr. William Tiller, bolsista da Fundação Guggenheim financiado pela Universidade de Stanford, escreve em *Radionics, Radiesthesia and Physics* que toda glândula do corpo tem seu próprio perfil ondulatório saudável, bastando portanto determiná-lo para detectar anormalidades. Então, "se energia com o perfil normal ou saudável da glândula for injetada nela ... [a glândula] recuperará a condição saudável ou normal".[54]

Isso ajuda a explicar por que os exercícios desta seção, como Entonação para a Dor no seu Corpo e Entonação com Trabalho Corporal (páginas 177 e 178) são tão eficazes. A entonação leva formas de onda saudáveis para dentro dos órgãos e tecidos doentes, despertando as vibrações normais do corpo.

Um agente de cura fisicamente sensível pode emitir sons, como o "radar" do morcego, para fazer a varredura do campo sonoro de cada glândula, em busca de desequilíbrios. Intuitivamente, ele descobre os sons certos para carregar as glândulas com energia saudável, restaurando assim sua freqüência harmoniosa.

Os golfinhos usam o som para localizar objetos por meio do eco e, é de presumir, que essa mesma capacidade lhes permite direcionar sons para áreas anormais do corpo. O fato talvez explique as curas aparentemente miraculosas que algumas pessoas experimentam depois de nadar com golfinhos. Durante um de meus seminários na Grande Ilha do Havaí, costumávamos nadar e andar de caiaque em companhia de golfinhos selvagens. Nenhuma experiência se compara à de ter esses portentosos mamíferos nadando voluntariamente ao nosso lado no oceano e olhando-nos nos olhos. A profundidade de sua consciência e compaixão é inegável.

Certa vez fui nadar com uma aluna grávida, mas cuja barriga ainda não se fazia notar. Aproximaram-se de nós pelo menos uns dez golfinhos, inclusive dois filhotes, que não se apartavam das mães. Vi então, perplexa, um desses filhotes distanciar-se da mãe e pôr-se a nadar em círculos diretamente sob a mulher grávida, por pelo menos cinco minutos. Como pôde aquele filhote de golfinho — e a mãe, que lhe permitiu brincar sozinho — saber que a jovem estava esperando bebê? Provavelmente pelo som, tal qual os médicos quando usam o ultra-som para examinar o feto de uma mulher grávida.

As Baleias e o Canal de Som Profundo. Em 1943, dois pesquisadores da Universidade de Colúmbia fizeram explodir meio quilo de TNT nas Bahamas e seus receptores conseguiram detectar o som na costa ocidental da

África, a uns três mil quilômetros de distância. Haviam testado o Canal de Som Profundo, usado pelas baleias e pela Marinha americana.

O som se desloca quase cinco vezes mais rápido na água que no ar. Existem quatro grandes camadas termais horizontais nas águas oceânicas profundas: 1) a *camada superficial* sofre mudanças diárias em conseqüência do calor, do frio e dos ventos, 2) a *termóclina sazonal* é afetada pelas temperaturas variáveis das estações. A temperatura cai na medida da profundidade e, quanto mais baixa, menor a velocidade do som (o que também é verdadeiro no ar), 3) a *termóclina permanente*, situada a uns oitocentos metros abaixo da superfície, é muito pouco afetada pelas mudanças sazonais e 4) a *isotérmica profunda* possui temperatura praticamente constante. A pressão crescente da água acelera a velocidade do som (que viaja ainda mais depressa, a cerca de 18 mil km por hora, nos corpos sólidos).

Onde o fundo da termóclina permanente (terceira camada) se encontra com o topo da isotérmica profunda (quarta camada), o som viaja milhares de quilômetros horizontalmente com perda mínima de intensidade. A onda sonora, avançando obliquamente por esse canal, curva-se para baixo à medida que sua velocidade diminui, e para cima, quando a maior pressão da água faz essa velocidade aumentar.

Nos anos de 1950, a Marinha americana desenvolveu o Sistema de Vigilância pelo Som (Sound Surveillance System, SOSUS), que fazia uso do chamado Canal de Determinação de Alcance pelo Som (Sound Fixing and Ranging Channel) para detectar submarinos. Christopher Clark, biólogo acústico da Universidade Cornell, teve permissão da Marinha para usar o receptor SOSUS a fim de ouvir os padrões vocais das baleias azul, *finback*, *minke* e *humpback*. Valendo-se de um receptor nas Índias Ocidentais, ele pôde ouvir baleias que se encontravam a quase dois mil quilômetros de distância.[55]

Atualmente, a Marinha americana vem tentando implantar o equipamento de sonar conhecido como Sonar Ativo de Baixa Freqüência (Low Frequency Active Sonar, LFAS), um sistema de detecção de submarinos de longo alcance, em 80% dos oceanos da Terra. Cada conjunto de transmissores gera 215 decibéis (dB) de som. Após algumas centenas de metros, as ondas de som convergem, elevando o nível de ruído a mais de 240 dB. O emprego dessa tecnologia permite à Marinha varrer, ao mesmo tempo, centenas de milhares de quilômetros quadrados sob a água. Isso significa que um sinal de baixa freqüência no sul do oceano Índico, por exemplo, pode ser detectado na costa oeste dos Estados Unidos.

Em 1995, o National Resources Defense Council determinou que os testes com o LFAS, até então realizados no maior sigilo, se acomodassem às leis de proteção ambiental. O Pentágono concordou em conduzir um estudo amplo dos impactos ambientais. Embora muitas questões importantes não fossem contempladas pelo estudo, um mergulhador da Marinha de 32 anos foi exposto brevemente ao sonar LFA num nível de 160 dB (bem menos do que o operacional) e, após vinte minutos, começou a apresentar sintomas graves, como vertigens e sonolência. Foi hospitalizado e teve recaídas, queixando-se de disfunções de memória e convulsões. Dois anos depois passou a ser tratado com antidepressivos e medicamentos antiepilépticos.

O som audível mais fraco tem um valor de pressão sonora equivalente a 0 dB. O mais alto que o ouvido humano pode tolerar situa-se por volta de 120 dB. A conversação normal gira em torno de 50 a 60 dB. O rock pesado alcança nada menos que 110 dB e o limiar da dor é de mais ou menos 125 dB.

Em março de 2000, nas Bahamas, quatro espécies diferentes de baleias e golfinhos encalharam na praia logo depois que a Marinha acionou um sonar ativo extremamente baixo. Sete baleias morreram e o exame de seu ouvido interno revelou, sem sombra de dúvida, que todas, menos uma, sofreram hemorragia no local.[56]

Existe a séria preocupação de que tantas ondas de som percorrendo os oceanos estejam danificando as delicadas estruturas acústicas das baleias, comprometendo sua capacidade de navegação e acasalamento.

Entonação

O tom é um som distinto que se mantém constante e se identifica pela regularidade de vibração. A entonação é a emissão vibratória sustentada de tons isolados, quase sempre vocálicos, sem uso de melodia, ritmo ou palavras. Esses sons podem provocar vibrações que criam sons secundários agudos capazes de reverberar de um modo extremamente penetrante.

Os tons secundários são sons que emanam de uma única nota musical e possuem alta freqüência. Muitos deles superam a capacidade de captação do ouvido humano e são por isso chamados subliminares, o que talvez explique por que a entonação possui a misteriosa capacidade de mergulhar pessoas em estado de transe ou suscitar nelas emoções profundas. Este livro não pretende ensinar como produzir tons secundários deliberadamente, mas eles ocorrem quando entonamos, sobretudo em grupo.

Um tom pode ser muito alto (com muitas vibrações por unidade de tempo) e agudo ou baixo (com poucas vibrações) e suave — ou, ainda, qualquer coisa entre esses extremos. Um tom específico terá efeito grandemente previsível na pessoa que ouve (e na que entona). Tons altos e agudos tendem a acelerar o coração; tons baixos e suaves, a aquietá-lo. Tons ásperos costumam gerar sentimentos de ansiedade; tons ricos e amenos, a produzir um estado de profunda paz interior. Alguns tons produzem sentimentos fortes, outros, despojando a pessoa de todas as emoções, induzem-na à meditação.

Tons altos agradáveis geralmente proporcionam uma sensação de estabilidade, de bem-estar físico. Tons baixos podem ajudar-nos a assumir o próprio corpo e realizar grandes coisas. Tons agudos, aprazíveis, quase sempre nos livram do stress e dos aborrecimentos cotidianos, criando uma sensação relaxante de euforia intensa.

Muitas pessoas já ouviram a entonação da sílaba OM que, acredita-se, gera uma energia de regularidade e unicidade. Independentemente de religião, temos a tendência de vivenciar um equilíbrio sereno quando essa sílaba é proferida repetidamente, sobretudo se a voz é aveludada e sonora.

Durante a expressão espiritual autêntica, quer numa igreja, quer numa sinagoga, sob uma árvore ou no alto de uma montanha, as pessoas entram em comunhão direta com Deus ou o Criador. A entonação, o canto e o sussurro são práticas que praticamente todas as culturas adotaram, principalmente no serviço religioso. Não importa se você cresceu exclamando AMÉM, OM ou AMEIN em sua igreja, mesquita ou sinagoga, ou se seu exército, tribo ou time de futebol esgoelava ou berrava, você por qualquer desses meios praticou alguma forma de entonação.

Estamos assistindo a um renascimento intuitivo e espontâneo do uso do som. As pessoas o têm usado para a expressão religiosa, a consolidação dos vínculos comunitários, a cura física e emocional. As pessoas estão dando ouvidos e expressando sua voz interior de maneiras novas e excitantes: entonando com tai chi, yoga, dança improvisada, ato amoroso, em grupos de homens que acenam barulhentamente para grupos de mulheres, etc.

Mesmo o choro de um bebê pode ser uma forma de entonação. Embora as criancinhas não falem, conseguem expressar plenamente tristeza, felicidade, amor e raiva. Graças ao simples emprego de sons vibratórios, elas nos persuadem a tomá-las ao colo, alimentá-las, tranqüilizá-las ou trocar-lhes as fraldas. Se você por acaso já foi criança, então sabe muito bem entonar!

Mas muitas crianças, em nossa cultura, aprendem a censurar suas emoções, palavras e cada som que possa escapar de seus lábios. Aprendem a emitir apenas os sons socialmente aceitáveis. Quando criança, ensinaram-me a não fazer barulho de qualquer espécie: gargalhadas, gritos de dor, gemidos de prazer.

Cresci tímida e com vergonha de usar a voz de maneira impetuosa ou apaixonada. Queria muito cantar; mas isso era só para quem tinha boa voz. Quando me candidatei ao coral da escola, por pouco não fui admitida. Tomei duas ou três lições de canto, sem impressionar muito o professor. Minhas mais notáveis façanhas vocais pelos próximos vinte anos foram improvisar cantigas de ninar para meus bebês e remoer canções como "I've Been Working on the Railroad" durante longas viagens de carro com meus filhos.

Só perdi o medo de cantar quando comecei a fazer entonações. Para isso, não é necessário ter uma voz bonita e poderosa, nem é possível desafinar!

A primeira pessoa que ouvi entonar foi minha amiga Laeh Maggie Garfield, que escreveu *Sound Medicine*. Aquele som cavo, intenso, impressionou-me. E vibrou profundamente dentro de mim. Jamais imaginei que emitiria — ou iria querer emitir — sons iguais!

A vez seguinte que ouvi alguém entonar foi quando estava dando aulas num retiro para mulheres da Califórnia e fui assistir a um seminário de Dhyani Ywahoo, autora de *Voices of Ancestors*. Ela segurou dois grandes pedaços de cristal nas mãos e emitiu sons vigorosos, sobrenaturais, que despertaram alguma coisa no meu íntimo. Levaria anos para eu me permitir imitá-los.

Mas um dia o fiz. E ajudei outros a fazerem o mesmo. Pessoas não-treinadas no canto permitem-se emitir sons desinibidos mais facilmente do que cantores que acreditam haver uma maneira certa e errada de entonar.

Ainda tenho um pouco de vergonha de *sonorizar* (outra palavra para *entonar* ou proferir sons improvisados) em público, mas nenhuma quando estou com os meus alunos e fazemos sons para os chakras. Às vezes, o recinto inteiro reverbera com os sons agudos que ecoam das paredes e teto — como se houvesse um coro de anjos no telhado.

Aos poucos, fui superando a timidez. Os resultados obtidos com a entonação eram tão positivos que ganhei confiança. A entonação acabou por assumir vida própria. Era como se possuísse inteligência e, por isso, aprendi a confiar nela. No curso de meditações, palestras ou curas, sentia-me dominada pelo desejo de emitir sons. Bastava abrir a boca para eles saírem livremente. Por fim, produzi um CD intitulado *Altered States of Planet Earth* (ver Recursos). Ele combina meus sons espontâneos, que chamo de Melodia Xamânica, com o *didjeridoo* de Alejo — um instrumento comprido, que os aborígines australianos fabricam com o tronco escavado de uma árvore pequena.

Entonação com Risos. O riso é uma forma de entonação. Um mestre zen ensinou a seus discípulos que, se proferissem "HO! HO!" a plenos pulmões por cinco minutos todos os dias, não morreriam. Segundo Laurel Elizabeth Keyes, autora de *Toning, The Creative Power of the Voice*, os fonemas "h" e "k" como em HI, HAH, HOH, HU, KAH e KOO estimulam o sistema glandular. São produzidos pela contração dos músculos abdominais e pressão do ar contra o céu da boca, o que gera fortes vibrações nas glândulas suprarenal, vascular, pituitária e pineal. Imaginamos o riso como a repetição do som de "h" (aspirado) em "há-há-há" ou "hé-hé-hé".[57]

Norman Cousins sugere outra maneira de usar o riso para fins terapêuticos em *Anatomy of an Illness*. Ele sofreu de uma doença grave, a espondilite anquilosante, caracterizada pela deterioração gradual do colágeno, a substância fibrosa que mantém a integridade do organismo graças ao tecido conectivo presente em todas as partes do corpo, principalmente na espinha.

Cousins estava bem a par das pesquisas segundo as quais o stress constante leva à depauperação e à enfermidade. Raciocinou que, se os aborrecimentos provocam a doença, o riso e a alegria devem curá-la; assim, fez com que lhe exibissem diariamente no quarto do hospital comédias e antigos programas de TV engraçados. Descobriu que dez minutos de boas gargalhadas lhe aliviavam a dor por duas horas. E acabou por curar-se graças a uma combinação de risadas e doses maciças de vitamina C.[58]

Respiração Abdominal. A entonação dilata o abdome e a parte inferior dos pulmões, eliminando o ar viciado e permitindo a absorção de ar oxigenado mais puro. Você não precisa ter grande controle sobre a respiração; a entonação, exigindo inspirações profundas, contribui para a saúde e uma sensação de paz, ajuda a combater os efeitos do stress e pode prevenir (quando não curar) doenças cardíacas, asma, bronquite e senilidade.

Respirações pouco profundas significam falta de oxigênio. Esse hábito começa na infância, quando as criancinhas são obrigadas a ficar caladas, quietas e no controle das emoções. Quando sentimos medo, literalmente suspendemos a respiração. Nenhum som escapa, nem sequer um suspiro. Se estamos amedrontados, coléricos, excitados ou tristes, nossa tendência é respirar superficialmente, pois inspirar fundo significaria expandir o coração ou o abdome — e é ali que escondemos essas emoções intensas. Por isso as crianças muitas vezes se queixam de dores de barriga quando têm problemas emocionais e por isso os adultos vivem consumindo pastilhas contra a indigestão.

As mulheres americanas raramente respiram a partir do abdome porque acreditam ficar mais belas com uma barriga chata, rígida, e não protuberante e solta. Mulheres (e homens) com estômagos contraídos geralmente têm problemas de indigestão e não conseguem lidar muito bem com seus sentimentos.

Se você fica inibido ao emitir sons, não é o único. Uma das maneiras de superar essa resistência é começar pelo sussurro. Siga os exercícios e sussurre em vez de entonar. Quando estiver à vontade com essa prática, emita um sussurro alto. Ao notar que nada de terrível acontece, estará capacitado a emitir sons cada vez mais altos.

Eis um exercício para fortalecer o diafragma e proporcionar maior controle sobre a respiração. Fique ereto, com os pés afastados na distância dos ombros. Inspire profundamente, encha a parte inferior do ventre (abaixo do umbigo) e depois a superior, expandindo-as como se fosse um balão. Seus ombros se erguerão um pouco. Segure o ar contando até cinco e em seguida — sem expirar — contraia o abdome todo. Relaxe-o. Expire então e descontraia o abdome novamente. Pratique até poder fazer o exercício com facilidade. Depois, inspire como antes e segure o ar. Contraia e descontraia o abdome. Repita. Ao expirar, relaxe o estômago. Pratique até conseguir contrair e descontrair o abdome dez vezes sem expelir o ar.

Como Entonar. A voz humana é uma de nossas mais eficientes ferramentas de cura para o corpo e o espírito. No entanto, não pesa nada, não custa nada e não precisa nem mesmo ser levada no bolso.

Quando você estiver pronto para entonar, fique de pé ou sentado com as costas retas numa cadeira firme, os pés pousados no chão; ou então se sente numa almofada, com as pernas cruzadas. Certifique-se de que a espinha esteja bem reta. Relaxe a mandíbula (abra a boca duas ou três vezes, como se estivesse mastigando). Inspire pelo nariz. Sinta a parte inferior e depois a superior do abdome se inflando. Antes de estarem totalmente dilatadas, encaminhe o ar para as porções baixa e alta dos pulmões, fazendo com que elas também se expandam. Seus ombros, já se sabe, irão erguer-se um pouco. Deixe-os descontraídos.

Relaxe a mandíbula, mantendo-a simplesmente solta. Expire pela boca emitindo um longo som sustentado, de preferência vocálico. Isso é um tom. Sustente-o até expelir todo o ar. Quando este se for todo, o som cessará. Inspire profundamente pelo nariz, encaminhando o ar para a parte baixa do ventre. Continue esse processo por quanto tempo quiser.

Não é preciso se concentrar em fazer respirações completas. Depois dos primeiros movimentos, relaxe e goze a sensação. Aqui vão outros exercícios que poderá experimentar:

- Emita uma vogal longa (A, E, I, O ou U) em tom baixo, tanto quanto a respiração o permitir. Repita várias vezes. Emita a mesma vogal em tom médio. Repita várias vezes. Por fim, emita a vogal em tom alto. Repita várias vezes. Faça o mesmo com outra vogal.
- Emita uma sílaba (ou um som único ininterrupto formado por uma vogal e uma ou mais consoantes, como "OM") em tom baixo, tanto quanto a respiração o permitir. Repita várias vezes. Emita a mesma sílaba em tom médio. Repita várias vezes. Por fim, emita a sílaba em tom alto. Repita várias vezes. Faça o mesmo com outra sílaba, como "RA".
- Solte-se inteiramente e brinque como uma criança. Tamborile na mesa, bata num copo ou nas panelas com uma colher. Seja bastante tolo. Não ligue.
- Improvise uma canção numa pretensa língua que lembre o indiano, o chinês ou o grego.

- Arrume um tambor que produza reverberações variadas. Toque-o sem parar e procure harmonizar suas entonações com as batidas.
- Apanhe um vaso tibetano, um prato de cristal de quartzo ou uma forquilha-aerofone e emita sons improvisados ou os seguintes cânticos tibetanos ou egípcios.

Os tibetanos têm um som para cada chakra, que pode ser cantado isoladamente ou junto com todos os outros de uma vez, durante uma única respiração: *LAM* (primeiro chakra), *VAM* (segundo), *RAM* (terceiro), *YAM* (quarto), *HAM* (quinto) e *OM* (sexto e sétimo).

O dr. Mitch Gaynor, oncologista, obteve sucesso em reduzir o stress e a dor de seus pacientes fazendo-os percutir um vaso tibetano ou de cristal enquanto entoavam sons de semente tibetanos.[59]

Os antigos egípcios tinham sons que foram mais tarde adotados pelos rosa-cruzes. Num dos exercícios, *AUM* é repetido duas vezes em tom baixo. Em seguida, emitem-se *RAH* e *MA* em tom alto. Por fim, repete-se *AUM* duas vezes no mesmo tom baixo.[60]

Quando se usa entonação numa sessão de cura, o cliente em geral está deitado. Se ele quiser participar da entonação, poderá fazê-lo sem problemas na posição em que se acha, mas também levantar-se ou sentar-se, para depois deitar-se de novo.

Boa parte deste livro ocupa-se da autocura, mas todos os exercícios podem ser usados num contexto cliente-profissional ou amigo-amigo. Nesta seção, dirijo-me ao Curador pelo Som. No caso de alguns exercícios como Entonação para a Dor no seu Corpo, o cliente pode sentir-se inibido demais para emitir seus próprios sons. Depois que você se tornar proficiente na técnica de entonar em seu próprio benefício, conseguirá fazê-lo também para detectar as emoções do cliente e dar voz aos sentimentos dele — o que talvez o inspire a emitir sons para si mesmo. Muitas pessoas se sentem menos presas após ouvir outras proferir sons estapafúrdios porque então já não há o receio de serem julgadas.

Se você perceber que o cliente está às voltas com um som emocional que o desgosta, diga-lhe: "Percebo em você o impulso a emitir um som que não lhe será muito agradável. Fará isso?". Se ele concordar, anime-o: "Então, não se acanhe e junte-se a mim."

Quando certos sons são emitidos, lembranças vêm à tona, de modo que você deve estar preparado para, além de fazer o trabalho, dar conselhos.

Há três sons básicos:

1) **Que Limpam e Liberam.** Esses sons expressam emoções e ajudam a eliminar o stress e a tensão. Gemidos e resmungos são sons que limpam: eles ocorrem naturalmente quando dores e incômodos, bem como sentimentos violentos, são liberados.

Sons altos, penetrantes, ou mesmo o choro, podem romper bloqueios de energia que fizeram a pessoa ficar emocional e fisicamente na defensiva. Sons agudos e intensos, em combinação com gestos arrebatados, purgam a energia negativa. Se você se sentir inclinado a emitir sons para seu cliente, não se acanhe: libere-os. Talvez se ouça então um grito lancinante, que o cliente, para seu próprio espanto, imitará. Isso pode durar vários minutos e terminar em risos! Liberar um grito que esteve calado por décadas pode ser uma experiência jubilosa, um alívio.

Os sons também podem ser usados para purificar a energia de um recinto. Quando as pessoas estão coléricas, melancólicas e incapazes de liberar emoções fortes, tendem a deixar atrás de si energia negativa. Uma nuvem negra parece flutuar no campo energético do recinto, mesmo depois que as pessoas se foram. Usa-se então a mesma técnica para limpá-lo.

Há quem se sinta relutante em emitir sons "negativos" num quarto, temendo espalhar por ali "energia ruim". Descobri que o oposto é que é verdadeiro. Emoções caladas aferram-se ao campo energético da pessoa ou do recinto, ao passo que mesmo as emoções "piores", quando plenamente expressas (sem causar dano aos outros) revitalizam a energia.

Ao emitir sons liberadores para seu cliente, você talvez o veja contorcer-se, sacudir-se ou tremer ligeiramente, à medida que vão sendo dissolvidos os padrões de contenção e pensamento negativo. Não se assuste; isso é perfeitamente natural.

2) **Que Suavizam e Relaxam.** Esses sons devolvem a harmonia e o alinhamento naturais ao corpo e ao espírito. Por meio da entonação, você consegue proporcionar um ambiente ameno para a liberação das tensões. O sussurro pode ser calmante para o sistema nervoso e ajudar seu cliente a respirar mais fundo.

Você talvez se sinta inspirado a cantarolar palavras de apoio e encorajamento ou mesmo arriscar-se a cantar trechos de músicas populares. Confie nesse impulso; ele não raro se mostra surpreendentemente apropriado.

3) **Que Regeneram.** Sente-se em silêncio ao lado do cliente e faça com que as energias de ambos se sintonizem, para poder *sentir* a ressonância que está faltando nele. Isso pode ocorrer espontaneamente, enquanto conversam ou ele está entonando. Depois que captar a ressonância necessária, veicule com a voz esse som. Quando os sons regeneradores se destinam à sobrevivência ou à solução de problemas sexuais, costumam ser baixos e encorpados (correspondentes aos dos chakras inferiores). Quando têm por objetivo curar o corpo emocional, geralmente se encaixam no alcance médio (correspondentes aos chakras emocionais medianos). Se a finalidade é promover a abertura para a espiritualidade, quase sempre são altos e etéreos (correspondentes aos chakras superiores).

Você poderá ver lágrimas escorrendo pelas faces do seu cliente. Ele às vezes sente uma onda de calor subindo-lhe pelo corpo ou então um sopro frio. Arrepios são freqüentes. O ritmo cardíaco se torna ora mais rápido, ora mais lento. E, quase sempre, ele tem a sensação de que um peso enorme lhe foi tirado dos ombros.

Às vezes — sobretudo na parte final da sessão —, você tem ímpetos de cantar musiquinhas idiotas: sucessos populares, cantigas de ninar, rock and roll, canções melosas. Isso, não raro, revela ser a coisa certa e os risos que se seguem encerram adequadamente a sessão.

Alívio Emocional por Meio da Entonação

Os seguintes exercícios foram desenvolvidos especialmente para ajudar você a entrar em contato com suas emoções. A entonação é um dos instrumentos mais poderosos para liberar emoções reprimidas, encarceradas. O som vai além do intelecto e possui a capacidade intrínseca de provocar reações físicas ou emocionais: seus olhos ou nariz podem umedecer-se, você pode expectorar e tossir, suas feridas podem latejar, você pode sentir rigidez na nuca, ombros e peito, seu coração pode bater mais depressa e ficar dolorido, seu corpo pode contrair-se, você pode se sentir tonto ou com náuseas. Então, lembranças sepultadas afluem para a consciência.

Esses sintomas são sinais de que a entonação está funcionando, derribando bloqueios emocionais ou físicos que o têm impedido de respirar e viver livremente. Se você se habituou a reprimir os sentimentos, talvez receie que alguma coisa terrível vá acontecer caso perca o controle. Mas renunciar ao controle por algum tempo traz saúde e descontração. O excesso de policiamento conduz à doença, inclusive ataques cardíacos, pressão alta e artrite.

Muitas pessoas temem tornar-se violentas ou malucas caso se soltem. Posso assegurar que nunca conheci alguém que, em resultado da expressão dos sentimentos, ficasse física ou mentalmente enfermo. Mas vi muitas pessoas com problemas mentais e físicos por teimarem em *suprimir* suas emoções.

Há ainda o medo — irracional, por certo — de que, uma vez aberta a caixa das emoções reprimidas, ela nunca mais poderá ser fechada. Após mais de trinta anos ajudando pessoas a liberar emoções, o único perigo que as vejo correr é o pânico e a ânsia de fechar novamente a caixa.

Se você não está acostumado a liberar emoções, e isso em muito o perturba, talvez deseje a companhia de alguém com quem se sinta à vontade e que o tranqüilize caso seja necessário. *Se você reconhece ter muito sofrimento a liberar e não sabe se conseguirá enfrentar essa situação — sozinho ou com um amigo —, procure a ajuda de um terapeuta ou consultor competente, pedindo-lhe que o acompanhe nos exercícios.*

Há outras precauções a tomar. Antes de iniciar o trabalho, sente-se calmamente e faça dez respirações profundas. Diga a si mesmo: "Dou-me permissão para, durante algum tempo, renunciar ao controle. Não prejudicarei a mim, nem a outros nem a nada." Repita a frase três vezes. É como se você estivesse fazendo um pacto com seu subconsciente. Nunca soube de ninguém que violasse semelhante pacto.

Se se sentir agitado durante ou após os exercícios, procure sentar-se tranqüilo e faça dez respirações profundas, empurrando o ar para o baixo-ventre. Perceba o abdome dilatar-se cada vez que inspira. Isso o ajudará a acalmar-se e equilibrar-se. As pessoas se sentem em geral mais leves e melhor após esses exercícios. Respiram com mais facilidade, o corpo inteiramente aberto, e ganham uma sensação de poder. Deleitam-se, com freqüência, ao descobrir que é agradável emitir sons à medida que sua voz vai se tornando mais forte, mais cheia e mais vibrante.

Se você quiser fazer os exercícios, mas achar que não pode — se não conseguir sequer abrir a boca para emitir alguns sons discretos —, então talvez esteja sendo castigado por ter sido muito barulhento na infância. O castigo às vezes toma a forma de uma cara feia, que equivale a uma surra. Crianças muito sensíveis respondem a um olhar agressivo como se tivessem sido espancadas.

Ainda que você não tenha sido punido, pode muito bem ter subjetivado a idéia de que é mau, inconveniente, impensado ou desagradável fazer barulho. Para uma criança, é questão de sobrevivência ser aceita por quem cuida dela, por isso aprende a comportar-se da maneira recomendada pelos adultos. Mesmo depois que crescemos e passamos a agir de um modo que nossos pais não aprovariam, brota em nós o antigo medo do abandono. Assim, quando alguém lhe pede para fazer barulho, você, mesmo achando que é uma boa idéia, simplesmente não consegue.

Uma das maneiras de superar essa resistência é começar por sussurrar. Siga os exercícios e sussurre em vez de gemer ou gritar. Quando se sentir à vontade com o sussurro, faça-o num tom mais alto. Ao perceber que nada de terrível acontece, você conseguirá fazer mais barulho.

O importante é *liberar* sentimentos que você porventura esteja calando e *expressar* suas emoções. Então, logo estará resmungando, gritando, chorando. Seu corpo talvez se inteirice ou comece a tremer. Você poderá sentir vontade de bater na cama com os punhos ou os pés. Se estiver de pé, desejará talvez prostrar-se no tapete. Mas então se certifique de que ele seja suficientemente espesso.

Deixe que as coisas aconteçam. Se seus músculos se estirarem ou crisparem, ótimo. Isso significa que seu corpo está enfim se livrando da postura defensiva e você provavelmente se sentirá muito melhor logo mais. Aceite-se tanto quanto puder e procure jogar fora aquilo que precisa ser eliminado. Exagere os sons. Se notar que sua voz começou a zumbir como uma sirene, faça sons de sirene. Se ela começou a vibrar como um latido de cão, *torne-se* um cão que não pára de ladrar. Se começou a soar como um choro de bebê, transforme-se num bebê que chama desesperadamente pela mãe. Não receie parecer idiota. Evite julgar-se.

Acolha bem as emoções, não importa quão doloridas ou maravilhosas sejam. Emoções refreadas limitam e envenenam a pessoa. Em vez de esquecer os exercícios, por parecerem piorar as coisas, tente ir mais fundo em sua prática: troque os cinco minutos por dez. Você talvez piore antes de melhorar, mas certamente melhorará. Ao final da sessão, notará sem dúvida uma mudança promissora.

A dra. Elisabeth Kübler-Ross empreendeu um trabalho revolucionário com adolescentes em colégios onde havia sérios problemas de violência. Persuadiu várias diretorias de escola a instalar salas à prova de som com acolchoados no chão e nas paredes, para que ali os garotos desferissem golpes e gritassem à vontade. Graças a essa válvula de escape física para sua dor emocional, não mais precisaram entorpecer-se com drogas e álcool nem agredir uns aos outros. Gritar é uma forma de *sonorizar* — emitir sons desinibidos sem acompanhá-los com palavras.

Eis a história de uma jovem que usou o som para se sentir melhor.

Anna era uma adolescente muito gorda e emocionalmente retraída. Quando estava particularmente deprimida, encontrava conforto ao ouvir *rock and roll*. Quanto mais infeliz se sentia, mais alto punha a música.

As estrelas do *rock* mais agressivas são também as mais escandalosas. Vestem roupas malucas, maquiam-se segundo a própria fantasia, inventam penteados absurdos e agem como crianças, tocando música louca e irritantemente barulhenta. Fazem tudo o que os pais dos adolescentes pedem que não façam.

Pertencemos a uma sociedade de espectadores; crescemos diante do televisor em vez de sair para a rua e dar um rumo à nossa vida. Vemos os outros praticar esportes, mas não os praticamos nós mesmos. Pedimos que orem em nossa intenção, mas nós mesmos não oramos. Queremos que alguém pense por nós, para não termos o trabalho de pensar. E há até maneiras de conseguir que estranhos expressem os sentimentos que nós próprios não expressamos.

Mostrei a Anna como entonar e ela por fim conseguiu pôr para fora a dor que sentira ao ser abandonada emocionalmente pela mãe. Depois que se deu permissão para gritar e chorar, não mais precisou dos astros do *rock* para fazer isso por ela. Enquanto liberava o sofrimento, o som, a princípio débil, tornou-se forte e pleno, levando Anna a se espantar com o poder da própria voz.

Nas sessões seguintes, sua voz se tornou ainda mais forte e ela se percebeu mais confiante, expansiva e arrojada. Esqueceu a necessidade compulsiva de esconder-se e calar as emoções, acabando por emagrecer vinte quilos em dois meses. Embora continuasse gostando de alguns cantores de *rock*, não mostrava mais nenhum interesse por música barulhenta.[61]

Também os adultos podem se beneficiar de algum tipo de alívio emocional. Quando nos sentimos pressionados, começamos automaticamente a segregar adrenalina e outros hormônios para lutar ou fugir. Essa adaptação nos foi muito útil nos tempos primitivos, quando tínhamos que matar o inimigo ou correr dele. Mas hoje somos civilizados e aprendemos a suprimir tais instintos.

Caso você reprima seus impulsos naturais, esses hormônios se transformam em toxinas que ficam armazenadas no seu corpo e aos poucos vão criando problemas físicos crônicos. Não tenho nenhuma comprovação médica disso, mas já ajudei muitas pessoas a livrar-se de lembranças traumáticas da infância. Quando elas se dispõem a praguejar, gritar e golpear as almofadas, os incidentes vêm à tona com a máxima clareza, como se tivessem ocorrido ontem.

O alívio de velhas emoções contidas permite aos clientes terem uma sensação de alegria e esperança que não sentiam desde a infância. Quando expressam e liberam dores emocionais que os vinham atormentando há anos, também a dor física se vai. Param de ingerir álcool e de usar drogas prejudiciais, compradas nos becos ou nas farmácias.

A entonação é uma maneira notável de eliminar emoções que ficaram alojadas em certas partes do corpo. É também uma maneira de restaurar a harmonia de modo que a porção comprometida reencontre seu vínculo natural com o resto do corpo, permitindo que a energia flua sem embaraços.

Assim como o mostra eloqüentemente a criança que ainda não sabe falar, o som pode expressar os mínimos matizes da emoção humana. Se seus filhos não estão sendo reprimidos, você verá neles uma perfeita demonstração da arte do alívio emocional por meio da entonação. Quando está triste, a criança chora, soluça ou geme. Quando está alegre, canta, grita e ri.

Tais sons podem ser extenuantes para os adultos, que tudo fazem para criar uma atmosfera serena. Uma vez que somos continuamente bombardeados por sons fora de nosso controle, é natural querermos eliminar aqueles que *podemos* controlar. E, como somos maiores que nossos filhos, nada mais tentador que mandá-los calar a boca. Infelizmente, é muito prejudicial suprimir a expressão espontânea das emoções infantis. Não quer dizer que os fedelhos devam ser estimulados a berrar, esgoelar e desrespeitar os outros. Há ocasiões, porém, em que explosões emocionais são apropriadas e um adulto perspicaz não deixará de reconhecer que ocasiões são essas.

Uma ampla variedade de novas terapias surgiu para ajudar os adultos a se livrar de incidentes de uma infância em que não lhes tenha sido permitido dar vazão às suas emoções. A sonorização é uma dessas técnicas. Permitir que as crianças (e os adultos) liberem suas emoções por meio do som e do movimento pode contribuir para melhorar sua saúde emocional, mental e física, como a seguinte história, extraída do meu livro *The Healing Voice*, claramente ilustra.

Alana e sua filha Lizzy, de doze anos, voltavam para casa numa noite de sexta-feira. Ao sair da rodovia, avistaram um carro, a meio quarteirão à sua frente, fazendo uma arriscada curva em "U" em plena pista. O motorista não conseguiu completar a manobra e Alana se chocou contra ele.

Depois de constatar que nem ela nem Lizzy estavam feridas, Alana saiu do carro, ainda abalada pelo choque e pelo susto, e foi até o homem para ver se não tinha se machucado. Felizmente não houve ferimentos graves, mas os dois automóveis estavam completamente danificados.

Alana sentiu-se orgulhosa por manter a calma enquanto esperava a polícia e confortava Lizzy, que não conseguia controlar o choro. Quando os policiais chegaram e passaram a interrogar Alana, Lizzy afastou-se para o acostamento e continuou a soluçar. Isso aborrecia Alana que, entretanto, sempre deixava a filha expressar seus sentimentos — desde que não prejudicasse ninguém.

Pegaram uma carona para casa e, uma hora após o acidente, Lizzy voltou ao normal. Alana então descobriu que tinha uma forte esfoladura no ombro esquerdo. A dor persistiu por meses, até ela se decidir procurar-me. Usei hipnose leve para ajudá-la a se livrar do trauma do acidente e Alana por fim descobriu a verdadeira fonte de sua dor: o medo intenso de perder a filha e a própria vida. Animei-a a expressar esse receio por meio de sons e o que ela emitiu foi um autêntico grito de terror.

Gritando, Alana conseguiu finalmente expressar e banir a dor emocional, tanto quanto a contração muscular com a qual havia se preparado para o impacto. Seu corpo, com efeito, se enrijeceu numa postura de tensão desde o momento em que tinha enviado aos músculos e tecidos o aviso eloqüente para ficarem no estado de alerta. O grito era a mensagem, ao subconsciente, de que o impacto realmente tinha ocorrido, mas já era tempo de descontrair.

A dor da esfoladura diminuiu no curso das duas semanas seguintes. Se Alana não fosse tão civilizada, teria seguido o exemplo da filha e posto aquela dor para fora imediatamente — ou logo que chegou em casa — poupando-se assim meses de sofrimento.[62]

Exercícios de Entonação

Gemidos e Lamentações. Este é um pequeno exercício de alívio emocional que você poderá fazer quando no chuveiro ou dirigindo por uma estrada secundária do interior. No chuveiro é o ideal, pois a água (de preferência fria ou morna) banha constantemente sua aura eletromagnética e, literalmente, faz escorrer por seu corpo saudáveis íons negativos. É um meio excelente de começar o dia ou restaurar-se após horas de trabalho difícil, uma discussão ou um encontro desagradável. Dá-lhe a oportunidade de expressar seus sentimentos sem prejudicar ninguém.

Comece passando em revista todas as coisas ruins que lhe aconteceram na última semana ou mês. Mergulhe nisso de corpo e alma. Abra bem os olhos e a boca, faça caretas ridículas e agressivas como um moleque. Dê-se permissão para ser grosseiro. Em seguida, passe a emitir sons murmurantes, sussurrantes, lamuriantes. Sinta tristeza por você mesmo. Exagere essa tristeza. Dramatize seus sentimentos. Faça ruídos ásperos, queixosos, desagradáveis. Permita que sua voz personifique toda a frustração, aborrecimento e melancolia que sente com respeito a alguém ou alguma coisa.

Depois de fazer isso por alguns minutos, sua voz passará para um registro superior. Poderá então subir e descer. À medida que você vai liberando a tensão e começando a se sentir melhor, ela tende a manter-se num registro alto por mais tempo. Após alguns minutos, você terá uma sensação de alívio e equilíbrio definitivos. Poderá cantarolar ou emitir uma nota sustentada. Saberá quando terminou: isso em geral ocorre depois de cinco a dez minutos, mas varia de pessoa para pessoa (a primeira e a segunda vez costumam demorar bem mais). Continue até se sentir pleno.

Entonação para a Dor no seu Corpo. Concentre-se numa parte dolorosa do seu corpo e evoque três palavras que possam descrever a dor. Escreva-as. Imagine uma metáfora para a dor, como "Meu quadril parece uma engenhoca travada". Escreva-a também.

Agora, atribua um som à primeira sensação. Se ele não aparecer naturalmente, comece a entonar em voz baixa e vá subindo até encontrar o tom adequado à dor. Continue emitindo sons até sentir algum alívio, como se tivesse transmitido a si mesmo uma mensagem. Isso talvez leve de cinco a dez minutos, ou mais, conforme a sensação.

Eis como o exercício funcionou para um de meus clientes. John se queixava de dor nos ombros. Suas três palavras foram: "Aperto ... Compressão ... Peso". Registrei-as no papel e pedi-lhe que elaborasse a metáfora, adiantando: "Parece..." Ele completou: "... que estou carregando o mundo inteiro nas costas." Também registrei isso. Em seguida, pronunciei a primeira palavra em voz alta. Pedi-lhe que desse alguns passos e proferisse sons a fim de expressar a sensação de aperto. Ele teve alguma dificuldade para fazer isso, por isso acorri: "Comece com sons baixos e vá levantando a voz até encontrar o tom que se harmonize com o aperto. Deverá ser um som daqueles!" Mas então me lembrei de que ele precisava estar bem consciente do ato de proferir o som e ofereci-me para demonstrar como a coisa funcionaria. Refluí para dentro de mim mesma e não foi difícil evocar uma ocasião em que sentira um aperto em meus próprios ombros. Encolhi-os e emiti um estranho som gutural que parecia expressar a sensação de aperto. Rimos ambos e depois tudo ficou mais fácil para ele. John girou a cabeça para os lados, abriu a boca e gritou um poderoso "*ÔÔÔÔ*" que sustentou até se sentir aliviado.

Repetiu o processo com a palavra "compressão", desta feita com curtas emissões que lembravam ganidos. Ao pronunciar "peso", encurvou o corpo como um ancião e proferiu uns grunhidos de dor. Feito isso, endireitou-se e assumiu uma postura bem mais desenvolta que antes.

Pedi-lhe então que emitisse sons para "Estou carregando o mundo inteiro nas costas". Súbito, seu queixo se projetou para diante e seus ombros se encurvaram novamente, enquanto saíam de sua boca sons rápidos, entrecortados e ofegantes. Ficou nisso por vários minutos e depois se sacudiu todo, como um cachorro ao sair da água. "Caramba", exclamou, "sinto-me totalmente diferente! A dor se foi. Nunca uma massagem me fez tanto bem assim!"

Esse exercício é muito eficiente porque dá à nossa voz e ao nosso corpo a oportunidade de exprimir a dor, o ressentimento e a frustração que normalmente suprimimos. Grande alívio é ser autêntico. Tira um peso enorme dos ombros.

Entonação com Trabalho Corporal. É compensador dar a você mesmo permissão para emitir sons enquanto está aplicando ou recebendo massagem, ou qualquer outro tipo de trabalho corporal. Esta seção é dirigida aos massagistas, mas os pacientes também se beneficiarão da emissão de sons.

Conforme já disse antes, existem três sons básicos: 1) que limpam e liberam, 2) que suavizam e descontraem, e 3) que regeneram. Os sons podem sair diretamente da boca para o ar, enquanto você massageia o cliente, ou então — caso queira direcionar o som para determinada parte do corpo — você formará com as mãos em torno da boca uma espécie de megafone, com os polegares e os indicadores em círculo constituindo o bocal. Pouse esse "megafone" sobre a parte dolorida do corpo do cliente e entone diretamente para ela. Alguns profissionais preferem entonar com os lábios a cerca de dois centímetros do corpo, através da roupa ou de um pedaço de pano colocado sobre a pele.

Ted me procurou porque estava às voltas com um caso grave de letargia e depressão. Regra geral, eu começaria por encorajá-lo a comentar o que havia lhe acontecido, sobretudo antes dos episódios depressivos. Naquele momento, porém, ele mal tinha começado a falar quando senti o impulso de pressionar-lhe o estômago. Obtida sua permissão, pus-me a percutir a área em volta do plexo solar. Seguindo a intuição, vi-me a emitir sons abafados (limpar e liberar) enquanto lhe comprimia fortemente o ventre.

Ted prorrompeu numa crise incontrolável de soluços e choro abundante (seu próprio processo de limpeza e liberação). "Ultimamente, venho tendo náuseas", explicou. "Meu estômago enjoa quando penso na situação de minha família." Esclareceu que seu filho, já crescido, queria morar com ele.

Embora houvesse muito espaço na casa de Ted, aquele projeto lhe parecia uma invasão de privacidade. Depois que examinou bem seus sentimentos mais íntimos, concluiu que desejava, da parte do filho, outras decisões.

Pedi a Ted que se deitasse e pousei bem de leve a mão em seu plexo solar, dirigindo mentalmente luz azul para aquela área enquanto entonava *UU* por diversas vezes (para suavizar e descontrair). Depois, dirigi luz amarela para o mesmo local enquanto entonava *AOM* (para regenerar). (Ver Visualização e Respiração de Cores, p. 125.)

Quando me encontrei com Ted duas semanas depois, ele declarou que sua depressão havia se "evaporado" após o tratamento. "Conversei bastante com meu filho e senti-me bem ao expor-lhe francamente as minhas necessidades. Ele, ao que parece, passou a me respeitar mais por isso. Creio que toda a dinâmica de nosso relacionamento se modificou."

Outro exemplo é o de um homem de 65 anos que comprou um cortador de grama e passou a tarde toda, entusiasticamente, limpando o mato do quintal. Ao fim, os músculos de seu antebraço direito estavam tão traumatizados que ele mal conseguia cerrar o punho e sua energia se fora por completo. Na manhã seguinte ainda não se sentia melhor e resolveu me procurar.

Perguntei se podia massagear-lhe o antebraço. Ele concordou e, enquanto eu procurava afrouxar-lhe os músculos, pus-me mentalmente em contato com aquela área. Sentindo um forte impulso para gritar alto, após receber sua permissão, dei voz ao som que parecia empatado no local. De repente, percebi que o som emitido poderia ter a mesma altura que o do cortador de grama (o que ele confirmou).

Dando largas a esse som, eu iniciava o processo de limpar e liberar. Em seguida, produzi um tom baixo e profundo à guisa de antídoto, a fim de acalmar sua energia (suavizar e descontrair). Dentro de poucos minutos, a dor se fora e ele recuperara em parte as forças. No dia seguinte, o homem me telefonou para dizer que seu braço estava em ótimas condições e ele se sentia forte novamente.

A sonorização pode ser combinada com o trabalho corporal de muitas maneiras. Procure um amigo de mente aberta. Ofereça-se para massageá-lo em troca da liberdade de fazer experiências com o som. Antes da massagem, esclareça que quererá emitir todo tipo de som que lhe vier à cabeça. Estimule o amigo a imitá-lo. Ao terminar a sessão, sentem-se lado a lado e troquem impressões sobre o que aconteceu.

Muitas pessoas gostam desse tipo de massagem, mas, se o seu amigo não reagir favoravelmente, não desanime. É mera questão de preferência pessoal. Procure outro amigo e tente de novo.

Entonação em Grupo. Acho a seguinte passagem do livro de Barbara Marciniak, *Bringers of the Dawn*, muito acurada e inspiradora:

> Quando vocês, em grupo, fazem sons, criam um ambiente especial para si mesmos. Permitem que certas energias dedilhem o instrumento de seu corpo. Põem de lado idéias preconcebidas, deixando que melodias e forças diferentes usem seu corpo físico como uma oportunidade para se representarem no planeta. ...
>
> O som evoluiu. Hoje, os seres humanos já podem tornar-se os instrumentos do som por meio da entonação. ... Permitem que as energias se valham de seu corpo físico para produzir uma variedade de sons cujo leque eles não controlam nem tentam controlar diretamente. O Espírito toca e os seres humanos apenas observam o público da sinfonia que eles e todos os demais estão executando. Tudo isso é muito profundo. ...
>
> Um detalhe importante para utilizar essas harmonias é ficar em silêncio até que elas terminem. Essas harmonias modificam alguma coisa; abrem as portas. Certas combinações de sons executadas por intermédio do corpo humano liberam informação e freqüências de inteligência. Ficar em silêncio por um longo período depois que tudo acabou permite aos seres humanos utilizarem seu corpo como recurso para receber e absorver as freqüências, valendo-se do veículo da respiração para mergulhar em estado de êxtase.
>
> Quando você entona com outras pessoas, abre caminho para a mente do grupo, a que não tinha acesso antes de começar a proferir os sons. Trata-se de um salto enorme na consciência. *A palavra-chave é harmonia.* Se um dia o planeta inteiro conseguir criar uma harmonia de pensamento, o planeta inteiro mudará. ...

> Quem foi recompensado com a compreensão de que deve usar o som como parte do seu trabalho e reconhece a necessidade de responder a esse apelo evoluirá mais depressa. Aqueles de vocês que estão evoluindo nesse passo serão logo chamados a representar comunidades, a comparecer a reuniões mundiais de consciência e a mudar a freqüência vigente com seu próprio som.[63]

Sempre que um grupo se reúne — para uma festa, meditação, seminário ou em família —, você pode se beneficiar da entonação coletiva. Não é necessário que as pessoas tenham experiência prévia de entonação, embora ela torne as coisas mais fáceis.

A entonação é um modo de acrescentar outra dimensão ao que está acontecendo. Quando me reúno com meus amigos, às vezes formamos um círculo e entonamos todos juntos. Dar as mãos em círculo ajuda a mesclar as energias, com as palmas direitas para baixo (pois a maioria das pessoas emite energia por essa mão) e as esquerdas para cima (porque quase todos recebemos energia pelo lado esquerdo). Isso cria um fluxo energético dentro do círculo, com cada participante dando e recebendo.

Escolha alguém para sustentar o tom e depois decidam todos que tipo de som irá ser emitido. Há três escolhas primárias: 1) entonar simultaneamente, todos iniciando cada tom ao mesmo tempo, sustentando-o pelo maior tempo possível e depois esperando que os demais estejam prontos para iniciar o tom seguinte; 2) entonar simultaneamente, todos iniciando cada tom ao mesmo tempo e sustentando-o só até a maioria dos outros ter parado e 3) começar quando vier a inspiração, sustentar o tom pelo tempo que se quiser e recomeçar de modo a obter a superposição dos tons dos demais.

Os dois primeiros métodos tendem a gerar tons secundários, que podem ser extremamente ricos e compensadores. Os tons secundários dão a sensação de outras vozes ecoando e reverberando a partir das vozes originais. O terceiro método mantém o som vibrando sem pausa, o que cria um efeito intenso e agradável. Em qualquer caso, o grupo alcançará seu objetivo e os tons se harmonizarão. Vocês poderão entonar por alguns minutos, até dez ou mais, criando melodias improvisadas surpreendentes.

Eis um formato possível.

Expresse Sua Essência. Todos se postam em círculo com as mãos na cintura. Diga então ao grupo: "Imaginem uma luz branca sobre suas cabeças. Inspirem essa luz pelas narinas e levem-na ao coração. Expirem pela boca e descontraiam-se. Repitam por dez minutos". Faça uma pausa.

Peça que todos mergulhem em si mesmos e pergunte-lhes: "Como estão seus corpos? Sentem-se cansados? Notam contrações em alguma parte? Estão à vontade e alegres? Em um minuto vou lhes pedir que emitam sons para exprimir seus sentimentos. Não terão necessariamente de ser sons agradáveis. Apenas usem a voz para liberar as tensões do dia. Sintam-se livres para gemer, resmungar ou murmurar. Soltem-se e vão em frente por uns poucos instantes." Faça uma pausa até que eles sigam as instruções.

"Muito bem! Adiante!" Pare por alguns minutos, a fim de permitir que todos se soltem. Faça isso você mesmo.

"Ótimo. Virem-se agora para o centro do círculo. Em silêncio. Respirem profundamente. Tragam o ar para a parte baixa do abdome. Observem o ventre expandir-se como um balão. Respirem tão fortemente que seu vizinho possa ouvir a passagem do ar." Mais uma pausa de um minuto.

"Agora dêem-se as mãos, com as palmas direitas para baixo e as esquerdas para cima." Outra pausa. "Mergulhem em si mesmos e sintam sua essência. Poderão experimentá-la como energia ou cor. Agora, expressem essa energia sob a forma de som. Não pensem a respeito; apenas abram a boca e deixem o som sair. Ao fazer isso, procurem ouvir também o som do grupo e descobrir se conseguem colocar o seu próprio som em harmonia com o dele." Prolongue o processo por alguns minutos até o grupo se harmonizar. Se a energia for boa, talvez queiram continuar por mais tempo.

Preces pela Paz Mundial. O uso de cristais nesta meditação não é necessário, mas se você os tiver, não lhes subestime o poder de amplificar seus pensamentos e tons para criar o tipo de realidade que está projetando. Coloque um cristal projetor onde ele possa ser visto pelo grupo. O cristal deverá ter uma base que lhe permita ficar em posição sozinho, sem necessidade de suporte. O projetor capta e armazena energia para depois projetá-la na noosfera (a atmosfera de idéias que rodeia o planeta). Durante a meditação, cada pessoa deve apontar seu próprio cristal para o projetor, carregando-o com suas energias e pensamentos.

Havendo sobra de tempo, comecem pelo exercício Entonação para os Chakras (abaixo) até chegar ao chakra da coroa. Sendo curto o tempo, comecem entonando *OM*, com cada pessoa procurando encontrar a altura que lhe convenha. Depois, fiquem em silêncio por pelo menos cinco minutos.

Se vocês estão orando pela paz numa determinada região do mundo, visualizem um mapa dessa área (alguém poderá também trazer um mapa e todos olharão para ele antes de começar). Enviem a luz verde do amor, com o som de *AH*, para o chakra do coração. Em seguida, a azul calmante ao som de *UH*.

Visualizem os homens que estão no poder. Entonem *AH* para o chakra do coração e projetem a luz rosa do amor, que dilui a agressão.

No caso daqueles que estão padecendo a morte ou a perda, que se acham em crise ou famintas, encham-lhes o coração com luz rosa e verde, ao som de *AH*. Projetem o azul e o tom *UU* para acalmá-los e aliviar-lhes o sofrimento.

Vocês poderão usar também os Sons da Semente descritos sob o título Usos Culturais e Espirituais do Som, na página 136. Recorram a esses sons para ativar ou desativar energias.

Siga o seu coração e continue meditando da maneira que melhor lhe convier. Antes de encerrar, peça aos outros que falem com sinceridade, em voz alta, sobre os benefícios que acabam de receber. Quando nos lembramos de agradecer, atraímos milagres.

Se vocês usaram a Entonação para os Chakras no começo, executem o caminho inverso, para baixo, com um tom para cada chakra.

Finda a meditação, façam um círculo, dêem-se as mãos, ergam-nas bem alto, agitem-nas todos juntos e gritem: "Sejamos felizes!", "Sejamos autênticos!", ou qualquer outra coisa que lhes faça sentir bem. Eis uma maneira excelente de terminar uma reunião.

Entonação para os Chakras

Você poderá se beneficiar muito do uso da voz para fazer vibrar e fortalecer seus chakras. Poderá também entonar para os outros, a fim de energizar-lhes os chakras. Segundo o dr. Alfred A. Tomatis, carregamos o cérebro quando falamos ou cantamos, com a carga maior se originando das freqüências mais altas. Assim, a maneira mais eficiente de potencializar o cérebro, que por sua vez irá potencializar o corpo inteiro, é usar uma curva sonora ascendente.[64] O exercício seguinte segue esse esquema.

Ao entonar para determinado chakra, pouse levemente as pontas dos dedos na área. Comece ensaiando os tons que sugeri na tabela, passando em seguida para notas e tons diferentes até encontrar um som que provoque certa vibração sob as pontas dos dedos.

Há diversos sistemas de entonação. Tendo em mente os músicos, optei pela escala em dó maior como diretriz para movimentar-se ao longo dos chakras, começando pelo dó médio no cóccix e terminando pelo si na coroa. Se você não é músico, pouco importa. A orientação básica é esta: à medida que for subindo pelos chakras, cada tom deve ser mais alto que o anterior (e não necessariamente por uma única nota). Eu mesma nem sempre uso a escala em dó maior e recorro a notas diferentes em diferentes ocasiões. Entretanto, nunca deixo de empregar notas baixas para os chakras inferiores e progressivamente altas para os superiores.

O fator mais importante na entonação para os chakras é produzir um tom (a combinação de um som e uma nota) que, em seu caso particular, faça vibrar os chakras. Não existem tons certos ou errados e você não precisa ter talento musical para entonar bem. Pessoas sem nenhum ouvido para música conseguem obter resultados maravilhosos.

Ao fazer este exercício, você combinará entonação com Respiração de Cores, descrita na Parte 2. A tabela seguinte fornece a cor, a nota, o tom para cada chakra e um "como em" para esclarecer o tom de cada som (exemplo: E como em qu*e*r).

Chakra	**Cor**	**Nota**	**Tom**	**Como Em**
Primeiro	vermelho	dó	E	qu*e*r
Segundo	laranja	ré	O	c*o*r
Terceiro	amarelo	mi	AOM	*a*mén/c*o*r/to*m*
Quarto	verde/rosa	fá	A	*a*mém
Quinto	azul	sol	U	az*u*l
Sexto	anil	lá	M	to*m*
Sétimo	violeta	si	I	s*i*m

CURA PELA AROMATERAPIA

De *Jitterbug Perfume*, de Tom Robbins:

> Dos cinco sentidos, o mais diretamente ligado à memória é o olfato. Embora o homem se tenha tornado cada vez mais visual em suas orientações... a visão de modo algum pode competir com o olfato quando se trata de evocar lembranças. As lembranças associadas ao olfato são invariavelmente mais imediatas e vívidas que as associadas apenas à imagem visual ou ao som. ...
>
> O olfato é o último sentido a abandonar o moribundo. Depois que a visão, a audição e mesmo o tato se foram, o moribundo ainda se apega ao sentido do olfato. ...
>
> A fragrância é, por um lado, o veículo de nossas lembranças mais remotas; por outro, nos acompanha na passagem para uma outra vida. Entre esses dois extremos, ela determina o humor, estimula a fantasia, modela as idéias e altera o comportamento. É o nosso vínculo mais forte com o passado, nosso companheiro de viagem mais próximo rumo ao futuro. Pré-história, história e mundo do além: eis seu domínio. A fragrância pode muito bem ser chamada de o sinete da eternidade.[1]

Todos nós reagimos instantaneamente aos aromas. Os perfumes contam-se entre os bens de consumo mais caros do mundo. Transformar flores aromáticas em substâncias altamente concentradas é o meio de produzir tanto perfumes quanto óleos essenciais. Quando estes são preparados com o devido cuidado, vibram em freqüência elevada. Alguns óleos possuem até mesmo propriedades antibióticas. São tão eficazes que, na França, existem hospitais onde a cura se faz principalmente com eles.

Define-se aromaterapia como o tratamento feito apenas à base de óleos essenciais extraídos das plantas, diferentemente do herbalismo, que usa a planta inteira (e inclui, portanto, a aromaterapia), e da perfumaria, que não é terapêutica.[2]

História da Aromaterapia

Segundo registros que remontam a 4500 a.C., os egípcios usavam substâncias balsâmicas (resinas perfumadas, colhidas de certas árvores) na medicina e nos rituais religiosos. Imhotep, o grão-vizir (espécie de primeiro-ministro) do faraó Djoser (2780—2720 a.C.), popularizou o uso de óleos, ervas e plantas aromáticas como remédios. Em 1817, um papiro egípcio de cerca de 250 m de comprimento foi descoberto e datado de 1500 a.C. Esse Papiro Ebers descreve as formulações especiais utilizadas pelos alquimistas e sumos sacerdotes do Egito para misturar substâncias aromáticas. Algumas eram esmagadas e curtidas em azeite de oliva.

Em 1922, o túmulo do rei Tutancamon (governou *c.* 1358—1340 a.C.) foi descoberto praticamente intacto, contendo 350 litros de óleo em jarras de alabastro. Os recipientes estavam selados com cera vegetal e o conteúdo, liquefeito, achava-se em ótimo estado.[3] Os egípcios levaram à perfeição a arte do embalsamamento, usando resinas aromáticas e óleos essenciais para evitar a degradação dos tecidos humanos. Os sacerdotes predisseram acertadamente que os corpos durariam pelo menos três mil anos.[4]

O rei budista Ashoka (século III a.C.) orgulhava-se muito do seu jardim medicinal, que produzia inúmeros remédios, inclusive aromáticos famosos em toda a Ásia e ainda usados na medicina indiana ayurvédica.[5]

A Bíblia está repleta de alusões a especiarias, óleos e ervas de cheiro forte, como se vê nos poemas de amor dos *Cânticos de Salomão*, no Velho Testamento:

> 1:2-3. Para cheirar são bons os teus ungüentos; como ungüento derramado é o teu nome; por isso as virgens te amam.
>
> 1:12-14. Enquanto o rei está *assentado* à tua mesa, dá o meu nardo o seu cheiro.
>
> O meu amado *é* para mim um ramalhete de mirra; morará entre os meus seios.
>
> Como um cacho de uvas nas vinhas de Engedi é para mim o meu amado.
>
> 3:6. Quem *é* esta que sobe do deserto, como colunas de fumo, perfumada de mirra, de incenso e de toda a sorte de pós aromáticos?
>
> 4:6, 10, 12-14, 16. Antes que refresque o dia e caiam as sombras, irei ao monte da mirra e ao outeiro do incenso.
>
> Que belos são os teus amores, irmã minha! Ó esposa minha! Quanto melhores são os teus amores do que o vinho! E o aroma dos teus bálsamos do que o de todas as especiarias!
>
> Os teus renovos são um pomar de romãs, com frutos excelentes: o cipreste e o nardo. O nardo, o açafrão, o cálamo e a canela, com toda a sorte de árvores de incenso, a mirra e o aloés, com todas as principais especiarias.
>
> Levanta-te, ó vento norte, e vem tu, vento sul: assoprai no meu jardim para que se derramem os seus aromas. Ah, se viesse o meu amado para o seu jardim e comesse os seus frutos magníficos!

Obviamente, todos esses aromas eram muito conhecidos, bem como o seu uso em ungüentos e afrodisíacos. O Novo Testamento traz uma história famosa, em Mateus 2:1-2, 11:

> E tendo nascido Jesus em Belém da Judéia, no tempo do rei Herodes, eis que uns magos vieram do Oriente a Jerusalém. Dizendo:
>
> Onde está aquele que é nascido rei dos judeus? Porque vimos a sua estrela no Oriente e viemos adorá-lo...

> E, entrando na casa, acharam o menino com Maria, sua mãe, e prostrando-se o adoraram; e abrindo os seus tesouros, lhe ofertaram dádivas: ouro, incenso e mirra.

Era um presente adequado a um menino nascido num estábulo e que logo iria encetar uma longa jornada pelo deserto, a fim de escapar de Herodes. O incenso fortalece o sistema imunológico e a mirra combate a proliferação de bactérias.

Viajando pelas margens do Nilo, médicos da Grécia levaram para sua terra o conhecimento terapêutico dos egípcios. Os gregos antigos descobriram que os aromas de certas flores tinham efeito refrescante e estimulante, enquanto os de outras eram relaxantes e calmantes. Os soldados gregos iam à guerra com uma provisão de ungüento de mirra, para curar suas feridas. Esse conhecimento passou aos romanos e celtas.

Após a queda de Roma, em 476 d.C., alguns médicos fugiram para Constantinopla, levando consigo seus livros e conhecimento das plantas. No Império Bizantino, o perfume e o uso médico de óleos aromáticos eram corriqueiros. Avicena (980—1037 d.C.), grande médico árabe, descreveu mais de oitocentas plantas e seus efeitos sobre o corpo. Atribui-se a ele a invenção do alambique, mas em 1975 um equipamento de destilação perfeitamente conservado, feito de terracota cozida, foi descoberto numa cidade paquistanesa, ao pé do Himalaia, datando de nada menos que 4000 a.C. Mas ainda assim Avicena aperfeiçoou o alambique no século XI e os "perfumes da Arábia" (óleos essenciais) tornaram-se famosos na Europa.[6]

Por ocasião da grande peste dos séculos XIII e XIV, alguns mercadores de especiarias do Oriente tornaram-se saqueadores de túmulos. Protegiam-se do contágio esfregando o corpo com óleos de pinho, olíbano, bálsamo, cravo, cinamomo, alecrim e alho.[7] As combinações desses óleos são atualmente conhecidas como "óleos de ladrões" e usadas para proteger de doenças durante viagens. Muitos passam por poderosos desinfetantes, inseticidas e repelentes de insetos. Outros, por eficientes bactericidas e agentes antivirais.

No século XVI, a indústria de perfumes da Provença, França, começou a produzir essências de lavanda e alfazema (uma espécie de lavanda). No início do século XVII, a maioria das essências úteis já tinha sido descoberta na Europa e Oriente Médio.[8]

Com a invenção da imprensa, no século XVI, receitas de óleos foram publicadas em livros populares chamados herbários. Métodos para o preparo de óleos por maceração, águas aromáticas, decocções e infusões tornaram-se de conhecimento geral. As mulheres costuravam sachês de ervas para proteger suas roupas de traças e as pessoas carregavam saquinhos de plantas aromáticas ou alho para evitar infecções e a peste.[9]

As ervas e os "símplices" se tornaram populares entre as mulheres da Europa, onde parteiras e "bruxas" eram procuradas por suas habilidades curativas. Depois, durante a Revolução Industrial, as pessoas atulharam as cidades, abandonando seus jardins e perdendo o conhecimento das ervas mais comuns. Por volta de 1896, a ciência química ganhou impulso quando as propriedades terapêuticas das plantas foram isoladas e sintetizadas.[10]

Em 1920, a aromaterapia ressurgiu das próprias cinzas, qual nova Fênix, a partir do instante em que o químico francês, René-Maurice Gattefossé, sofreu uma queimadura química de terceiro grau na mão e antebraço, enquanto trabalhava na empresa de perfumes da família. Segundo a história, um colega tirara do refrigerador um recipiente com óleo de lavanda e o cientista, julgando tratar-se de água fria, apressou-se a mergulhar o braço ferido no líquido. Para seu espanto, a dor cessou. Depois de novas aplicações do óleo, a queimadura desapareceu sem deixar cicatrizes. Gattefossé aperfeiçoou o uso de óleos essenciais em dermatologia e cunhou o termo *aromatherapie* [aromaterapia] num comunicado científico, publicando um livro com o mesmo título em 1928.[11]

Gattefossé partilhou sua experiência com um amigo parisiense, o dr. Jean Valnet. Ambos fizeram vários testes com óleos essenciais e os resultados foram impressionantes. Durante a Segunda Guerra Mundial, Valnet foi convocado para servir como médico no exército francês, na Grande Muralha da China. Quando lhe faltavam remédios, recorria aos óleos essenciais. Para sua surpresa, conseguiu reduzir e mesmo deter infecções, salvando assim muitas vidas.

Mais tarde, Valnet tratou com êxito pacientes psiquiátricos com ervas e óleos. Escreveu a respeito um livro intitulado *Aromatherapie*, traduzido em inglês como *The Practice of Aromatherapy*.[12] A obra de Valnet foi retomada pelos doutores Paul Belaiche e Jean Claude Lapraz. Seu laboratório de pesquisas revelou que os óleos essenciais contêm propriedades antivirais, antibacterianas, antifúngicas e anti-sépticas, com capacidade para elevar a taxa de oxigênio no corpo.[13]

No final dos anos 50, a aromaterapia já era prática médica corriqueira na França e os óleos essenciais, amplamente prescritos, não faltavam nas farmácias. Então uma jovem australiana casou-se com o homeopata francês dr. Maury. Juntos, pesquisaram os óleos e passaram a usá-los em terapia. Marguerite Maury abriu clínicas de aromaterapia em Paris, Inglaterra e Suíça.

O casal tinha permissão para ensinar terapia de massagem e beleza, mas não para prescrever tratamentos médicos. Também não podia selecionar seus próprios óleos, pois essas misturas deviam permanecer secretas por motivos comerciais. Por fim, a aromaterapia espalhou-se para a Noruega e a Dinamarca, começando a aparecer também nos Estados Unidos, Canadá, Austrália, Nova Zelândia, África do Sul e países do Oriente Médio e Extremo Oriente.[14] Hoje, os óleos essenciais são usados na França por médicos que recorrem à medicina complementar (ver Glossário). Os de outros países, entretanto, ainda vêem os óleos como meros recursos auxiliares de saúde e beleza.

Na década de 80, Gary Young, naturopata californiano, entusiasmou-se pelo emprego de óleos essenciais de alta qualidade em processos terapêuticos. Estudou na Suíça, França, Inglaterra e Israel.[15] Empreendedor brilhante, desenvolveu sua própria linha de óleos, a Young Living. No afã de promover seus produtos, ele disseminou o conhecimento da aromaterapia nos Estados Unidos.

Usos Espirituais e Mágicos dos Aromas

Queimar incenso é uma tradição imemorial. Ervas têm sido queimadas tanto no Oriente quanto no Ocidente, como ato ritualístico das grandes religiões. Os sacerdotes egípcios formulavam os aromas que os faraós usavam nas ocasiões de prece, guerra e amor. A estátua de cada deus tinha sua fragrância particular, com a qual era ungido.

A palavra "perfume" vem do latim *per fumum*, que significa "por meio da fumaça". O acerto de queimar ervas para fins bactericidas fica patente quando grupos se reúnem, sobretudo em tempos de pestes e epidemias. O incenso de olíbano (o incenso por excelência) ainda é queimado nas igrejas católicas. Muitos nativos norte-americanos queimam sálvia e *sweetgrass* em suas cerimônias. Alguns hospitais da França empregam tomilho e alecrim como desinfetantes.[16] Nos anos de 1960, na Universidade da Califórnia em Berkeley, galhos de eucalipto eram colocados nos cantos das salas de leitura quando havia surtos de pulgas.

O Velho Testamento fala de um ungüento especial que os judeus aplicavam à Arca e ao Tabernáculo. "O Senhor falou a Moisés" dando-lhe instruções pormenorizadas sobre o uso sagrado do incenso e o preparo do óleo santo:

> E farás um altar para queimar o incenso: de madeira de cetim o farás.
> E Aarão sobre ele queimará o incenso das especiarias, a cada manhã...
> E acendendo Aarão as lâmpadas à tarde, o queimará: este será incenso contínuo perante o Senhor pelas vossas gerações.
> Não oferecereis sobre ele incenso estranho...
> E falou mais o Senhor a Moisés, dizendo:
> Tu, pois, toma para ti das principais especiarias, da mais pura mirra quinhentos *siclos*, e de canela aromática a metade, a saber, duzentos e cinqüenta *siclos*, e de cálamo aromático duzentos e cinqüenta *siclos*,
> E de cássia quinhentos *siclos*, segundo o siclo do santuário, e de azeite de oliveiras um him.
> E disso farás o azeite da santa unção, o perfume composto segundo a obra do perfumista: esse será o azeite da santa unção.
> E com ele ungirás a tenda da congregação e a arca do testemunho...
> Não se ungirá com ele a carne do homem, nem fareis *outro semelhante* e conforme à sua composição: santo é e será santo para vós.
> O homem que compuser tal perfume como este, ou que dele puser sobre um estranho, será extirpado dos seus povos.
>
> (Êxodo 30:1, 7-9, 22-26, 32-33)

Em medidas modernas, um siclo equivale a mais ou menos 15g e um him a mais ou menos 6,5 litros. Portanto, o ungüento santo (a ser usado unicamente por judeus e para untar seus objetos mais sagrados) seria preparado segundo esta combinação:

8 kg de mirra pura
4 kg de cinamomo doce
4 kg de cálamo doce
8 kg de cássia
5,6 litros de azeite de oliva

A Ciência da Aromaterapia

Comecemos passando brevemente em revista como o cérebro e o nariz trabalham em conjunto. Depois poderemos mencionar as pesquisas médicas e científicas feitas no campo da aromaterapia, incluindo a obra inovadora de Bruce Tainio com as freqüências dos óleos essenciais.

Anatomia do Olfato

Paul MacLean, ex diretor do Laboratory of the Brain and Behavior no United States National Institute of Mental Health, aperfeiçoou um modelo do cérebro humano no qual cada uma das três camadas (ou "cérebros") foram supostamente dispostas para reagir às necessidades da evolução. Ninguém sabe ao certo como o cérebro funciona, mas essa é uma teoria atraente.

O **sistema reptiliano** teria sido o primeiro a evoluir. É constituído pelo pedúnculo cerebral e o cerebelo. O pedúnculo cerebral coordena as funções básicas automáticas de sobrevivência: digestão, reprodução, circulação e respiração. Governa também a resposta "lutar-ou-fugir" às pressões. O cerebelo controla o movimento.

Segundo a teoria de MacLean, o segundo cérebro a evoluir foi o **sistema límbico**, que inclui a amígdala e o hipocampo. Tem mais ou menos o tamanho de uma noz, sendo um pouco maior na mulher que no homem. A amígdala, centro das emoções, associa a estas os acontecimentos. O hipocampo converte a informação em lembrança de longo prazo e rememoração. O sistema límbico se relaciona ao alimento, sexo e olfato. Controla o apetite e os ciclos de sono. Ele nos motiva a aceitar ou repelir pessoas e acontecimentos. Quando esse centro está superativo, parece induzir a sensações de negatividade, depressão ou falta de motivação.

O terceiro cérebro a evoluir foi o **córtex cerebral** ou **neocórtex**, que engloba cinco sextos do volume total do cérebro. É o centro da linguagem, fala, escrita e lógica. Contém dois centros especializados para o movimento voluntário e o processamento da informação sensorial.

As três partes do cérebro funcionam simultaneamente, mas a qualquer tempo uma delas tende a predominar. As interconexões tornam as coisas interessantes. Quando o neocórtex se comunica com o sistema límbico, o contato estimulante entre pensamento, memória, emoções e motivações induz à ação voluntária.

O sistema olfativo é o único dos cinco sistemas sensoriais que vai diretamente do órgão sensório (o nariz) à parte do cérebro onde a sensação é processada. As sensações oriundas da visão, audição, tato e paladar precisam antes percorrer o tálamo e a base do cérebro antes de serem registradas nas diferentes partes do cérebro. Isso explica o forte impacto emocional que o olfato tem sobre nós.[17]

O lobo olfativo está localizado sob o lobo frontal. Na maioria dos vertebrados, é uma extensão distinta do hemisfério cerebral, porém mais fina e comprida nos seres humanos, com lóbulos anterior e posterior. Uma membrana mucosa cobre a extensão óssea de cada lado do nariz, havendo ainda uma membrana olfativa em cada uma delas. Essas membranas olfativas são tão delgadas que só podemos vê-las com o microscópio eletrônico em alta ampliação: no entanto, contêm cerca de oitocentos milhões de terminais nervosos para detectar e processar odores.[18]

São cerca de vinte os primeiros nervos craniais ou olfativos, que se estendem abaixo da superfície do bulbo olfativo[19] na direção do mesencéfalo. Esses nervos passam entre as glândulas pituitária e pineal, levando impulsos diretamente à amígdala, o centro da memória que armazena e libera traumas emocionais. Só o odor afeta significativamente essa glândula:[20] motivo pelo qual certos aromas conseguem "acalmar a fera".

Os óleos essenciais penetram no corpo pela pele, passagens nasais, pulmões e trato gastrintestinal, sendo depois conduzidos pelo sangue e a linfa.[21]

Pesquisa em Aromaterapia

Nos países europeus, os óleos essenciais são usados em clínicas e hospitais. Nas farmácias, encontra-se comumente uma ampla seleção de óleos de alta qualidade. Escreve o dr. Valnet que "a fitoterapia e a aromaterapia vêm sendo cada vez mais aceitas por médicos e pelo público em geral ... devido à publicação de inúmeras obras didáticas sobre esses assuntos ... assim, dia após dia, as estatísticas demonstram que as noções tradicionais, de base empírica, na verdade tinham lá seus fundamentos". Infelizmente, essa pesquisa foi feita em grande parte na França e não está plenamente disponível nos

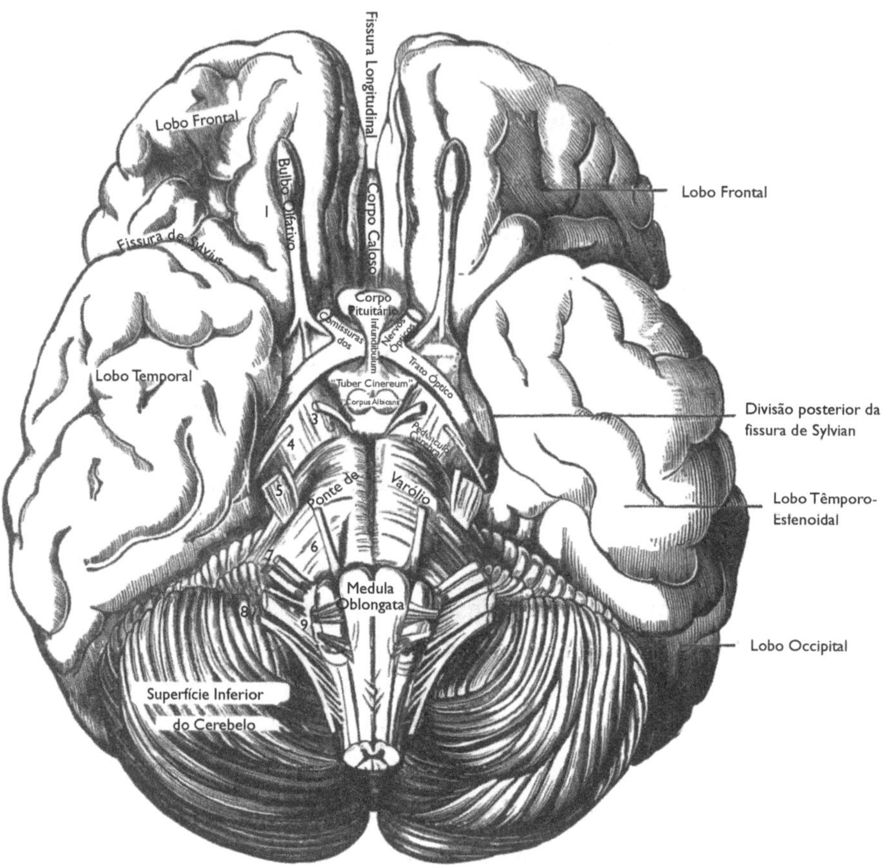

Estados Unidos. Todavia, o livro de Valnet, *The Practice of Aromatherapy*, constitui um ótimo recurso.

O dr. Valnet descreveu um experimento realizado pelo professor C. Vallette e publicado pela *C. R. Soc. Biologique* em 1945, com o título "Penetração Transcutânea das Essências". Altas doses de óleos essenciais, aplicadas à pele de ratos e camundongos, provocavam morte imediata; doses menores produziam depressão ou exaltação. Aventou-se que os óleos essenciais passavam rapidamente pelas camadas externas da pele e iam para o sangue. O tomilho e o eucalipto eram absorvidos num prazo de vinte a quarenta minutos; a bergamota, o limão e o anis, de quarenta a sessenta minutos; a citronela, o pinho, a lavanda, o cinamomo e o gerânio, de sessenta a setenta minutos. Já as essências de hortelã, coriandro e arruda levavam aproximadamente cem minutos.

Eis algumas das propriedades que o dr. Valnet observou em dezessete óleos comuns descritos nesse livro:

anti-sépticas (que inibem o crescimento das bactérias): limão, lavanda, eucalipto
coleréticas (que estimulam a produção e a eliminação da bile): alecrim, lavanda
que previnem a formação de cálculos no trato urinário: zimbro, limão
antiespasmódicas e calmantes dos nervos: lavanda
que estimulam o córtex adrenal: alecrim
que tonificam e excitam a pituitária anterior: limão
que fortalecem o impulso sexual: ylang ylang
que promovem a sudorese: camomila
que desintoxicam: lavanda, alecrim
que evitam a fermentação: limão, zimbro[22]

Pesquisadores do Instituto Pasteur descobriram que óleos de tomilho, cravo, hortelã, manjerona, pinho e orégano inibem fortemente os micróbios responsáveis pela tuberculose, cólera e infecções estafilocócicas. Em testes da Universidade Weber, viu-se que o óleo de cinamomo é mais eficaz que a ampicilina no combate aos estafilococos — sem que as bactérias adquiram resistência à substância.[23] Em 1985, o dr. Jean C. Lapraz relatou não saber de nenhuma bactéria ou vírus capaz de sobreviver em presença dos óleos essenciais de cinamomo ou orégano.[24]

John Tyndale descobriu que moléculas de óleos essenciais emitem uma radiação infravermelha que os insetos conseguem captar. Os óleos essenciais de patchouli, sândalo, cravo, lavanda, rosa, limão, tomilho, alecrim e sementes de anis absorvem raios infravermelhos. A exposição ao infravermelho melhora a circulação e dilata os vasos sanguíneos, trazendo o sangue para a superfície da pele.[25]

O dr. Farag, chefe do departamento de Bioquímica da Universidade do Cairo, documentou a atividade molecular de oxigenação dos óleos essenciais, mostrando que alguns aumentam a taxa de oxigênio no corpo em 2,1% (contra de 6 a 7% com ervas e vitaminas, e 9% com peróxido de hidrogênio). Muitas doenças, inclusive o câncer, não podem existir na presença de oxigênio. O oxigênio proporciona melhor absorção de nutrientes e um nível mais alto de regeneração celular. O pequeno tamanho das moléculas dos óleos essenciais permite-lhes passar facilmente através do fluido intersticial, cruzar a barreira do sangue cerebral e entrar com rapidez no sistema circulatório.

Segundo o dr. Otto Warburg, que recebeu o Prêmio Nobel por suas pesquisas com o câncer, essa doença ocorre quando a respiração aeróbica normal (com oxigênio) das células do corpo é substituída pela respiração anaeróbica (sem oxigênio). O hidrogênio tem baixa freqüência hertziana, de modo que, quando as células ficam obstruídas por esse elemento (devido à ingestão de margarina, manteiga e pasta de amendoim hidrogenadas, por exemplo), devem-se introduzir óleos essenciais com vibração a uma taxa superior a zero, que é a dos alimentos processados. O excesso de oxigênio produzido por esses óleos pode expelir o hidrogênio prejudicial.[26]

As herbalistas Cathy Keville e Mindy Green explicam: "Os óleos essenciais incluem relaxantes musculares, tônicos digestivos, estimulantes da circulação e precursores hormonais. Muitos reparam células danificadas; outros eliminam o lixo metabólico. Além disso, vários óleos essenciais fortalecem a imunidade, ajudando o corpo a curar a si próprio. Eles estimulam a produção de fagócitos (células brancas do sangue que atacam os invasores) e alguns são antitóxicos. Diversos óleos essenciais mostraram-se eficazes contra fungos e bacilos, parasitas e vírus. Outros debelam infecções com rapidez impressionante, matando bactérias ao romper seu ciclo de vida."[27]

Os óleos essenciais possuem uma propriedade elétrica, chamada polaridade, que se exprime positiva ou negativamente. Os óleos eletropositivos tépidos, geralmente de cor vermelho-alaranjada (que incluem o orégano, o tomilho, o cravo e a segurelha), adquirem um de seus elétrons de outras células e por isso produzem calor. Os óleos eletronegativos refrescantes (por exemplo, a camomila alemã, azul) possuem um elétron extra que podem doar. Os óleos neutros costumam ser amarelos ou verdes: incluem a lavanda, a sálvia clara e a camomila romana.

A composição química de um óleo nos dá pistas sobre suas propriedades elétricas. Deve haver de duzentos a oitocentos constituintes químicos diferentes num único óleo e cada constituinte provoca um efeito diferente no corpo. Eis alguns dos tipos químicos mais comuns, ao lado de algumas de suas propriedades elétricas:

aldeídos (eletronegativos): antiinfecciosos, sedativos, calmantes do sistema nervoso
eugenóis: estimulantes, anti-sépticos
cetonas: estimulam a regeneração celular e liquefazem o muco
fenóis: (eletropositivos): anti-sépticos, matam vírus e bactérias

sesquiterpenos: antiinflamatórios, levam mais oxigênio ao cérebro; estimulam as glândulas endócrinas
álcoois terpênicos (eletropositivos): bactericidas, diuréticos, descongestionantes[28]

O dr. Valnet e Claude Reddet fizeram uma pesquisa publicada com o título de "Contribution à l'application pratique d'une nouvelle conception du terrain biologique" no *A.M.I.F.* de abril-maio de 1961. Eles estudaram os óleos essenciais em termos de seu valor em pH e resistência elétrica.

O pH é a acidez ou a alcalinidade de uma solução numa faixa que vai de 0 a 14,14. A água pura está em 7,07. Quanto mais baixo o pH, mais ácida a reação; quanto mais elevado o pH, mais alcalina a reação. A resistência é a propriedade que uma solução tem de opor-se à passagem de calor ou eletricidade. Valnet explica: "Quanto mais pura for a solução, menos se prestará à transmissão de eletricidade. A resistência do sangue é em média de 190 ohms/cm/cm^2 no homem e de 220/230 na mulher." As essências naturais geralmente apresentam um valor de pH ácido com alta resistência.

Valnet e Reddet descobriram que a essência de cravo tem resistência de 4.000 ohms (vinte vezes a do sangue humano); a de tomilho, de 3.300; a de lavanda, de 2.800 e a de hortelã, de 3.000. Uma mistura de essências com fortes propriedades bactericidas tem uma resistência de 17.000 — bem mais que a soma de seus componentes — e um pH de 4,6. Nesse quadro, a acidez elevada evita a multiplicação rápida de micróbios e a resistência elevada combate a difusão de infecções ou toxinas.[29]

Freqüências de Óleos Essenciais

Trabalhando com plantas, terra e água em seus projetos agrícolas, Bruce Tainio construiu uma máquina chamada BT3 Frequency Monitoring System (ver Recursos), que usa um sensor de alta precisão para medir as freqüências bioelétricas dos óleos essenciais e nutrientes. Construiu o instrumento porque, na época, não havia nenhum outro capaz de lhe proporcionar essa informação. O primeiro BT3 Frequency Monitoring System foi modificado e aperfeiçoado no correr dos anos.

O website de Tainio (http://www.tainio.com/ir/frqmonitor/faq.htm) explica que todo átomo no universo tem um movimento vibratório próprio. Cada movimento periódico tem uma freqüência (o número de oscilações por segundo) que pode ser medida em Hertz.

Entrei em contato com Tainio para saber como sua máquina funciona. Ele me informou que cada elemento da Tabela Periódica possui uma freqüência vibratória específica. Isso foi bem documentado na Inglaterra. Muitas plantas e criaturas usam enzimas para fragmentar componentes e cada uma delas tem sua freqüência.[30] A International Enzyme Commission publicou fotografias dessas formas cristalinas típicas de cada enzima no estado seco. Elas podem ser vistas no final do livro *Enzymes*, de Malcolm Dixon e Edwin C. Webb.[31]

Uma vez que elementos e enzimas permanecem nos óleos, o BT3 mede a freqüência combinada das emissões vibratórias entre os picos de voltagem elétrica. A onda hertziana, projetando-se da fonte e deslocando-se, transfere energia aos objetos que atravessa. O monitor de freqüências mede a nanovoltagem da onda tomando por referencial a freqüência predominante da faixa de megahertz, e eliminando os extremos superior e inferior.

Os números obtidos com o sistema de monitoração de freqüência de Tainio indicam que a média para uma planta viva vai de 20 a 22 MHz. A freqüência da fruta (após a polinização) pode chegar a 80 MHz.[32] Plantas que propiciam nutrição saudável geralmente possuem freqüência maior que as outras. Os alimentos processados às vezes não passam de zero, enquanto os integrais alcançam 15 MHz. Ervas secas se situam entre 12 e 22 MHz.[33]

Tainio descobriu uma maneira de medir a freqüência de uma pessoa fazendo a leitura de vários pontos do corpo e tirando a média dos números obtidos. Seus dados indicam que o ser humano saudável vibra na faixa de 62 a 68 MHz. As células humanas começam a mudar (mutação celular) quando sua freqüência cai abaixo de 62 MHz.[34] Quando o equilíbrio ácido-alcalino (que pode ser medido pelo papel de tornassol) indica condição ácida, esta é acompanhada por baixa freqüência. Os patógenos têm freqüência baixa; as bactérias benéficas, alta. Pensamentos negativos podem baixar a freqüência do corpo em três segundos. Pensamentos positivos, em 21 segundos, conseguem elevar essa freqüência ao nível ideal.[35]

Passei por essa experiência quando despertei de um sonho dos mais traumáticos. Imediatamente lancei mão de meus papéis de tornassol para medir o equilíbrio ácido-alcalino de minha saliva. A faixa humana normal coberta pelos meus papéis vai de 5,5 a 8,0. Meu pH estava no nível mais baixo, 5,5. Dez minutos depois me ocorreu um pensamento muito agradável. Senti-me tão bem que tive o impulso de medir novamente meu pH. Eu não tinha comido nem bebido nada, mas o pH havia subido para 6,4!

Segundo medidas tomadas pela máquina de Tainio, quando você tem uma gripe ou resfriado, sua taxa vibratória desce para 58 MHz. Em presença de cândida, você vibra a 55 MHz; de vírus Epstein-Barr, a 52 MHz; de câncer, a 42 MHz. Uma vez iniciado o processo da morte, viu-se que a medida era de 20 MHz.

Os óleos essenciais puros têm freqüências elevadas, mas os adulterados não passam de O MHz. A medição dos óleos puros forneceu 52 MHz para o de manjericão e 320 MHz para o de rosa. O de lavanda chegou a 118 MHz, o de sândalo a 96 MHz e o de hortelã-pimenta a 78 MHz. As medidas variam conforme as condições de plantio e colheita das plantas, bem como a pureza dos óleos essenciais. Quando você inala um óleo essencial, pode ocorrer uma mudança imediata no nível de sua freqüência. Saiba que os óleos adulterados em geral abaixam essa freqüência.[36]

Segundo o cientista dr. Royal Raymond Rife (1888—1971), toda célula tem sua própria ressonância vibratória. Uma substância de alta freqüência anulará uma doença de freqüência mais baixa (o princípio da sincronização — ver Glossário).[37]

Os óleos essenciais criam um ambiente no qual as doenças de baixa freqüência, as bactérias prejudiciais, os vírus e as doenças provocadas por fungos não conseguem sobreviver. Isso significa, por exemplo, que um desodorante bucal feito com óleos essenciais de alta qualidade eliminará o problema estético imediato do mau hálito e, ao mesmo tempo, removerá a causa desse problema combatendo infecções e neutralizando patógenos no corpo. Não substituirá, porém, os cuidados normais com os dentes.

Os óleos essenciais influenciam também as emoções, particularmente aqueles que apresentam elevadas faixas de freqüência. Óleos essenciais de baixa freqüência produzem mais efeito nas mudanças estruturais e físicas que ocorrem, por exemplo, em células, hormônios e ossos, tanto quanto em vírus, bactérias e fungos.[38]

Experiência da Autora com Óleos Essenciais

Quando criança, sempre que eu tinha problemas de congestão pulmonar, minha mãe usava um vaporizador no qual pingava gotas de óleo de eucalipto. Isso produzia o efeito mágico de liquefazer o muco. Até hoje, todas as farmácias da América do Norte vendem óleo de eucalipto. Existem também as pastilhas para tosse à base de óleos de eucalipto e cânfora.

Os óleos essenciais integram a arte da herbologia e, muito antes de eu ouvir a palavra "aromaterapia", já usava óleos em minha prática como herbalista. Alguns de meus tratamentos mais potentes incluíam o emprego de óleos.

Um remédio popular para todos os tipos de dores e incômodos (mas não nas membranas mucosas) é uma pomada chamada *bálsamo do tigre*, que vem num pequeno frasco redondo e vermelho da China. Contém cânfora, como a pasta Ben Gay, fornecida em tubos e ótima para fricções no peito em caso de gripe. O *bálsamo do tigre* contém ainda certa porção de óleos de cajepute, hortelã, mentol e cravo. Também pode ser friccionado no peito todo ou qualquer área dolorida.

Um de meus primeiros remédios mais eficientes era o óleo de laranja amarga, derivado de uma laranja africana não-comestível. Ainda o uso de preferência para infecções estafilocócicas sistêmicas. O estafilococo é uma bactéria esférica muito comum em nosso ambiente, responsável pelos furúnculos. Usei muitas vezes esse óleo para combater episódios graves de furúnculos que não cediam sequer aos antibióticos. (Tome quatro gotas — ou três, no caso de crianças — em meio copo de suco de laranja três vezes ao dia até desaparecerem os sintomas; depois, por mais três dias. Os furúnculos em geral desaparecem de uma a três semanas, dependendo da gravidade do problema.)

O óleo de laranja amarga é também usado para infecções de gengiva e garganta (pincele essas áreas em toda a extensão). O interior da boca, gengivas e língua estão associados ao segundo chakra, que é de cor alaranjada. A garganta prende-se ao terceiro chakra, que é amarelo, não havendo, portanto, uma correspondência exata.

Os óleos de hortelã-pimenta e gaultéria são conhecidos por assentar o estômago e purificar o hálito, sendo muito usados em dentifrícios. Como herbalista, eu costumava preparar chá de hortelã-pimenta para queixas estomacais. Hoje, limito-me a esfregar algumas gotas de óleo não-diluído na área dolorida do abdome. Em se tratando de crianças, eu o diluo em volume igual de azeite de oliva. Cólicas, gases e indigestão desaparecem quase instantaneamente. Uma vez que quase todos os órgãos digestivos estão situados na área do terceiro chakra, o óleo de hortelã-pimenta tem ligação com esse chakra. Esse óleo também é uma maneira confiável de curar dores de cabeça quando friccionado nas têmporas.

Outro remédio muito popular nos anos de 1960 era o bálsamo essencial, também proveniente da China num frasco redondo vermelho. Essa pomada marrom contém uma porção generosa de cinamomo e mentol, certa quantidade de hortelã-pimenta e eucalipto, e uma dose pequena de cravo, em base de parafina. Provavelmente por causa do óleo de hortelã-pimenta, é excelente para dores de cabeça e cólicas estomacais quando friccionada por toda a área das têmporas e abdome.

O óleo de lavanda é empregado numa ampla variedade de cosméticos, mas talvez você não saiba que ele também é eficiente para aliviar a dor (veja a história a seguir). Inteirei-me desse aspecto do óleo de lavanda quando compareci a uma apresentação numa grande empresa. O orador mostrou-nos um tubo do creme ali produzido e assegurou que possuía impressionante poder analgésico. Pediu que os presentes levantassem a mão, caso estivessem sentindo alguma dor no momento. Eu fui um dos vinte que o fizeram. Havia torcido um dedo.

O homem fez passar o tubo pela platéia e quem tinha dor friccionou um pouco do creme na área afetada. Quinze minutos depois ele pediu que quem tivesse sentido alívio se manifestasse. Eu fui um dos dezoito que o fizeram. Aquilo me impressionou. O único ingrediente ativo do creme que poderia explicar o efeito era o óleo de lavanda. Concluí então que ele é um ingrediente importante a ser adicionado aos cremes de massagem, medicamentos para queimaduras e ungüentos de primeiros socorros. Por causa da cor violeta das flores da planta e de sua capacidade de acalmar os nervos, o óleo de lavanda se associa aos chakras superiores.

Outro remédio antigo à base de ervas é o óleo de verbasco. Morando no sudoeste em princípios dos anos 1980, eu ia para o deserto no outono e colhia as pequeninas flores amarelas das compridas hastes da planta. Colocava-as num recipiente, tapava-o e punha-o no telhado ensolarado de casa, onde o calor provocava a exsudação do óleo. Duas semanas depois, eu espremia as folhas murchas e colhia o precioso óleo. Uns 500 ml não davam mais que duas colheres de chá, mas para uma dor de ouvido bastam algumas gotas e ela logo se vai. O óleo de verbasco pode ser encontrado em lojas de produtos naturais.

Na qualidade de herbalista, eu sempre levava comigo em viagem ou visitas terapêuticas inúmeros recipientes com ervas secas. Hoje tenho um estojo com pequenos frascos de óleos essenciais para usar em praticamente todas as situações de cura que antes exigiam ervas.

Aspectos Práticos da Aromaterapia

Nesta seção, veremos como são produzidos os óleos essenciais. Além disso, darei instruções sobre o emprego desses óleos no dia-a-dia.

Como São Produzidos os Óleos Essenciais

Os óleos essenciais são extraídos de arbustos ou árvores — da planta inteira ou das sementes, flores, pétalas, pedúnculos, raízes ou cascas. Dois ou mais óleos diferentes podem provir da mesma planta. No caso da laranjeira, por exemplo, o óleo de laranja é obtido das cascas da fruta prensadas, o óleo de *petitgrain* das folhas e brotos e o óleo de néroli das florescências.[39]

A qualidade do óleo depende de inúmeros fatores, inclusive o processo pelo qual é obtido, o ponto de maturação na época da colheita e a região de procedência da planta. Por exemplo, 100 kg de lavanda são necessários para fornecer 2,9 kg de óleo essencial. Por isso, não surpreende que os óleos sejam freqüentemente adulterados com álcool, fixadores, óleos de qualidade inferior e ésteres sintéticos como ácidos graxos de gordura animal ou gelatina.[40]

Um método antigo de extrair óleos, citado no Papiro Ebers, consistia em desfibrar a casca do cedro, triturá-la ao máximo, mergulhá-la em azeite de oliva, envolvê-la em pano de linho e levá-la ao fogo. Isso retirava o óleo essencial de cedro da casca e transferia-o para o azeite. Em seguida, espremia-se o pano e extraía-se o óleo. Num processo mais refinado, pétalas de flores eram mergulhadas em gordura de pato ou bode e depois o óleo era separado da gordura. Esse foi o começo de um método hoje chamado **absoluto**.[41]

A **destilação** é ainda considerada o processo mais econômico de extrair óleos essenciais. Pense no que acontece quando você tapa uma panela de água, leva-a a ferver e depois remove a tampa. A água que pinga da tampa subiu da superfície do líquido dentro da panela por meio da evaporação e condensou-se, como água destilada, na tampa.

A palavra *volátil* deriva do latim *volare*, que significa "voar". As moléculas menores da planta são as mais voláteis e só elas podem evaporar. Essas minúsculas moléculas são conhecidas, em perfumaria, como **marcas superiores**. Os óleos que contêm as mais pesadas e menos voláteis dessas moléculas são chamados **marcas inferiores**.

No alambique, o vapor entra numa câmara e sobe atravessando o material vegetal ali colocado. O óleo volátil sai do material e mistura-se ao vapor. Percorre em seguida um sifão onde começa a esfriar. A fim de acelerar o processo de esfriamento, o sifão é mergulhado num grande recipiente de água fria, fazendo com que o óleo se condense novamente em líquido. O óleo tende a subir à superfície da água (embora alguns desçam para o fundo), de onde pode ser recolhido. O produto final é o óleo essencial puro, genuíno, integral e natural.[42]

Mas, ainda assim, há graus de pureza. Gary Young, autoridade em aromaterapia, observa que, quando o vapor sobe, as finíssimas membranas da planta se abrem, liberando as moléculas de óleo. Se essas membranas se rompem, a estrutura molecular do óleo se altera. Antigamente, na destilação, cerca de dois quilos de pressão e temperatura baixa eram usados para obter óleos terapêuticos de máxima qualidade. Marcel Espieu, presidente da Lavender Growers Association, no sul da França, alega que o óleo de melhor qualidade é produzido quando a pressão é de 0 kg.

Tamanha sensibilidade durante o processo de extração explica a eficiência de certos óleos em terapia. Young assinala que eles "sem dúvida trabalham em áreas do cérebro conectadas ao sistema límbico, que promove a liberação de traumas emocionais, acalma a ansiedade e ajuda a superar a depressão. ... Pressões e temperaturas elevadas parecem provocar certa aspereza no óleo, afetando até mesmo o pH e o equilíbrio eletropositivo/eletronegativo".

A pesquisa de Young mostrou, por exemplo, que o fabrico do óleo de cipreste mais fino exige 24 horas a um máximo de 245 graus Fahrenheit e com 2 kg de pressão. Se for destilado em menos de 22 horas, de dezoito a vinte de seus constituintes primários se perdem.[43] Isso talvez explique por que médicos franceses, usando óleos terapêuticos de alta qualidade, obtêm resultados positivos que os clínicos americanos, dispondo de produtos inferiores, não conseguem reproduzir.

No caso do óleo de lavanda superior, as flores devem ser colhidas quando plenamente desabrochadas, antes dos calores do dia, e deixadas no campo de dois a três dias. O óleo será destilado à baixa pressão e baixa temperatura por uma hora e meia. Young explica:

> Nos vastos campos pelo mundo afora, chegada a época da destilação, podemos ver caminhões-tanque estacionados nas destilarias a bombear

> solventes na água já fervente. Isso aumenta a produção de óleo em cerca de 18% e depois os proprietários podem dizer: "Sim, foi destilado a vapor" e "Não, não misturamos produtos químicos ao óleo, nem propilenoglicol". Mas se você coloca um produto químico na água e faz essa água atravessar a planta, a estrutura molecular do óleo se rompe. Isso altera a fragrância e os constituintes, pois é impossível separar os produtos químicos do óleo depois que ele passou pelo condensador.[44]

Há uma lavanda híbrida que produz o óleo lavandino, poderosamente anti-séptico, mas sem as propriedades terapêuticas da lavanda verdadeira. Quase todo o óleo vendido nos Estados Unidos é lavandino, preparado com acetato de linolol para melhorar a fragrância e em seguida enriquecido com propilenoglicol ou SD 40, um solvente inodoro que aumenta o volume.[45]

A **água aromática** é um subproduto do processo de destilação. Algumas das moléculas maiores da planta se dissolvem na água e formam a água aromática, que tem um perfume diferente do que caracteriza o óleo essencial da mesma planta. Mesmo hoje, muitas mulheres árabes possuem pequenos alambiques para o preparo de água de flor de laranja, usada na cozinha e como remédio. Infelizmente, quase toda a água de rosas encontrada em farmácias e lojas é feita com sucedâneos sintéticos.[46]

A **espremedura** é uma forma de extração usada exclusivamente com frutas cítricas. O óleo essencial é simplesmente espremido a frio das pequenas bolhas sob a superfície da casca. Nos Estados Unidos, isso em geral se faz nas fábricas que produzem sucos de frutas. Lamentavelmente, essas fábricas pulverizam a fruta com produtos químicos que ficam armazenados nas bolhas.

A **extração por solvente** não produz óleos essenciais e sim perfumes altamente concentrados. Estes sempre retêm uma pequena quantidade de solventes, que podem provocar alergias em pessoas sensíveis. Há três tipos de extração por solvente:

> Os *resinóides* são resinas com consistência de goma que escorrem de incisões feitas em certas árvores ou arbustos. Os solventes são empregados para retirar as moléculas aromáticas da resina. Esses solventes incluem o álcool e hidrocarbonetos como o benzeno e o hexano. Eles são filtrados e removidos pela destilação. Quando se usam hidrocarbonetos

como solventes, dá-se ao produto o nome de resinóide. Quando se usa o álcool, o produto é chamado de resina absoluta.

Os *concretos* também usam hidrocarbonetos como solventes, mas, em vez de resina, o processo emprega as folhas, flores e raízes da planta. A maioria dos concretos é uma substância sólida, pastosa. São em geral usados como flavorizantes de alimentos.

Os *absolutos* também usam álcool como solvente. O álcool é cuidadosamente evaporado para que se extraiam as moléculas aromáticas. Os absolutos não partem de uma resina ou planta, mas de um concreto. São líquidos coloridos e espessos. Absolutos e resinas não têm a classificação de óleos essenciais. O absoluto de jasmim é muito conhecido, pois não há como fabricar um óleo essencial dessa flor.[47]

Extração por modificação do dióxido de carbono (CO_2) hipercrítico. É um método de extrair a essência da planta sem solvente. Usa-se pressão para transformar o dióxido de carbono, que é um gás, em solvente líquido inerte, inofensivo. O dióxido de carbono é o gás que normalmente expelimos dos pulmões. Infelizmente, o equipamento para esse processo é muito caro, motivo pelo qual os preços dos produtos são proibitivos. Esses produtos são dois:

Óleos essenciais ou *seleções de CO_2*. Lembram os óleos destilados a vapor convencionais, mas não se degradam com a temperatura e são extremamente puros.

Totais. São extratos obtidos por pressão elevada. Lembram o clássico extrato de hexano, sem resíduos de solvente. Não diferem em quase nada da própria erva. São espessos e pastosos, ótimos como ingredientes para cremes, ungüentos e sabões. Não devem ser usados em inaladores, pois obstruem a válvula.[48]

Precauções e Instruções para o Uso de Óleos Essenciais

Eis alguns cuidados básicos e instruções para o uso de óleos essenciais:

- A menos que um veículo (veja abaixo) seja indicado, os óleos essenciais devem ser usados **puros** (não-diluídos).

- Quando as instruções recomendam um **veículo**, este em geral é um óleo vegetal puro, prensado a frio, de sementes ou castanhas. Os veículos são usados em várias proporções para aumentar o volume dos óleos essenciais, muito caros. Em geral, os óleos vegetais comprados nas mercearias não são prensados a frio e, por isso, proporcionam menos benefícios terapêuticos. O óleo mineral não é usado em aromaterapia porque seqüestra as vitaminas A, D, E e K, retirando-as do organismo.

  O óleo de jojoba é bastante recomendado porque, não sendo de fato um óleo, mas uma cera líquida, nunca fica rançoso. Ainda assim penetra rapidamente na pele, razão pela qual não é bom para massagem. Um ótimo veículo para massagem é o óleo de amêndoa, que tem perfume suave e nutre a pele.

- Os óleos essenciais não ficam rançosos, mas as combinações que contêm veículos (exceto jojoba) ficam. A fim de preservar as combinações de óleos que contêm veículos, acrescente-lhes algumas gotas de óleo de vitamina E e, se possível, guarde-as no refrigerador. Para aquecer os óleos antes do uso, coloque o frasco fechado numa panela de água quente e tape-a. Espere alguns minutos.
- Lave as mãos antes e depois de usar óleos essenciais, nunca tocando com os dedos a boca do frasco. Isso os protege de contaminação e impede que você, inadvertidamente, espalhe óleo nos olhos, mucosas e outras áreas sensíveis da pele.
- Mantenha os óleos essenciais em frascos verdes ou marrons, evitando que se deteriorem pela exposição ao sol. Guarde-os em local escuro e fresco, longe da luz e do calor. Os óleos derretem o plástico e a borracha, por isso não os transporte em garrafas desse material. Alguns recipientes possuem um furo na tampa, para deixar passar o líquido gota a gota. Seu material não se derrete facilmente. Mantenha os frascos fechados quando fora de uso, para evitar evaporação ou derramamento acidental.
- Mantenha os óleos essenciais fora do alcance das crianças.
- Se você tem pele sensível, estiver usando-o pela primeira vez ou numa criança, teste-o primeiro numa área pequena da pele (principalmente se for óleo puro). Não use o mentol, por exemplo, perto

da garganta ou no pescoço de crianças com menos de trinta meses de idade. Se você estiver grávida, tem pressão alta, epilepsia, feridas abertas, diabete, pele sensível ou alergias, proceda com o máximo cuidado e consulte antes um aromaterapeuta. A sola dos pés é em geral uma parte segura para aplicar óleos, que dali se espalham rapidamente pelo corpo. Lembre-se de que o simples ato de aspirá-los produz efeito.

- Remova lentes de contato antes de trabalhar com óleos ou lave bem as mãos antes de tocar nelas, pois o elevado conteúdo de fenol pode torná-las pegajosas ou danificar-lhes a superfície.
- Nunca ponha óleos essenciais nos olhos ou ouvidos. Se fizer isso acidentalmente, não lave o local com água (óleo e água não se misturam). Em vez disso, dilua o óleo com algumas gotas de óleo vegetal puro, como o de oliva, diretamente na área. Depois, lavagem abundante com água morna costuma resolver.
- Os óleos cítricos podem tornar a pele sensível à luz, provocando vermelhidão ou alterações de pigmento quando usados numa área diretamente exposta ao sol, mesmo três ou quatro dias depois da aplicação. A elevada dosagem de cumarina nos óleos cítricos faz com que o corpo absorva mais luz ultravioleta. Manchas vermelhas geralmente desaparecem em poucos dias, mas a descoloração da pele pode persistir por mais tempo. Se o óleo cítrico for destilado, as cumarinas serão removidas.
- Os seguintes óleos podem ser cáusticos para a pele e devem ser diluídos num veículo antes da aplicação: óleos cítricos (bergamota, toronja, lima, limão, tangerina, mandarina e laranja); óleos de coníferas (bétula, cedro, zimbro, pinho e abeto vermelho) e de especiarias (cinamomo, cravo, manjericão, gengibre, capim-limão, orégano, manjerona, noz-moscada, pimenta e tomilho). Os mais cáusticos são os óleos de cinamomo, capim-limão, orégano e tomilho.
- Não coma nem beba óleos essenciais sem antes consultar um aromaterapeuta. Use apenas óleos terapêuticos orgânicos, nunca absolutos, CO_2, extraídos com solventes ou sintéticos. Antes de ingerir, dilua os óleos essenciais num líquido solúvel em óleo como mel, leite ou azeite de oliva, a fim de facilitar a assimilação e proteger as delicadas mucosas da boca e esôfago. Se estiver tomando remédios

ou for dependente de álcool, tranqüilizantes ou outra substância qualquer, comece com metade da dose prescrita de óleos essenciais.[49]

Usos Comuns dos Óleos Essenciais

> Às vezes enfrento o ceticismo de pessoas que não conseguem entender como uma substância inalada possa afetar de fato a mente ou o corpo. Então, peço-lhes que se lembrem dos anestésicos, nicotina ou mesmo das colas! De igual modo, muitas acham difícil acreditar que óleos absorvidos pela pele cheguem a afetar o organismo inteiro; entretanto, mesmo a medicina "ortodoxa" já está aceitando a idéia de que algumas substâncias são mais eficazes quando usadas transcutaneamente.
>
> — *Patricia Davis*[50]

Há inúmeras maneiras de usar óleos essenciais. Uma das melhores formas de medicina preventiva é jogar fora todos os produtos de limpeza e inseticidas químicos domésticos. Um bom livro sobre toxinas presentes nos produtos de limpeza é *The Cure for All Cancers*, de Hulda Regehr Clark. Todo produto ou inseticida pode ser substituído por remédios feitos à base de ervas e óleos essenciais.

As orientações que se seguem ajudarão o principiante a utilizar óleos essenciais preventiva e terapeuticamente.

Aspire o Óleo. Abra o frasco e aspire o óleo. As moléculas microscópicas deslocam-se rapidamente quando inaladas, penetrando com facilidade as camadas gordurosas da pele. O tempo de resposta do corpo à inalação pode não passar de um a três segundos.[51] Não é necessário consumir o óleo de nenhuma outra maneira para receber seus benefícios. Convém não esquecer disso quando se usam óleos muito caros!

Use Óleos com os Chakras. Primeiro, deixe seu cliente sentir o aroma do óleo essencial mantendo o frasco sob suas narinas, para saber se lhe é agradável. Depois, borrife os dedos com óleo não-diluído e espalhe um pouquinho nas têmporas e queixo do cliente, para que ele o aspire, e pingue de uma a seis gotas diretamente na área do chakra. Para o primeiro chakra, aplique no cóccix, evitando, contudo, as membranas mucosas. Para os demais chakras, faz-se a aplicação na parte fronteira do corpo. Se você achar apropriado, permita às vezes que o cliente aplique seus próprios óleos. Na maioria dos casos convém usar apenas de um a três tipos de óleo, para que cada aroma seja apreciado separadamente.

Para Purificar a Energia. Despeje meio copo de água morna num vidro de *spray* e acrescente de seis a dez gotas de óleo essencial de angélica, mais uma colher de chá de sal marinho ou sal comum. Tape a abertura com o dedo e agite vigorosamente para misturar o óleo e dissolver o sal. O óleo de angélica é excelente para borrifar um recinto e remover as energias negativas. Não o combine com outros óleos quando for utilizá-lo para esse propósito.

Óleo ou Loção de Massagem. Os óleos essenciais se deslocam por entre as células da pele, atravessam as camadas de tecido gorduroso e vão diretamente para os fluidos intersticiais, onde podem melhorar a circulação.[52] Algumas combinações muito boas para massagem incluem lavanda, alecrim, limão e gengibre, juntos ou separados. Para penetração mais profunda em áreas doloridas, use manjericão tropical e bétula branca. A fórmula ideal são de dez a vinte gotas de óleo essencial por cerca de 30 ml de óleo ou loção vegetal ou de nozes. Se desejar, acrescente 10% de jojoba. Despeje os óleos num frasco e role-o entre as palmas das mãos para aquecê-lo (ou coloque-o em água morna por alguns minutos). Aplique a quantidade necessária, mas nunca em membranas mucosas.

Óleos Sensuais. Os óleos essenciais são maravilhosos para aguçar o prazer sexual, sob a forma de loção de massagem ou borrifo, mas não devem ser aplicados perto de membranas mucosas ou em camisinhas. Lavanda, néroli, ylang ylang, gerânio rosa, sândalo, rosa e patchouli são agradáveis e possuem efeitos afrodisíacos, caso você aprecie seus aromas.

Óleos e Sais de Banho. Combine de uma a seis gotas de óleo essencial com uma porção equivalente de óleo vegetal. Encha a banheira com água quente, despeje os óleos e misture. Para fazer sais de banho, use seis gotas de óleo essencial por colher de sopa de sal de Kosher, Epsom ou Havaiano (cerca de cinqüenta gotas de óleo por meio copo de sal). Espalhe meio copo do sal diretamente sob o jorro quente da torneira, mexa para dissolver e acrescente água fria até obter uma temperatura agradável. Mulheres grávidas e crianças devem evitar os óleos cáusticos mencionados acima. A lavanda é ótima no banho; ela cheira bem e ajuda a aliviar dores e incômodos.

Difusores. Quando os óleos são espalhados no ar, purificam-no aumentando o oxigênio atmosférico e elevando os níveis de ozônio benéfico e íons negativos, que inibem a proliferação de patógenos transportados pelo ar.[53] O *spray* emite borrifos ultrafinos que permanecem no ar por horas e produzem, com isso, os efeitos mais duradouros. Use de seis a doze gotas, ou mais, de óleo essencial para ¼ de copo do veículo. Há também o difusor elétrico, ligado diretamente na tomada e que produz calor: este faz com que a pastilha de papelão absorvente fique tão aquecida que o óleo nela embebido se difunde pelo recinto. Pingue cerca de doze gotas de óleo essencial na pastilha. Os difusores podem ser desconectados a qualquer tempo e reconectados trinta minutos depois, interrupção necessária porque o nariz deixa de perceber aromas quando estes são constantes. Limão, hortelã-pimenta e pinho são ótimos para purificar (a hortelã-pimenta, além disso, estimula a energia e a concentração).

Perfume. Para obter um aroma agradável, dilua óleos essenciais em porção igual de veículo, como jojoba. Alguns dos favoritos são lavanda, gardênia, sândalo, néroli, jasmim e rosa. Friccione-os no corpo quanto quiser, evitando as membranas mucosas.

Para Refrescar o Ar. Despeje ½ copo de água morna num frasco de *spray* ou borrifador de plantas, pingue de seis a dez gotas de óleo essencial e acrescente ¼ de colher de chá de sal marinho ou comum. Feche com o dedo a abertura e agite vigorosamente para misturar o óleo e dissolver o sal. Borrife o banheiro e outros locais onde o cheiro seja um problema. Todos os óleos cítricos são eficientes e agradáveis, como também lavanda, pinho, hortelã-pimenta e eucalipto, separadamente ou em mistura. A solução pode ser prejudicial às roupas, óleos ou móveis, por isso borrife longe de pessoas e tecidos.

Purificadores de Armários e Repelentes de Insetos. Bolas de naftalina e pastilhas inseticidas são feitas de óleo de cânfora. Se você não gosta desse cheiro, tente pingar algumas gotas de óleo essencial de cravo, lavanda ou cedro numa tira de pano ou bola de algodão, pondo-as dentro de armários e guarda-roupas. Elas purificam esses espaços.[54]

Remoção ou Prevenção de Pulgas. Compre ou faça você mesmo uma coleira de pano para seu animal de estimação: uma gota de óleo essencial para gatos e três ou quatro para cães grandes, de três em três dias durante a época de infestação (quando você percebe o animal se coçando). Comece com 60% de veículo (não de jojoba) e 15% de óleo de citronela, depois encha o restante do frasco com 2 ou 3% de: alecrim, lavanda, eucalipto, limão ou cedro.

Eliminação de Odores. Pingue de cinco a dez gotas na lavadora de roupas ou num lenço a ser colocado na secadora. Deixe por algum tempo uma mistura de água morna e gotas de óleo essencial em recipientes que cheiram mal. Óleo de limão é excelente; lavanda e pinho, também.

Cura com Óleos Essenciais

Óleos aromáticos dão alegria ao coração
e o apoio dos amigos é tão agradável quanto o perfume.

— *Provérbios* 27:9

Cura Emocional: Valerie Worwood, autora de *The Fragrant Mind*, recomenda os seguintes óleos para os sintomas emocionais correspondentes (selecionei alguns da lista de dezessete que ela menciona no livro):

Para combater o medo: olíbano, camomila romana, sândalo
Para aliviar a culpa: jasmim, rosa Otto
Para superar sentimentos de inferioridade: olíbano, gerânio, néroli, sândalo, ylang ylang
Para descontrair-se: olíbano, zimbro, limão

Para propiciar o amor: lavanda, néroli, camomila romana, rosa Otto, laranja.[55]

Alívio Emocional. Os seres humanos segregam feromônios e outras substâncias químicas quando estão com medo ou sob pressão. A fim de purificar o ar em caso de emoções fortes, borrife o recinto com uma combinação de angélica e lavanda. Essa é também uma ótima mistura para usar após um trabalho de liberação emocional ou quando você entra num lugar onde a energia não parece positiva.[56]

Cura Áurica. Harry Oldfield, pioneiro inglês da fotografia kirlian (ver Glossário) e portador de inúmeros títulos em homeopatia, biologia e física, aperfeiçoou um método de detectar o campo energético humano chamado Polycontrast Interface Photography (PIP). Graças a essas fotos podemos ver, quando a pessoa coloca óleos essenciais na palma da mão, sua aura tornar-se mais brilhante e larga que os campos dos sujeitos de controle que não usam óleos.[57] Presumivelmente, quando a aura é mais brilhante e mais larga, os chakras estão mais abertos e a energia flui com mais liberdade pelo corpo, mente e espírito.

Correlação dos Óleos com os Chakras

Os óleos seguintes estão dispostos de acordo com os chakras do modo que mais comumente os emprego. Estas são meras orientações. Qualquer óleo essencial pode ser aplicado a qualquer parte do corpo, desde que se observem as precauções já mencionadas.

Primeiro Chakra. Os aromas com propriedades afrodisíacas estão associados ao primeiro e ao segundo chakras. Se você tiver em mente um afrodisíaco, assegure-se de que o aroma agrade a ambos os parceiros. Para o primeiro chakra, recomendo os odores animais almiscarados (que não agradam a todos); para o segundo, aromas um pouco mais sutis. Também para o primeiro chakra, costumo usar óleos que dêem uma sensação de segurança e ligação com a terra.

O *patchouli* é um óleo espesso, amarelo-escuro, tirante a marrom e com tons esverdeados. Almiscarado e picante, tem — para quem gosta de seu odor característico — efeitos afrodisíacos. Pode ser usado como perfume, embora você talvez prefira diluí-lo em dez partes de veículo, como o óleo de amêndoa. O patchouli é um estimulante e antidepressivo bastante usado na China, Japão e Malásia. É eficaz para rachaduras da pele, aspereza dos calcanhares e pé-de-atleta (os pés têm ligação com o primeiro chakra).

O *gerânio*, e particularmente o *gerânio rosa*, são verde-claros e seu aroma lembra vagamente o de rosa. Podem ser usados como perfume, bastando friccionar algumas gotas atrás das orelhas. Ambos estimulam o córtex adrenal, que promove o equilíbrio dos hormônios, inclusive os sexuais, tanto no homem quanto na mulher. São bons para a tensão pré-menstrual e a menopausa, revelando eficácia também em casos de retenção de fluidos, o que muitas vezes ocorre antes do período menstrual.

Segundo Chakra. Os óleos aromáticos para o primeiro e o segundo chakras são facilmente intercambiáveis.

O *jasmim* é um óleo viscoso e de cor escura com propriedades violentas, quase animais. As flores brancas devem ser colhidas à noite, quando seu aroma é mais forte. O óleo de jasmim de alta qualidade custa caro, mas felizmente só uma pequena porção dele é necessária e pode ser misturada a um veículo como jojoba ou simplesmente inalada. Faça massagem com óleo de jasmim no abdome e parte inferior das costas, para aliviar as dores do parto e estimular as contrações. Ele pode ser usado ainda para a depressão pós-natal. O óleo de jasmim fortalece os órgãos sexuais masculinos e ajuda a diminuir a dilatação da próstata. Suas propriedades afrodisíacas podem ajudar na impotência e na frigidez.

O *sândalo* é uma árvore pequena e parasita, perene, que cresce na Índia, Austrália e Havaí. O óleo tem cor amarelada, tendendo ao marrom-escuro, com consistência extremamente espessa e viscosa. Anti-séptico poderoso, é usado para combater infecções do trato urinário e gonorréia. Ajuda muito nos cuidados com pele oleosa ou seca e acne, sendo excelente em loções pós-barba, pois evita a impigem da barba (as faces correspondem ao segundo chakra). O sândalo passa também por afrodisíaco dos mais eficazes.

O *néroli* é um óleo espesso, castanho-escuro, derivado das flores de laranjeira. O aroma agridoce pode ser suavizado pelo veículo. É antidepressivo, anti-séptico, antiespasmódico e afrodisíaco. Como sedativo leve, ameniza estados de ansiedade, inclusive os associados ao desempenho sexual, pânico de estréia e tensão pré-exames. O néroli promove o sono quando adicionado à água do banho, antes de ir para a cama. Por estimular o crescimento de novas células da pele, é útil na prevenção ou desaparecimento de cicatrizes. Costuma-se empregá-lo para aliviar espasmos dos músculos lisos, convém, portanto, friccioná-lo no abdome em casos de diarréia ou dores de barriga.

Terceiro Chakra. Os órgãos digestivos, os nervos e a mente vinculam-se ao terceiro chakra. Os óleos essenciais são ótimos para acalmar os nervos, regularizar a digestão e estimular a função mental, quer usados interna, quer externamente.

O *óleo de hortelã-pimenta*, empregado em confeitaria e em diversos medicamentos, é famoso por assentar o estômago e refrescar o hálito. A garganta corresponde ao terceiro chakra. A hortelã-pimenta tem efeito benéfico no estômago, fígado e intestinos. Você pode massagear o abdome com esse óleo, misturado a porção igual de veículo, como antiespasmódico para cólica, indigestão, vômito e constipação. Para dores de cabeça, friccione algumas gotas nas têmporas.

O óleo de *camomila romana* é produzido a partir de uma flor amarela. É suavizante, calmante e antiinflamatório. Adicione algumas gotas ao óleo de massagem ou aplique-o puro à área abdominal quando houver condições inflamatórias internas como colite, gastrite e diarréia crônica. Umas poucas gotas no banho morno aliviam o stress e a tensão.

O *óleo de limão* alivia a ansiedade e a depressão, e combate a fadiga e a falta de energia. Adicione algumas gotas ao óleo de massagem morno e aplique às costas esfregando delicadamente. Use um difusor para estimular a memória e avivar a mente. Para cortar o vômito, pingue duas gotas num lenço e inale. Para suspender a diarréia, adicione algumas gotas ao óleo de massagem e friccione suavemente o baixo-ventre e a parte inferior das costas, depois leve as palmas das mãos ao nariz e inale em várias respirações profundas e lentas.

Quarto Chakra. Os seguintes óleos são muito bons para o coração e os pulmões.

O de *ylang ylang* vem de flores rosadas, lilases e amarelas de um arbusto tropical. A cor varia de quase incolor a amarelo-claro; o aroma é extremamente forte e doce. Usa-se para desacelerar a respiração (hiperpnéia) e o ritmo cardíaco (taquicardia). Também ajuda a aliviar condições como choque, cólera e pressão alta. O ylang ylang é antidepressivo, sedativo e afrodisíaco, pois reduz a ansiedade associada ao desempenho sexual. De igual modo, equilibra as energias sexuais do homem e da mulher. Usado em excesso pode provocar náuseas e/ou dores de cabeça.

O *óleo de rosa* não é destilado e sim produzido por absorção a frio das flores, o que exige grande quantidade de pétalas. Conseqüentemente, seu custo é elevado, mas só uma quantidade bem pequena é necessária. Esse óleo vermelho-escuro, castanho ou esverdeado é um antidepressivo suave, embora poderoso, e recomendado especialmente para quem passa por um episódio de sofrimento. A água de rosas tem emprego similar e, como é produzida por destilação, custa bem menos.

Quinto Chakra. Os óleos seguintes se correlacionam com o quinto chakra por causa das flores azuladas da matéria-prima, de sua cor azul ou por serem benéficos para os ouvidos (a área da cabeça associada a esse chakra).

O óleo de *camomila alemã (azul)* é produzido a partir de flores amarelas e brancas semelhantes à margarida. Suas propriedades suavizantes, calmantes e antiinflamatórias devem-se ao azuleno, o princípio ativo. Quando o óleo é várias vezes destilado, o azuleno o torna azul. Adicione algumas gotas ao veículo e aplique diretamente na área da pele afetada por vermelhidão, erupções ou inflamação. Para aliviar tensão ou stress, pingue algumas gotas na água morna do banho. Também é suavizante, calmante e antidepressivo. Basta aplicar duas gotas do óleo puro na face, friccionando até a cor azulada desaparecer. A fim de acalmar bebês, acrescente umas poucas gotas ao óleo de massagem ou dilua-as em óleo para misturar à água do banho. Para dores de ouvido, esfregue-o à volta das orelhas. Uma vez que a flor de camomila é amarela, este óleo é bom igualmente para o terceiro chakra. Cuidado para não derramá-lo nas roupas, pois provoca manchas.

O óleo de *eucalipto*, usado para refrescar o corpo, ajuda a baixar a febre. Nos dias quentes, á árvore do eucalipto parece emitir um halo azulado. O óleo de eucalipto pode ser colocado em vaporizador quente ou frio para aliviar tosse seca e persistente. No gargarejo, misture ¼ de colher de chá com

¼ de copo de água morna. A fim de aliviar dores e cãibras musculares, e reduzir inflamação ou febre, adicione algumas gotas ao óleo de massagem.

Sexto Chakra. Os óleos mencionados a seguir relacionam-se à mente, cabeça e sistema nervoso.

O óleo de *alecrim*, derivado de um arbusto perene semelhante ao pinheiro, ajuda a equilibrar o corpo e a mente. Desperta a intuição superior, aclara a mente e fortalece a memória. Além disso, alivia dores de cabeça, enxaquecas e fadiga. Friccione-o, puro, no terceiro olho e nas têmporas. Dez gotas em meio litro de água morna dão brilho aos cabelos e eliminam a caspa, quando usadas para enxaguar.

O óleo de *zimbro* é feito das bagas vermelhas maduras desse arbusto. Ajuda a superar a ansiedade, insônia e fadiga mental quando friccionado no terceiro olho. Acrescente algumas gotas ao seu xampu para combater a oleosidade dos cabelos e a caspa. Faça o mesmo ao óleo de massagem e esfregue a região dos rins para fortalecê-los e combater a retenção de líquidos.

Sétimo Chakra. Os óleos seguintes são bons também para a cabeça e os nervos, ajudando a criar uma atmosfera espiritualizada.

O óleo de *lavanda* é recomendado para todos os males da cabeça, cérebro e nervos. Muitas gotas podem ser adicionadas sem problemas à água do banho ou ao óleo de massagem e usadas em estado puro sobre a pele, como perfume. Friccione o produto puro no plexo solar, para acalmar espasmos. Passe-o no rosto ou borrife-o no quarto para debelar insônia, infecções, alergias, desmaios, dores de cabeça, enxaquecas, gripe, histeria e tensão.

O óleo de *olíbano* é feito de uma resina que tem um aroma penetrante, parecido ao da cânfora. Possui a propriedade de desacelerar e aprofundar a respiração: isso propicia a calma que, por sua vez, favorece a meditação. O olíbano é usado em massagens e banhos para combater infecções respiratórias, bronquite crônica, asma e convulsões. Recomenda-se para as pessoas que se apegam exageradamente ao passado.

Parte 6

A CURA PELOS CRISTAIS

Nenhum aspecto da arte terapêutica foi mais difamado e malcompreendido do que a cura pelos cristais. Alguns a chamam de "besteira". No entender de outros, a idéia de que cristais possuam poderes terapêuticos especiais é extravagante na melhor das hipóteses e absolutamente ridícula na pior. No entanto, essas pessoas não parecem ver contradição alguma no fato de a tecnologia moderna — inclusive relógios digitais, computadores, CDs e *lasers* — depender inteiramente dos cristais.

Nesta seção, explicarei como os cristais são usados na tecnologia moderna. Quando você compreender bem os notáveis poderes dos cristais, começará a perceber até que ponto esses mesmos cristais se relacionam a seu corpo e consciência.

Marcel Vogel (1917—1991) foi cientista pesquisador da IBM durante 27 anos. Registrou inúmeras patentes por seus inventos, inclusive a cobertura magnética para os *drives* de discos rígidos ainda em uso. Especializou-se em sistemas de cristais líquidos. Quando criança, teve uma experiência de quase-morte durante a qual lhe sobreveio uma sensação pujante de luminosidade e amor que haveria de influenciar seu trabalho em anos posteriores.

Em 1969, leu a respeito da comunicação entre homens e plantas. Embora fosse cético, tentou reproduzir esses experimentos bizarros, que pareciam sugerir uma resposta do vegetal ao pensamento. Utilizou filodendros conectados a uma ponte Wheatstone (ver Glossário) a fim de comparar uma resistência conhecida a uma desconhecida. Descobriu que, quando expelia o ar pelas narinas com um pensamento em mente, a planta respondia de um modo inequívoco. Disse ele: "Constatei então que de fato existe energia ligada ao pensamento. Este pode ser induzido a pulsar e a energia a ele conectada se torna coerente, adquirindo um poder semelhante ao do *laser*."[1] Os detalhes de seu trabalho com plantas estão descritos em *The Secret Life of Plants*, de autoria de Peter Tompkins e Christopher Bird, e *Psychic Exploration: A Challenge to Science*, organizado por Edgar Mitchell.

Em outro experimento de 1974, Vogel indagou se seria possível projetar o pensamento numa forma cristalina. Acreditava que a força mais pura, o maior agente de coesão fosse o amor. Comparou-o à gravidade, que atrai e dá consistência à matéria em todos os níveis. A fim de testar sua teoria, trouxe um cristal para o laboratório e durante uma hora projetou em sua direção amor incondicional e a imagem da Virgem Maria. Ele me contou essa história durante uma visita que fiz a San José, em 1989, e mostrou-me o cristal: tinha de fato alguma semelhança com a figura da Madona.

Em tempos mais recentes, o pesquisador japonês Masaru Emoto (ver Parte I, p. 24) revelou em seu livro *The Message from Water* como se formam padrões cristalinos em gotas congeladas de água. Os cristais de água parecem responder a emoções, palavras, músicas e óleos essenciais. Num experimento, Emoto escreveu "obrigado" numa garrafa de água e deixou-a descansar durante a noite; na manhã seguinte, viu que se tinha formado nela um nítido padrão cristalino simétrico. Escreveu "idiota" em outra garrafa e, na manhã seguinte, constatou ali um padrão espiralado, com uma explosão central de energia.

Nosso corpo é constituído por 70% de água. Se os experimentos de Emoto são mesmo acurados, essa água reflete constantemente as ocorrências ambientais. Absorvemos emoções das pessoas que convivem conosco no dia-a-dia. Captamos as freqüências de músicas, outros sons e aromas que nos rodeiam. E também assimilamos as energias de cristais colocados em contato com o nosso corpo. Pesquisadores ingleses fizeram um experimento similar ao de Emoto com um cristal de ametista, notando que o gelo revelava padrões de ametistas minúsculas.

Como humanos, gostamos de acreditar que dominamos os reinos "inferiores" — mas, em certo sentido, o oposto é que é verdadeiro. Nenhuma outra forma de vida tem um campo energético tão delicado, instável e influenciável. Toda forma de vida que interage conosco deixa em nós sua marca.

Assim, talvez esta seção não trate tanto do uso de cristais para a cura. Talvez insista mais no cristal que somos do que nos cristais que usamos. Com efeito, ela aborda o misterioso fenômeno chamado consciência e outro ainda mais intangível chamado amor, bem como a forma espantosa com que estamos conectados ao reino mineral e vegetal — em suma, ao Todo.

Usos Culturais e Espirituais dos Cristais

Os índios hopis do Arizona tinham uma compreensão profunda dos chakras e da Cura Vibracional, inclusive terapia com cristais, como ilustra a seguinte história:

> O Primeiro Povo não conhecia as doenças. Só quando o mal penetrou no mundo as pessoas começaram a se sentir incomodadas no corpo e na cabeça. Foi então que um curador, ciente da constituição do homem, pôde explicar o que havia de errado no enfermo examinando-lhe esses centros. De início, palpava-o: no alto da cabeça, acima dos olhos, na garganta, no peito, no ventre. As mãos do curador eram instrumentos de vidente; conseguiam sentir as vibrações de cada centro e informar em qual deles a vida estava forte ou fraca. Às vezes, o problema era apenas uma dor de barriga provocada por alimento mal cozido ou uma dor de cabeça. Outras, porém, o problema vinha "de fora", trazido pelos próprios pensamentos ruins da pessoa ou pelos seres de Dois Corações. Nesse caso, o curador sacava de sua bolsa de remédios um pequeno cristal de cerca de cinco centímetros de comprimento, expunha-o ao sol para energizá-lo e examinava através dele cada centro. Assim, podia ver o que tinha provocado a doença e, não raro, até o rosto do Dois Corações que a trouxera. Não havia magia alguma no cristal, assegurava o

curador. Uma pessoa comum não veria nada olhando através da pedra; esta apenas objetificava a visão do centro que regia os olhos do curador e que ele tinha desenvolvido exatamente para esse fim ...[2]

Até hoje, os havaianos mantêm uma relação sagrada com as rochas. Tive o privilégio de participar do festival anual *Molokai Ka Hula Piko*, que celebra o nascimento de hula na ilhota de Molokai, em maio de 1977, ocasião em que o *kumu hula* (mestre hula) John Kaimikaua deu uma série de palestras. John descende de uma longa linhagem de *kahunas* (sacerdotes). Contou-nos que o povo havaiano usava pedras como arquivos para armazenar seu *mana* (energia). Rochas esféricas são tidas por sagradas no Havaí, tanto quanto na Índia. John explicou que as divindades freqüentemente descansavam nelas. Também se acredita que os deuses insuflavam seu *ina* — conhecimento da cura — em certas rochas chamadas *pohaku*. Quando os *kahunas* queriam aprender a arte da cura, sentavam-se diante dessas pedras veneráveis e sintonizavam-se com sua sabedoria.[3]

Há uma tradição entre os havaianos (como também entre os nativos americanos e os aborígines da Austrália) segundo a qual é necessário pedir permissão antes de colher uma flor ou apanhar uma rocha. Minha mestra *hula*, Raylene Ha'alelea Kawaiae'a, explica que na tradição havaiana as pessoas sempre conversam com as rochas, informam-nas sobre o que pretendem fazer com elas e, em seguida, lhes perguntam se querem acompanhá-las. Quando concordam, cumpre ser consciencioso e usá-las sempre para a finalidade estabelecida de antemão. Fazemos isso quando vamos ao riacho recolher as pedras *ili ili*, chatas e finas, usadas em certos instrumentos que acompanham algumas danças hula. Duas *ili ili* em cada mão são entrechocadas como castanholas espanholas. E fazemos o mesmo quando colhemos galhos da árvore *vy-vee*, usados na dança do bastão, ou grandes folhas da planta *ti*, com a qual se tecem *leis* (coroas de flores ou folhas). Essas são tradições vivas, passadas de geração em geração ao longo de toda a história desse povo.

Os antigos havaianos edificavam seus *heiaus* (templos) sobre alicerces de lava endurecida. Antes que um templo pudesse ser iniciado, o *kahuna* tinha de pedir e receber permissão das rochas. O rei Kamehameha III (1758—1819) decidiu construir um *heiau* no lugar onde nascera. Mas, consultadas, as rochas da região não quiseram ser usadas para aquele propósito.

Os *kahunas* partiram para sondar as rochas de áreas vizinhas, que também recusaram o pedido. Por fim, desceram a estrada uns trinta quilômetros e ali obtiveram a desejada permissão. O rei Kamehameha mandou seus soldados formar uma corrente humana entre os dois lugares e eles foram passando as pedras de mão em mão.

As pirâmides e túmulos egípcios continham grande quantidade de lápis-lazúli e malaquita. O topázio simbolizava Rá, deus do Sol. Amuletos de jade foram achados em profusão nas tumbas e câmaras mortuárias egípcias, pois, ao que se acreditava, tinham o poder de guiar as almas no além.

O lápis-lazúli era freqüentemente esculpido na forma de um olho e depois ornamentado com ouro, como um amuleto de grande poder. Representava a verdade e somente sacerdotes ou reis egípcios podiam usá-lo à volta do pescoço. A malaquita era reduzida a pó impalpável e usada, também por reis e sacerdotes, para proporcionar uma visão e percepção mais claras. O heliotrópio em pó, misturado com mel e clara de ovo, curava tumores e estancava hemorragias.

Os chineses sempre atribuíram grandes poderes terapêuticos ao jade, inclusive vida longa e morte tranqüila. Os asiáticos acreditavam que a esmeralda fosse capaz de fortalecer a memória, aguçar a inteligência e dar poderes de divinação.

A ametista era conhecida como a pedra da realeza ou a Pedra do Bispo. Os bispos católicos ainda a usam no dedo anular da mão direita, como símbolo de dignidade e autoridade eclesiásticas.[4]

Em 1609, Anselmus De Boot, médico da corte de Rodolfo II da Alemanha, escreveu que os anjos podem penetrar nas pedras preciosas e com isso proteger os homens de perigos. Disse ele: "Que gemas e pedras, aplicadas ao corpo, afetam-no é tão sabido pela experiência de muitas pessoas que quem disso duvida pode ser chamado de impertinente. Temos prova do fato na cornalina, na hematita e no jaspe, que quando aplicados estancam hemorragias."[5]

Na Inglaterra, em 1913, depois que demoradas pesquisas levaram à publicação de seu livro *The Curious Lore of Precious Stones*, George Frederick Kunz concluiu: "Durante a Idade Média e mesmo nos primórdios do século XVII, as virtudes talismânicas das pedras preciosas eram tidas por fato incontestável entre grandes e pequenos, príncipes e camponeses, doutos e ignaros."[6] Observa ele que prevalecia também a crença segundo a qual "a própria substância de certas pedras se modificava pelo calor ou até pelos pensamentos do usuário. Em caso de doença ou morte iminente, o brilho delas diminuía ou suas cores ficavam mais escuras, fenômenos produzidos igualmente pelo perjúrio ou a descrença".[7]

A Ciência dos Cristais

Os antigos gregos, deparando com cristais de quartzo nos Alpes, acharam tratar-se de gelo tão endurecido que jamais se derreteria. Por isso lhe deram o nome de gelo, *krystallos*. À medida que foi aumentando o conhecimento da mineralogia e da química, a palavra passou a ser aplicada a todos os minerais com formas geométricas precisas. Graças à descoberta do microscópio, viu-se que mesmo o sal comum tem forma geométrica precisa, com faces planas em ângulos definidos umas com as outras.

Em 1660, Nicolaus Steno descobriu que todos os cristais de quartzo possuem determinados ângulos em comum. Supôs então que esses ângulos eram mantidos pelo acúmulo de novas camadas de partículas na parte externa e não por crescimento interno, conforme se observa em plantas e animais.[8] Hoje se diz que os cristais são constituídos por superfícies planas simetricamente dispostas que se intersecionam em ângulos definidos e característicos.[9]

O arranjo atômico dos cristais foi determinado em 1912 com a invenção da cristalografia por raios X, o estudo das simetrias da estrutura atômica dos cristais. Sabemos hoje que os átomos dos cristais estão dispostos em padrões fixos e regularmente repetitivos.[10] Isso é verdadeiro para a granada, o quartzo enfumaçado, a citrina, o quartzo rosa, a turmalina, o cristal de quartzo transparente, a fluorita e a ametista. Tecnicamente, todos os metais são cristais. Rochas, árvores e ossos também são cristais. Mas o vidro não é, pois sua estrutura molecular não apresenta um desenho fixo e regularmente repetitivo. A obsidiana vulcânica esfria-se rápido demais para permitir que suas moléculas formem uma estrutura cristalina natural.[11] Embora, tecnicamente, não seja um cristal, a rocha vulcânica tem grande importância na cura.

Há sete divisões na classificação dos sistemas de cristais baseada na complexidade de suas estruturas. São elas: triclínica, monoclínica, ortorrômbica, tetragonal, hexagonal, cúbica e trigonal.

Uma vez que são muito estáveis, os cristais apresentam o grau mais baixo possível de entropia (o estado de homogeneidade máxima da matéria à temperatura uniforme). A estrutura cristalina é extremamente sensível ao calor, luz, pressão, som, eletricidade e outras formas de energia eletromagnética.

Quando se aplica pressão mecânica a cristais de quartzo, eles respondem emitindo uma fagulha cuja voltagem elétrica pode ser medida. A isso se chama efeito piezoelétrico. As oscilações dessa carga são tão regulares e precisas que se costuma usá-las para medir frações de tempo, motivo pelo qual constituem componentes primários de inúmeros cronômetros.

Os cientistas fabricam certos cristais com dióxido de silício para uma ampla variedade de aplicações. Adicionando-lhe outros elementos durante a fase de preparo, é possível produzir cristais altamente sensíveis à condutividade elétrica, condutividade térmica e atividade óptica. A isso se dá o nome de *doppling* (de "efeito Doppler").

Cada fatia ou placa de quartzo possui sua própria freqüência de ressonância natural, dependendo do tamanho e espessura. Quando se faz passar uma corrente alternada pela placa, a carga oscila num determinado número de ciclos por segundo, conforme a freqüência de ressonância do cristal. Se a carga for suficientemente forte, produzirá movimento mecânico. Essa é a base das bolachas de silício ou *chips* que são componentes primários de equipamentos eletrônicos e tecnologias solares.[12]

O armazenamento é um dos numerosos usos científicos dos cristais. Os Oak Ridge National Laboratories, no Tennessee, vêm gravando milhares de imagens tridimensionais em cristais separados. O simples ato de girar levemente o cristal cria novas possibilidades de armazenamento. Os Phillips Research Labs. de Hamburgo, Alemanha, gravaram um filme de demonstração holográfica num cristal de niobato de lítio. O potencial de arquivamento é incalculável.[13]

No campo das comunicações, um minúsculo cristal de arseneto de gálio foi usado para enviar dados via diodos emissores de luz. Telas de cristal líquido são vistas por toda parte em *laptops*, relógios, aparelhos portáteis para tirar pressão e televisores coloridos miniaturizados.[14] O cristal líquido não é nem sólido nem líquido porque suas moléculas tendem a manter sua orientação, como as de um sólido, mas também se movem para assumir diferentes posições, como as de um líquido. O modo previsível como o cristal líquido reage à passagem da corrente elétrica torna possível controlar a passagem da luz, o que é ideal para as telas acima mencionadas.

De um modo geral, os raios X atravessam objetos com um mínimo de dispersão ou absorção. Os cristais, porém, dispersam os raios, engendrando padrões simétricos de manchas brilhantes e refletindo os raios em ângulos específicos. Quando analisados, esses ângulos revelam a disposição dos planos e as distâncias entre eles, o que permite ao técnico observar a estrutura de substâncias biológicas, inclusive o DNA (de que são feitos os genes) e a mioglobina (um veículo de oxigênio no corpo humano).[16]

Quando se consideram todos esses empregos dos cristais, já não parece absurdo imaginar que eles possam também responder às ondas de pensamento da consciência.

O cientista Marcel Vogel declarou que o cristal é um objeto neutro com uma estrutura interna em perfeito equilíbrio. "Quando lapidado na forma correta e quando a mente humana estabelece relação com sua perfeição estrutural, o cristal emite vibrações que estendem e ampliam os poderes dessa mente". Segundo Vogel, o cristal funciona como um *laser*, irradiando energia em forma coerente e concentrada capaz de afetar pessoas ou objetos.[17]

O dr. William A. Tiller, cristalógrafo do Departamento de Ciências e Engenharia de Materiais na Universidade de Stanford, discorre assim a respeito dos padrões geométricos de freqüência:

> Vivemos num oceano de freqüências como os peixes vivem na água. Os peixes ignoram as muitas possibilidades do meio em que se movem. Assim também o Homem, por muito tempo, não se deu conta das possibilidades do imenso oceano de freqüências em que vivia. As inúmeras freqüências energéticas deslocam-se em padrões geométricos. Quando estes se alteram, alteram-se também suas manifestações. Os cristais são substâncias que alteram os padrões geométricos de freqüências. Devemos entender que esses padrões são mais ou menos estáveis, mas que os cristais, em conseqüência da força de sua estrutura geométrica, podem modificar ou refundir o padrão de freqüência. Desse modo, a energia se liberta e se submete aos objetivos do Homem. ... As formas cristalinas

são os padrões que explicam como as energias integram o universo e a chave para liberá-las de maneira construtiva.[18]

Experiência da Autora com Pedras

Tomei contato com os cristais, pela primeira vez, em 1984. Estava-se ainda na era pré-computador, quando a máquina de escrever elétrica ia substituindo rapidamente a mecânica. Eu achava cansativo ficar sentada diante de uma máquina elétrica por horas a fio. Quando falei disso a uma amiga, ela perguntou: "Já tentou usar uma ametista?"

A única coisa que eu sabia sobre ametistas era que se tratava de pedras avermelhadas associadas ao signo de Aquário, o meu. Não encontrei nenhuma conexão entre ametistas e máquinas de escrever. Ela, porém, me mostrou um livro onde se lia que as ametistas são boas para proteção. Eu não podia imaginar que elas iriam me ajudar com a máquina, mas minha amiga me levou a uma loja local especializada em gemas e mostrou-me um pingente de ametista do qual gostei muito. Não era caro e eu desejava fazer a experiência.

Na época, trabalhava como herbalista, já tendo escrito três livros sobre remédios à base de vegetais. Muitas pessoas, no início dos anos 80, mostravam-se profundamente céticas quanto ao poder curativo das plantas e eu não queria assumir essa atitude perante as pedras. Talvez fosse desejo racionalizado, mas a verdade é que a ametista parecia estar ajudando.

Conservei o pingente na bolsa e pouco depois fui para minha primeira reunião psíquica. Ao entrar no imenso edifício, senti-me assaltada por uma energia boa e uma energia ruim. Estava a ponto de dar meia-volta quando pensei que, talvez, a ametista pudesse me proteger. Peguei o pequeno pingente e coloquei-o no pescoço. Súbito, percebi que a energia negativa estava sendo como que bloqueada. Hoje, tenho um colar com um grande cristal de ametista que uso em situações nas quais penso precisar de proteção. O cristal se mostra sempre eficaz ao extremo.

A palavra ametista significa "sem embriaguez". Essa pedra púrpura, ao que se diz, combate os efeitos negativos do álcool. Há a história de um rei que tinha uma taça esculpida em ametista, que usava para beber com seus políticos, secretamente. Parei de ingerir bebidas alcoólicas porque elas me deixavam sonolenta. Por isso, comprei uma pequena ametista que coloco no copo para poder bebericar meu vinho sem ficar muito tonta.

No início da década de 90, mudei-me para as Kootenay Mountains, no interior da Colúmbia Britânica. Uma amiga levou-me até um regato em meio a uma floresta virgem de árvores gigantescas, onde mal se viam as passagens. Estávamos completamente sós. Ambas nos sentamos para meditar ao lado de uma grande pedra, de cada lado do riacho. Contei-lhe que desejava penetrar na consciência da rocha. Ela concordou e ali ficamos em silêncio por um longo tempo.

Mergulhando num estado de meditação profunda, senti que meu metabolismo se desacelerava. As batidas do meu coração se tornaram lentas, minha respiração caiu para um ritmo controlado e tive uma sensação intensa de expansão, particularmente na cabeça. Todo o meu ser esmorecia, esmorecia, esmorecia... até que minha consciência se diluiu na das árvores antigas. Elas pareciam falar-me telepaticamente. "Vocês, seres humanos, se julgam muito especiais só por poderem andar por aí! Já vimos gerações e gerações de homens aparecer e desaparecer, aparecer e desaparecer. Vocês são tão insignificantes e vivem tão pouco!"

Notei então que meu metabolismo se desacelerava ainda mais. A consciência vegetal desapareceu pouco a pouco e meu coração mal pulsava enquanto minha percepção ia descendo... descendo... descendo até que me tornei uma só coisa com a rocha sob meus pés. Senti-me tão antiga! Era como se abrangesse tudo à minha volta. As rochas pareciam encerrar a essência da ubiqüidade. No entanto, sentindo-me embora rocha, não me sentia sólida e sim vaporosa. E calma. Muito, muito calma. Silenciosa. E concentrada.

Podia perceber minha íntima conexão com outras rochas ao longo do rio, muitas das quais haviam se afastado de mim. Podia perceber nossa conexão e separação. A unidade com as outras rochas existia para além do espaço e do tempo, em outra dimensão. A pedra contou-me que, quando uma lasca se separa da rocha-mãe, nem por isso deixa de manter-se em comunicação com ela. Eu soube então que é bom recolher fragmentos da mesma origem, pois assim, quando um membro da comunidade se vai, podemos dar-lhe um "pedaço da rocha" para ajudar a preservar nossa conexão uns com os outros.

Alguns meses depois, estava eu dirigindo pelas Kootenay Mountains em frente a um paredão que sempre me pareceu formidável. Um grande pedaço de rocha se desprendeu da encosta e caiu na estrada, desfazendo-se em inúmeros pedaços. Parei o carro e saí para apanhar alguns desses preciosos fragmentos. Fui bem recompensada pelo esforço porque eles estavam repletos de granada vermelha. Desde esse dia toda a minha família e amigos guardam consigo um pedaço daquela rocha.

Lembrei-me desse conceito quando li sobre um fenômeno de física quântica: em certos casos, se você excitar uma de duas partículas subatômicas, ela afetará a outra, quer esta esteja a um metro ou a dez bilhões de quilômetros de distância. Os físicos, porém, não sabem como os sinais vão e vêm porque estes devem viajar mais depressa que um feixe luminoso — e, segundo Einstein, nada pode superar a velocidade da luz![19]

Acredito que a consciência da rocha exista fora do tempo e do espaço, talvez numa realidade paralela. Minha mãe e eu às vezes entrávamos em instantânea comunicação telepática, que considero muito parecida à consciência da rocha. Penso que, quando saio do corpo (durante regressões a vidas passadas, por exemplo), saio também do espaço-tempo seqüencial e entro novamente nele num ponto diferente.

A experiência de escapar ao tempo foi bem documentada em 1892, quando Albert von St. Gallen Heim publicou uma coletânea de relatos de alpinistas que haviam sofrido quedas nos Alpes e outros com experiências similares. Seu livro, *Remarks on Fatal Falls*, foi traduzido para o inglês em 1972.[20]

Durante as quedas, que lhes punham em risco a vida, todos os alpinistas vivenciaram um significativo aumento da atividade e lucidez mental, ao considerarem a situação e seu possível desfecho. O tempo se ampliou e eles passaram a agir à velocidade do raio, com uma visão muito mais acurada da realidade. Cada qual relatou ter passado toda a sua vida em revista, processo que normalmente levaria horas, mas aconteceu em questão de segundos.[21]

Dirigi-me à região nordeste da Califórnia a fim de visitar meu amigo, Swami Tayumanavar. Quando ele era criança, a melhor amiga de sua avó era uma curadora nativa, por isso ele conhecia bem o folclore indígena. Estávamos cruzando o deserto quando ele apontou para uma colina e casualmente informou que, segundo os índios, ela encerrava a essência da consciência da rocha.

"Então vamos parar aqui!", exclamei e meu companheiro de bom grado saltou do carro. Aproximamo-nos de dois rochedos que haviam deslizado da colina. "Sentemo-nos neles", sugeri. "Se tiverem mesmo a consciência do cristal, talvez me ajudem a entender por que os cristais são tão poderosos."

Assim, cada qual se sentou num rochedo, aos pés da colina, bem no meio do deserto — e outra vez percebi meu metabolismo se desacelerar à medida que minha consciência se mesclava à da pedra. Quando me senti conectada, fiz a pergunta. Para meu espanto, recebi uma resposta coerente: "Depois do Grande Dilúvio, como você deve se lembrar, Jeová ficou tão amargurado com o acontecido que jurou nunca mais fazer aquilo de novo. Selou então um pacto com o povo eleito e pôs seu arco no céu a fim de sempre se recordar da promessa. Assim, o arco-íris é a manifestação das emoções de Deus. Trazido para a Terra, o arco-íris produz os minerais multicoloridos. De sorte que as gemas curativas são lascas das emoções divinas."

Eu estava perplexa. Agora compreendia por que minha primeira cliente, arrasada pela perda do namorado, mas sem conseguir chorar, rompera em prantos quando coloquei um pedaço de quartzo rosa sobre seu coração. O quartzo rosa, ao que se sabe, contém a essência do amor incondicional. Pode-se dizer que ele encerra a substância do aspecto feminino da energia afetiva de Deus.

Como somos abençoados pela presença dessas jóias em nossa vida! Nas palavras de Swami Tayumanavar: "Os ensinamentos esotéricos dos sacerdotes do Oriente sustentam que os cristais existem nas esferas espirituais tanto quanto no mundo físico, de modo a serem usados pelas inteligências angélicas a fim de transmitir vibrações de um plano de existência a outro."

O Uso das Pedras

Toda pedra curativa tem sua própria energia, como acontece a cada um de nós. Cada categoria de pedras também possui uma energia específica, assim como cada família apresenta suas características distintivas. Pense em seu tio. Como se sente com respeito a ele? Como o descreveria? Os outros parentes o vêem exatamente como você? E sua mãe? E os amigos? O modo como você vê seu tio é um reflexo do modo como sua energia e personalidade interagem com as dele. Sua irmã talvez o veja de modo totalmente diverso. Você talvez o ache engraçado; ela, um chato de marca maior.

O mesmo acontece com as pedras. Posso considerar a obsidiana e a rocha negra vulcânica como indutoras de estabilidade; você, de exaltação. Nossas opiniões nunca estão erradas. Essas pedras causam exaltação a seu ver: é a sua verdade. Use-as, pois, dessa maneira. Não permita que ninguém dê palpites. Seria vergonhoso, por exemplo, se você parasse de rir das piadas do seu tio só porque sua irmã não gosta delas.

Você descobrirá informações contraditórias em diferentes livros sobre as qualidades dos cristais. Mas há neles, também, muitos pontos comuns — assim como há certo consenso, numa comunidade, sobre se uma mulher é boa e generosa ou má e egoísta.

Por essa razão, reluto sempre em atribuir qualidades fixas às pedras. Entretanto, quando você está aprendendo a usá-las, a menos que seja extremamente intuitivo e confiante em sua intuição, pode ser difícil sintonizar-se com elas. Assim, convém começar levando em conta minhas indicações. O ideal seria reservar algum tempo para obter suas próprias leituras. De fato, se você tem dois pedaços de obsidiana, eles talvez partilhem algumas qualidades, mas cada qual apresentará características próprias (sobretudo se são de tamanhos e formas diferentes ou não foram extraídos do mesmo local).

Tenha em mente, quando trabalhar com um cliente ou amigo, que ele talvez não sinta a energia de determinada pedra do mesmo modo que você. Por isso, é sempre bom fazer uma pausa de um minuto após colocar a pedra em seu corpo e perguntar: "Como se sente?" Diga-lhe que pode movimentar a pedra do modo como quiser. Assegure-lhe que talvez ele não sinta nada, mas a pedra está fazendo seu trabalho. Se ele reclamar que ela é muito pesada (note que pedras grandes às vezes parecem leves e pedras pequenas às vezes parecem pesadas) ou incômoda, prontifique-se a substituí-la.

Como Ler uma Pedra

Trate um cristal novo como se fosse um bebê. Quando vejo um recém-nascido pela primeira vez, prontamente fixo seus olhos. Depois passo para os cabelos, orelhas, dedos das mãos e dos pés. Gosto de olhar para um cristal com o mesmo encantamento, curiosidade e respeito.

Ao examinar uma pedra, procure descobrir sua marca. Em herbalismo, a marca de uma planta é o fenômeno pelo qual seu tamanho, forma, textura e comportamento fornecem pistas sobre suas propriedades terapêuticas. Por exemplo, o confrei e o verbasco têm folhas grandes e lobuladas que lembram os pulmões — e, de fato, são boas para esse órgão. O *aloe vera* se recompõe rapidamente quando fazemos incisões em suas folhas; do mesmo modo, ele acelera o desaparecimento de abrasões da pele.

A malaquita, uma pedra verde brilhante, apresenta padrões semelhantes a bolhas e sua energia parece "borbulhar" alegremente na superfície. Ela é de fato uma pedra jovial que ajuda a trazer as emoções à tona.

Feche os olhos e passeie a pedra pelas áreas de todos os sete grandes chakras. Peça que ela faça uma leitura geral de cada um e não a leitura específica de sua relação pessoal com a pedra (mais tarde poderá conseguir isso de maneira similar, mas mudando de objetivo). Perceba como a energia do chakra interage (ou não) com a pedra. Você poderá ou não conseguir sentir isso. Poderá, digamos, sentir uma coisa e ouvir sua mente dizer: "Ah, não, é apenas minha imaginação." Ignore a ressalva. Preste atenção apenas ao que sente, por mais sutil que seja. Todavia, se não sentir nada, não se preocupe. Todos temos dons diferentes e esse talvez não seja o seu. Apenas relaxe e leve numa boa.

Quando coloco a malaquita sobre meu primeiro e segundo chakras, não sinto nada de especial. Já sobre o terceiro, percebo claramente um movimento e uma expansão. O terceiro chakra se relaciona às emoções e ao poder pessoal, por isso pergunto ao meu corpo energético se a pedra está afetando as emoções, o poder pessoal ou ambos. A malaquita parece afetar as emoções.

Percorridos os sete chakras, aproxime a pedra do terceiro olho, no qual reside sua intuição superior. Mantenha-a uns cinco centímetros acima da testa. Em seguida, pergunte à pedra: "Qual é o seu poder terapêutico?" Respire fundo e aguarde a resposta.

Terminologia das Pedras

As pedras usadas para a cura podem chamar-se cristais, rochas, pedras ou gemas. Tecnicamente, diversas rochas, árvores, metais e ossos são cristais

— com exceção da obsidiana, pois um cristal é a forma solidificada de uma substância que apresenta disposição regular e repetitiva de átomos, engendrando facetas externas planas naturais.

Os cristais de quartzo são compostos de dióxido de silício e se formam naturalmente com pontos que têm seis facetas planas externas conducentes a uma única terminação. Incluem o quartzo transparente, que a luz pode atravessar; o quartzo opaco, através do qual não se consegue ver; a ametista, violeta porque o manganês nela contido lhe empresta essa cor; e o quartzo rosa é rosa, o quartzo enfumaçado é marrom e a citrina é amarela. As cores do quartzo se devem à mistura de elementos.

As gemas são minerais ou cristais que podem ser cortados e polidos devido à sua dureza e beleza.

A técnica de cortar, limar e polir pedras é conhecida como lapidação. O cientista que estuda as estruturas atômicas do cristal trabalha na especialidade da cristalografia. O colecionador de rochas é conhecido como cristalófilo.

Você pode admirar ou comprar pedras em estado natural ou lapidadas numa grande variedade de formas e tamanhos. Podem ser apenas desbastadas ou cortadas em formas delicadas, para obter jóias de alta qualidade. A forma mais comum é o cabochão ovalado. As pedras translúcidas (gemas) podem ser talhadas em facetas geométricas (com superfícies planas) que lhes permitem absorver a luz mais facilmente.

As gemas de alta qualidade são ótimas para confeccionar tinturas e energizar água, álcool ou óleo, pois não têm partículas soltas que passem para o líquido. Na cura, pedras levemente desbastadas são ideais para controlar situações difíceis. Gemas de qualidade e pedras translúcidas ajudam a trazer luz para essas situações. Por outro lado, pedras ásperas penetram fundo e fazem com que os sentimentos calados venham à superfície.

Há pedras trabalhadas com grande habilidade por artistas que, como os mestres escultores, sabem explorar suas qualidades potenciais. Muitos desses artistas se comunicam com as pedras e percebem exatamente de que modo elas desejam ser cortadas.

Se uma pedra lapidada o atrair e você notar que sua energia é positiva, compre-a. Mas convém lavá-la cuidadosamente, pois terá preservado a energia da pessoa que a trabalhou. De igual modo, cristais decorados com fios de seda, plumas, combinações de metal e desenhos variados devem ser sempre purificados antes do uso, pois esses enfeites também conservam a energia do artesão. Por outro lado, se você sentir que o artesão tem energia positiva, talvez seja melhor não lavar a pedra.

A melhor indicação para comprar pedras é o sentimento bom que você experimentar em relação a elas. Siga a sua intuição e adquira a primeira que o atrair.

Kits de Pedras

Antes de trabalhar com pedras, você precisará de pelo menos uma para cada chakra, mas de preferência várias. Pedras muito pequenas não contêm energia suficiente, portanto prefira as maiores que consiga manusear. Se não tiver muito dinheiro na ocasião, comece com as de tamanho médio, baratas e ligeiramente polidas. Verá que mesmo essas são eficazes, sobretudo se usadas diretamente na pele (quando as pedras são grandes, isso não é necessário). Mais tarde, quando ficar mais familiarizado com as pedras, poderá comprar as de tamanho maior. Vá a uma loja especializada e escolha as que mais o atraírem, pois o processo de seleção, uma por uma, dará início a um relacionamento duradouro. Trabalhando com as pedras, você talvez note que consegue se lembrar exatamente de onde estava quando elas entraram em sua vida. Não é provável que outra pessoa consiga escolher as pedras curativas que terão significado para você, a menos que seja muito conhecida e o ame, ou então alguém psiquicamente sensível. Se não houver uma loja especializada em sua área, existem *kits* de pedras que podem ser adquiridos (ver Recursos).

O *kit* do Principiante

Eis o suprimento mínimo que recomendo aos principiantes:

1 cristal de quartzo enfumaçado pontiagudo
2 granadas
2 obsidianas negras
1 olho-de-tigre
1 cornalina
1 citrina

1 turquesa
1 quartzo rosa
1 jade (da Colúmbia Britânica)
1 azurita ou azurita-malaquita
1 ametista
1 cristal de quarzto pontiagudo (translúcido ou opaco)

Kit de Cristais do Agente de Cura

Se você já operou algumas curas, ficou satisfeito e pretende investir em cristais terapêuticos, precisará das seguintes pedras:

1 cilindro fino de cristal (com pelo menos 8 cm de comprimento por 3 cm de diâmetro)
1 pedaço grande e pontiagudo de cristal de quartzo transparente
4 pedaços médios e pontiagudos de cristais de quartzo transparente (com pelo menos 5 cm de comprimento por 3 cm de diâmetro)
1 cristal de quartzo transparente de duas pontas
2 cristais de quartzo transparente bem finos
2 cristais de quartzo opaco pontiagudos
2 granadas
2 ou 3 obsidianas (pelo menos uma do tamanho de um punho)
2 olhos-de-tigre
2 cornalinas
2 citrinas
1 ou 2 turquesas
1 ou 2 malaquitas
2 ou 3 quartzos rosa (pelo menos um do tamanho de um punho)
1 turmalina
2 jades (da Colúmbia Britânica)
1 aventurina
1 lápis-lazúli
1 azurita ou azurita-malaquita
2 sodalitas
2 ametistas

Duas pedras de cada tipo são recomendadas, pois, quando você faz um desenho, usa freqüentemente uma de cada lado de uma pedra central. Por exemplo, se a pessoa precisa de mais energia no coração, convém colocar um grande quartzo rosa no centro do peito, ladeado por jades, duas aventurinas abaixo destes e dois cristais finos entre o jade e a aventurina, com as pontas voltadas para o centro do peito.

As pedras grandes de qualquer grupo são geralmente mais eficazes que as pequenas. Isso acontece com o quartzo rosa, por exemplo, mas algumas pedras de pequeno porte são às vezes muito poderosas. As cores profundas dão maior intensidade à pedra, bem como o desenho vigoroso. (Em alguns casos, como no da ametista, cores pálidas também têm grande valor.) Por exemplo, o olho-de-tigre está presente no padrão da malaquita e uma pedrinha com esse desenho bem-definido pode ser mais poderosa que uma grande, mas com desenho vago. Você obterá melhores resultados com pedras de alta qualidade, grandes, com desenhos bastante característicos e boa energia.

Como Lavar as Pedras

Quando você usa pedras para curar ou afastar forças negativas, é necessário lavá-las. Existem vários métodos para isso, alguns um pouco complicados; mas prefiro um bastante simples, que consiste em pô-las sob água corrente. Uma vez que energias acompanham a água, a energia indesejável escapará pelo ralo. Também é boa idéia manter as mãos e pulsos sob o jato de água.

Cristais de quartzo transparentes absorvem muita energia, por isso é muito importante lavá-los sempre. Segure o cristal com a ponta para baixo, na direção do ralo. Toda pedra deve ser lavada de cinco a quinze minutos, ou até mais, dependendo da intensidade do trabalho que executou. Se você for sensível à sua energia, saberá se já estão perfeitamente limpas. Caso a água esteja fria demais para suas mãos, coloque as pedras na pia, sob o jato. Se não for sensível à energia, espere uns quinze segundos; se o trabalho foi muito intenso, deixe a pedra descansar por um minuto.

Quando você recebe um novo cristal ou se o seu cristal executou um trabalho muito difícil, é boa idéia cobri-lo com areia ou terra, ou deixá-lo mergulhado em água salgada de um a três dias. Essa água é preparada dissolvendo-se uma colher de sopa de sal comum (ou havaiano, ou de Kosher) em 300 ml de água morna. Mas você poderá também usar água do mar. Se não tiver quintal, arranje um recipiente com areia ou terra, que poderá usar várias vezes, devendo porém substituir de tempos em tempos. Se usar o material para limpar a obsidiana usada em purificação intensiva do fígado, a areia ou terra terá de ser mudada depois de uns poucos tratamentos. Se for usá-lo apenas umas duas vezes por mês para determinadas pedras, não haverá inconveniente em conservar a areia ou terra por até seis meses. A água do mar deve ser substituída a cada duas semanas. Disponha as pedras de modo a conservar entre elas um espaço de pelo menos 3 cm.

Outro método é expor as pedras à fumaça de sálvia, cedro ou glicéria. Essas ervas vêm sendo usadas há séculos por povos indígenas a fim de eliminar energias negativas. Esse método é especialmente indicado para pedras decoradas com plumas ou metal, ou grandes ou frágeis demais para manter sob a água.

Pedras como Jóias

As pedras costumam ser usadas simplesmente por suas cores radiantes de grande beleza ou para fins terapêuticos. Embora qualquer uma possa ser exibida em qualquer parte do corpo, as relacionadas aos chakras inferiores (primeiro, segundo e terceiro) ficam melhor em braceletes, anéis, fivelas de cinto, anéis de dedos dos pés ou tornozeleiras; as relacionadas ao quarto e quinto chakras devem ser usadas como pingentes sobre o coração ou a garganta; e as relacionadas ao sexto e sétimo chakras, como anéis, tiaras e *piercings* de nariz. Se você não se sentir bem usando pedras, tire-as.

Uma história ilustrará a importância de escolher jóias com prudência. Kathleen veio fazer comigo um alinhamento vibracional (que inclui o uso de cristais) por causa de umas lágrimas inexplicáveis que se formavam em seu olho direito. Quando nos encontramos, ela usava um colar e brincos de diamantes. Como sempre, pedi-lhe que removesse as jóias antes da sessão.

Enquanto trabalhávamos, ficou claro que seu lado direito (o masculino) estava extremamente debilitado, embora ela tivesse uma carreira muito bem-sucedida. Notei que o lado esquerdo do seu rosto parecia belo, forte e descontraído, ao passo que o esquerdo dava mostras de inquietação, opressão e medo. Quando auscultei o fluxo de energia em seus quadris e descrevi o que sentia naqueles pontos, Kathleen revelou-me que nos primeiros anos de vida havia recebido cuidados, sobretudo, do pai, pois a mãe parecia emocionalmente distante e sempre preocupada.

Quando Kathleen fez dez anos, começou a menstruar e seus seios se desenvolveram. O pai logo se afastou, o que não é incomum. Muitos homens entram em pânico ao perceber que sentem atração sexual por suas filhas adolescentes. Isso é trágico, principalmente nos primeiros anos da adolescência, quando a auto-imagem da garota é muito influenciada pelo modo como o pai reage à transformação. E quando ele reage como o de Kathleen, a filha pode sentir-se envergonhada da própria sexualidade, corpo e feminilidade.

Kathleen voltou-se então para a mãe em busca de apoio. A mãe via os homens com maus olhos e Kathleen estava pronta para assumir a postura dela. Decidiu então nunca confiar nos homens. E, por fim, rejeitou seu próprio lado masculino.

A energia do lado esquerdo de Kathleen (o feminino) era consistentemente forte e confiante, enquanto a do lado masculino era dispersa e débil. Sem dúvida, o lado esquerdo estava no comando. A partir dele é que Kathleen tomava decisões e implementava-as. Sua intuição (feminina) era vigorosa; mas seus poderes de raciocínio (masculinos) deixavam muito a desejar.

Orientei Kathleen para fazer contato com seu arquétipo masculino (ver Glossário). (Essa é uma técnica fora do escopo do presente livro.) Ele era frio e distante. Por fim Kathleen induziu-o a assumir seus sentimentos e descobriu que havia ali muita raiva e mágoa. Ficou patente que as lágrimas em seu olho direito resultavam diretamente da supressão das emoções, em particular a dor de ter sido desamparada pelo pai.

Quando a pessoa não consegue expressar sua raiva, em geral reage com crises de choro freqüente. Do mesmo modo, quando não se sente livre para expressar tristeza, pode reagir com raiva excessiva. Encorajei Kathleen a pôr para fora as emoções que jamais se atrevera a admitir. Então ela começou a descrever seu eu masculino emergindo da caverna, batendo no peito e saltando como "um índio feroz".

Kathleen percebeu logo que os diamantes — presente dado a si mesma — eram um modo de reforçar sua imagem feminina. Quando sugeri que talvez ela não devesse recolocá-los até seu lado masculino ficar mais forte, a resposta foi: "Eu concordo. Sinto-me bem melhor — mais leve!"

Conversei com Kathleen algum tempo depois do tratamento. Seu olho havia parado de segregar lágrimas. Conforme eu sugeri, ela agora usava cornalinas (que têm muita energia masculina) e reservava os diamantes para ocasiões especiais.

Numa palestra que proferi sobre cristais na Unity Church de Santa Cruz, expliquei que a granada é extremamente estimulante e pode provocar reações nervosas, sobretudo quando usada sobre o plexo solar. Após a apresentação, uma mulher aproximou-se e apontou para o colar que usava. Era feito de contas de granada e citrina. Disse que o tinha ganhado da filha há três meses e não se separou dele desde então. Durante a palestra, ocorrera-lhe uma idéia: aquela talvez fosse a causa da tensão que vinha experimentando desde que recebeu o colar de presente. Respondi que era muito provável. A mulher tirou o colar e logo se sentiu melhor.

Desenhos com Cristais

Embora as pedras possam ser colocadas sobre a roupa, mostram-se mais eficazes quando em contato direto com a pele, especialmente se são pequenas. Podem ser colocadas em qualquer parte do corpo ou em volta dele, mas em geral são pousadas sobre os chakras. As pedras devem ficar no local por pelo menos dez minutos. Caso o cliente esteja sentindo as energias das pedras, você não deverá removê-las enquanto essa sensação subsistir.

Muitas pessoas relatam sensações semelhantes às que ocorrem durante o tratamento por acupuntura (sem a dor que às vezes o acompanha): a energia pode percorrer o corpo todo, não se restringindo necessariamente à área onde está a pedra. Esta pode parecer grande quando de fato é pequena (ou o contrário). É mais ou menos comum a sensação de aconchego e proteção, emanada dos cristais. A pedra às vezes vibra. Ocasionalmente, pontadas de dor rápida parecem brotar da pedra e atingir certas partes do corpo. Não raro, o profissional nota que a pedra ficou bastante quente depois de manuseada por ele ou pelo cliente, ou colocada no corpo deste.

Tente achar alguém interessado em experimentar com as pedras. Se você for ministrar o tratamento, comece sentando-se em silêncio ao lado dele, deixando que as energias de ambos se sintonizem uma com a outra, com a dos cristais e com o Espírito. Idealmente, segure um cristal de quartzo transparente com a ponta voltada para a pessoa.

Se você precisar de proteção, use uma ametista. Isso se faz necessário quando a pessoa é nova na profissão, sente-se vulnerável ou percebe que os problemas do cliente são graves demais e provavelmente despertarão nela fortes emoções.

Agora você está pronto para elaborar um desenho. Tente o Desenho de Equilíbrio dos Chakras. Se notar bloqueios, recorra à Energização dos Chakras ou à Purificação dos Chakras.

Avance sem receio para o próximo chakra enquanto as pedras estiverem fazendo seu trabalho. Em certos casos você não poderá limpar o terceiro chakra, por exemplo, antes de trabalhar no quinto. Fique junto da pessoa até perceber que as obstruções foram removidas.

Não se surpreenda se a pessoa que está tratando começar a chorar ou parecer demasiadamente emotiva. Se você não estiver preparado para esse tipo de reação, não se arrisque a esses desenhos. As pedras são muito poderosas.

Você elabora desenhos a fim de descobrir obstruções de energia. Talvez ache que precisa de uma sensibilidade extraordinária para isso, mas constatei que quase todas as pessoas sentem quando sua mão encontra um obstáculo energético. Se isso ocorrer, faça um desenho junto ao chakra mais perto da obstrução. Procure sintonizar-se intuitivamente com a pessoa e determinar suas necessidades, procedendo conforme explicado abaixo.

Energização com Cristais. Você poderá usar este exercício a fim de eliminar a tensão e a negatividade do seu próprio corpo para depois recarregá-lo com energia positiva. Leva apenas dez minutos e é bem melhor que um cochilo ou uma xícara de café.

Este desenho requer quatro cristais de quartzo transparentes e pontiagudos. Pode-se substituí-los por ametistas e cristais enfumaçados, ou então combiná-los. Convém usar a ametista na cabeça e o cristal enfumaçado nos pés. Esses cristais devem ter pelo menos 4 cm de comprimento, mas não precisam ostentar nada de especial nem ser particularmente bonitos. Com efeito, se fosse elaborar o desenho numa cama, as pedras podem escorregar e partir-se, por isso não use nesse caso seus cristais favoritos.

Cada cristal deve apontar para fora, para longe do centro do corpo, e ser colocados a uma distância de 5 a 15 cm da pele. Estenda-se numa superfície plana e posicione os cristais nas seguintes áreas:

Acima do centro do alto da cabeça
Entre e sob os pés.
À direita do punho direito
À esquerda do punho esquerdo

Fique nessa posição por cerca de dez minutos. Assegure-se de que ninguém esteja na "linha de fogo" da ponta dos cristais. Estes irão remover a energia negativa do corpo e enviá-la para longe em linha reta, como se a disparassem pelas pontas. Quem por acaso estiver sentado ou de pé a uma distância de 30 m dessa linha poderá receber a energia negativa eliminada.

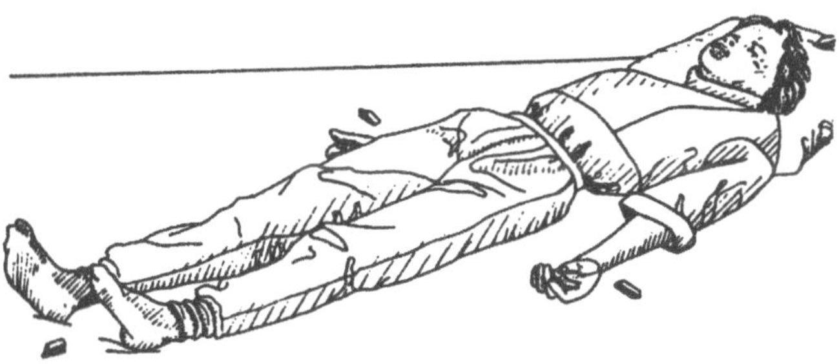

Não se preocupe se adormecer. Após dez minutos, ao despertar ou quando as sensações desaparecerem, vire cada cristal no sentido oposto, apontando-os para o centro de seu corpo. Agora eles irão carregá-lo com energia positiva. Depois de alguns minutos, coloque uma ou duas pedras sobre cada chakra. Comece com uma pedra por vez, observando durante alguns instantes a energia da pedra e quaisquer mudanças que possam ocorrer em seu fluxo. Caso se sinta apreensivo, remova as pedras. Se não sentir nada, não se incomode. É boa idéia escolher as pedras extras antes de deitar-se, para tê-las à mão no momento certo. Após dez minutos, ou quando as sensações desaparecerem, remova os cristais.

Desenho de Equilíbrio dos Chakras. Selecione duas pedras para o primeiro chakra, a serem colocadas nas virilhas, e uma pedra para cada chakra restante. Peça ao parceiro para deitar-se de costas e pouse as pedras nos devidos lugares. A do chakra da coroa deverá ficar pousada na superfície sobre a qual ele estiver deitado, encostada ao alto da cabeça.

Pegue um cristal de quartzo transparente e afilado, segure-o com a mão dominante e aponte-o para o parceiro, enquanto se senta em silêncio e sincroniza suas energias. Quando estiver pronto, levante o cristal uns poucos centímetros acima do corpo do parceiro e, sempre apontando para ele, comece pelo primeiro chakra. Movimente o cristal lentamente, 5 ou 8 cm acima do centro do corpo, do primeiro chakra ao da coroa, sempre procurando sentir a energia. Em geral, sua mão se moverá com inteira liberdade, mas em algum ponto você talvez perceba que ela se torna mais lenta ou simplesmente não dá mostras de querer ir adiante. Você pode sentir calor ou frio, energia em ebulição ou esmorecimento quase completo.

O chakra do qual estiver perto quando isso acontecer será o que precisa de ajuda. Se estiver entre dois chakras, trabalhe com ambos. Siga as instruções para Energização dos Chakras ou Purificação dos Chakras, acrescentando pedras como explicado a seguir.

Energização dos Chakras. Você deverá energizar o chakra que estiver debilitado ou do qual sua mão não quiser se afastar e onde a energia parecer fria. Fará o mesmo se, informado da descrição do chakra, concluir que nele a energia é deficiente. A fim de energizar o chakra, pouse uma pedra no centro da área do corpo que a ele corresponda. Será, em geral, a pedra que corresponde a esse chakra. (Há exceções. Por exemplo, você talvez se decida a usar o antídoto — como cornalina para fechar o terceiro olho quando o fluxo de energia se mostrar excessivo.)

Se a situação parecer grave, duas ou três pedras devem ser usadas no centro. Caso você esteja usando um cristal pontiagudo no centro do desenho (por exemplo, um cristal de citrina no terceiro chakra), a ponta ficará na direção da cabeça. Rodeie a(s) pedra(s) do centro com pares de pedras e pares de cristais de quartzo transparentes, com as pontas dirigidas para a pedra central.

Deixe as pedras nesse arranjo por pelo menos dez minutos ou até o fim do tratamento. Enquanto isso, convença o parceiro a falar sobre seus pensamentos e sentimentos. Você talvez sinta o desejo de entonar. Ou decida que já é tempo de passar a outros chakras a fim de captar-lhes a energia e voltar àquele mais tarde.

Pode ocorrer que receba imagens e ache conveniente partilhá-las com o parceiro. Seja cauteloso. Diga, por exemplo: "Estou vislumbrando uma imagem que gostaria de partilhar com você. Se ela fizer algum sentido, diga-me. Se não, esqueça- a." Digamos que a imagem seja a de uma menina chorando num celeiro. Apenas descreva o que vê, sem emitir juízos de valor. "Vejo uma menina chorando num celeiro. Isso lhe lembra alguma coisa?" Você talvez se impressione ao saber que, quando sua cliente tinha quatro anos de idade, seu irmão fora espancado pelo pai com um chicote e ela correra ao celeiro para chorar.

Purificação dos Chakras. Se a energia num determinado chakra lhe parecer turbulenta, quente ou intensa, ou se, informado da descrição daquele chakra, você acreditar que há nele excesso de energia, vai querer sem dúvida purificar esse chakra. Coloque uma pedra no centro da área do chakra. Geralmente, será uma pedra que corresponda a esse chakra, embora possa ser também uma do chakra que aja como seu antídoto. Se usar um cristal pontiagudo no centro (uma ametista no terceiro olho, por exemplo), a ponta se voltará para os pés, a fim de extrair do corpo a energia negativa. Rodeie a pedra do meio com pares de cristais (por exemplo, o quartzo enfumaçado e o de ametista, mas de tamanho pequeno caso sejam pousados na fronte), com as pontas para fora. Deixe as pedras nessa disposição por pelo menos dez minutos e proceda conforme as instruções para Energização dos Chakras, acima.

Correlação dos Cristais com os Chakras

As pedras mencionadas a seguir devem ser dispostas segundo os chakras onde mais comumente as uso. Darei apenas orientações. Qualquer pedra pode ser usada em qualquer chakra.

Primeiro Chakra. As pedras para o primeiro chakra são colocadas nas virilhas, onde as coxas se juntam ao torso, de modo que você precisará de duas para o primeiro chakra.

A *granada vermelha* possui energia estimulante, tonificante. Influencia a kundalini que sobe pela espinha. Portanto, relaciona-se aos chakras inferior e sexto. As granadas são em geral pedrinhas de cor vermelho-sangue. Para incrementar a fertilidade, coloque uma delas no ventre da mulher, cerca de 5 cm abaixo do umbigo. Isso é bom também para cólicas menstruais e períodos irregulares.

Em se tratando de dores na parte inferior das costas e cólicas pré-menstruais, peça à mulher que se deite de bruços e pouse uma granada na base da espinha, um pouco abaixo da linha do peito. Isso ajudará a purgar o sangue e melhorar a circulação. Será ainda mais eficaz se você usar uma pedra maior ou muitas pequenas.

Como jóia, a granada deve ser usada abaixo do peito. Acima, pode estimular exageradamente o plexo solar ou a glândula pituitária em pessoas sensíveis, provocando nervosismo, dores de cabeça ou vertigens.

A *obsidiana negra* provém da lava que se esfriou rapidamente. A obsidiana basáltica é vítrea e preta. É uma pedra maravilhosa para promover a conexão com a energia da terra e com o corpo. Pessoas que viveram experiências emocionais ou espirituais intensas às vezes acham difícil retornar ao mundo normal e integrar o que experimentaram ao cotidiano. A fim de ajudá-las, costumo colocar obsidianas em suas virilhas, para que não se sintam muito "desligadas". Depois da sessão de cura, peço que o cliente segure um pedaço grande de obsidiana. Em poucos minutos ele se sente com os pés no chão e pode ir dirigindo para casa com toda a segurança.

Não recomendo usar a obsidiana como pingente sobre o peito porque ela impede o livre fluxo de energia para dentro e para fora do coração. No entanto, vezes haverá em que você precise proteger o coração — e usar uma obsidiana sobre essa área é bem melhor do que erguer barreiras, já que removê-la é muito mais fácil.

O *quartzo enfumaçado* é um cristal marrom que tem a capacidade de dispersar energias negativas. Associa-se ao primeiro chakra devido à sua poderosa ligação com a terra. Embora pareça escuro, geralmente é translúcido diante da luz. O quartzo enfumaçado tira sua cor da exposição à radiatividade natural. As imitações são obtidas irradiando-se artificialmente o quartzo transparente. Ficam então bastante escuras e opacas. Eu não as uso em terapia.

Recorra ao quartzo enfumaçado sempre que notar bloqueios físicos, emocionais ou psíquicos. Dado que a dor é muitas vezes provocada por emoções negativas como ressentimento e raiva, você conseguirá eliminá-la pousando um pedaço de quartzo enfumaçado nas áreas afetadas e instruindo o cliente a fazer contato com a fonte da dor.

Se o cliente se aferra à negatividade que precisa ser combatida, pouse um quartzo enfumaçado junto de cada calcanhar, com as pontas para baixo. Isso faz com que as energias negativas desçam pelos pés e se percam na terra.

O quartzo enfumaçado é ideal para pessoas práticas: cientistas, geólogos e professores que precisam manter os pés no chão, mas gostam de fazer suas incursões em outras esferas.

Segundo Chakra. Estas pedras são alaranjadas ou marrons.

O *olho-de-tigre* nos conecta com os ricos tons castanhos da terra e o dourado da Luz Divina. Você não precisa ser intelectualizado nem espiritualizado para fruir as qualidades do olho-de-tigre. Coloque essa pedra no seu terceiro olho e ela o ajudará a ver o que há de melhor nos outros e sentir-se feliz em sua caminhada pela vida. Se você mantém um relacionamento, conseguirá se comunicar mais facilmente com seu parceiro, por via telepática.

Essa é a pedra da coragem. Propicia força, resistência e ânimo para ir adiante apesar dos obstáculos. Esfregue sua superfície macia para livrar-se de apreensões e aborrecimentos.

Os amantes costumam presentear-se com essa pedra sensual. Eu a uso para estimular o segundo chakra quando a intenção é promover uma energia suave, delicada. Dado que as emoções estão obviamente ligadas à sexualidade, ruminar idéias sobre sexo e amor pode causar ansiedade e tensão nervosa. Para acalmar a mente e equilibrar a energia, segure o olho-de-tigre, observe bem seu padrão raiado e pouse-o (ou mesmo fixe-o com fita adesiva) sobre o segundo chakra.

A *cornalina* é uma ágata vermelho-alaranjada que gera entusiasmo e descontração. Possui forte energia masculina e beneficia os órgãos sexuais, intensificando o impulso erótico.

Em caso de tensão, use-a em qualquer parte do corpo, como se fosse uma pequena bolsa de água quente, a fim de aquecer a área e eliminar o incômodo. Se a tensão se localizar nos ombros ou entre as escápulas, pouse-a ou fixe-a ali.

Você poderá também colocar a cornalina sobre o segundo chakra a fim de acelerar a digestão.

Uma vez que o laranja (segundo chakra) e o anil (sexto chakra) são antídotos, a cornalina pode ser usada quando o sexto chakra produzir excesso de energia. Por exemplo, se a pessoa apresentar abertura prematura do terceiro olho, com estímulo psíquico exagerado, pouse nele a pedra durante alguns minutos para amenizar temporariamente esse estímulo. Sobre o segundo chakra, pouse outra a fim de puxar a energia para baixo e ajudar a pessoa a entrar em sintonia com seu corpo.

As crianças são comumente atraídas por essa pedra. Ter uma no bolso as livrará da tendência à depressão, à negatividade ou à agressividade. A cornalina insufla força, bom humor e otimismo.

É a pedra do sucesso mundano. Prende a pessoa ao momento atual e protege-a de energias ruins. Aumenta a autoconfiança. Encoraja a falar com franqueza. Homens de negócios costumam usar essa pedra como jóia (pingente, anel ou pulseira) ou levá-la no bolso.

Terceiro Chakra. Pedras amarelas e douradas como a citrina e a pirita ferrosa (também chamada "ouro dos tolos") estão associadas ao terceiro chakra, como todas as pedras que contêm veios ou partículas de cobre (a turquesa, por exemplo). Também coloco malaquita sobre o terceiro chakra porque ela exalta as emoções, e o segundo e o terceiro chakras se relacionam a estas.

A *citrina* é um quartzo amarelo que tira sua cor do óxido de ferro. Pouse essa pedra sobre o plexo solar para aumentar a descontração. Ela ajuda a pessoa a se sentir bem aceita por si mesma e pelos outros. A citrina nos coloca em contato com nosso poder pessoal e nos anima a ostentar nossos dons especiais.

Esse quartzo amarelo promove a digestão relaxando os órgãos que segregam os sucos gástricos. Libera a respiração descontraindo o diafragma. Use a citrina para energizar água e beba alguns goles antes das refeições (ver Água Carregada de Cor, p. 127).

A citrina é excelente para todas as atividades mentais. Se você tem dificuldade de concentração ou sente-se esmagado de preocupações e responsabilidades, deite-se de costas e coloque uma citrina sobre o terceiro olho, mais outra sobre o plexo solar, durante dez minutos enquanto se imagina a inspirar luz amarela. Isso o ajudará a descontrair-se e a respirar com facilidade, ao mesmo tempo que eliminará a negatividade e lhe dará um estado de espírito mais positivo.

Use a citrina como pingente em volta do pescoço, de preferência com a ponta voltada para a cabeça, a fim de aumentar sua autoconfiança e sintonia com você mesmo e com o Espírito. Ela poderá interromper um vício de drogas por fortalecer a autodisciplina e incrementar o senso do valor próprio.

A *turquesa* é boa para equilibrar. Ela abre os céus para quem a usa com consciência. Mistura a cor do céu à cor da água. É uma pedra de paz, harmonia e beleza, em sintonia perfeita com o Espírito. Convém de preferência àqueles que têm medo do poder ou desejam exercê-lo de maneira sensata.

A turquesa é uma ótima pedra para se usar, especialmente engastada em prata. Se você tem problemas digestivos, use-a em fivela de cinto, bracelete ou anel. Você poderá ficar com ela o dia inteiro para obter maior vitalidade ou poderes vibratórios e de cura.

A *malaquita* é uma pedra de verde intenso, com linhas mais escuras que formam padrões concêntricos semelhantes aos do olho-de-tigre. A essência da malaquita é a alegria. Seu nome significa "aquela que purga as emoções". Quando usada sobre o plexo solar, traz à tona antigas dores emocionais há muito reprimidas. Também pode eliminar dores físicas. Quanto maior a pedra, mais poderes encerra, embora até as pequeninas, com padrões de olho-de-tigre bem-visíveis, costumem ser altamente eficazes se colocadas diretamente sobre a área dolorida. De outro modo, a pedra deve ser grande ao menos o bastante para cobrir essa área. Para náuseas ou problemas motores, pouse a malaquita sobre o plexo solar.

A malaquita é boa para se usar como jóia quando você deseja entrar em contato com os seus sentimentos. Todavia, caso não queira ficar vulnerável, afaste-se o máximo possível dessa pedra.

Quarto Chakra. Inclui-se aqui a maioria das pedras de cor rosa e verde.

O *jade B.C.* (da Colúmbia Britânica) é verde-escuro e lembra um pai dedicado, sempre disposto a consolar, tranqüilizar e proteger quando o filho se sente frágil e vulnerável. Se seu coração se sentir ameaçado ou amedrontado, coloque uma pedra de jade diretamente sobre ele. O jade possui uma força branda que equilibra e estabiliza.

Essa pedra encarna o amor da natureza. Encerra e projeta vivacidade. É suavizante — especialmente quando foi polida pela água. Costumo carregar uma na bolsa ou revolvê-la na mão. Ela logo se torna tépida e reconfortante, lembrando um aperto de mão de um amigo.

O *jade verde* tem um tom verde-pálido muito apreciado pelos chineses. Dizem estes que ele encerra sabedoria, lucidez, justiça, coragem e modéstia. Dá-nos clareza mental para fazer julgamentos corretos, ousadia para encará-los e humildade para não nos envaidecermos com os bons resultados.

O *quartzo rosa* deve sua cor ao titânio. É a mais delicada das pedras, com uma vibração que vai direto ao coração, banindo aborrecimentos. Para quem sofreu os males do amor, o quartzo rosa é como a Mãe Divina que embala o filho nos braços dispensando-lhe amor sem limites. Seus sutis raios cor-de-rosa penetram fundo nas chagas de um coração ferido. O quartzo rosa pode curar a criança que existe dentro de todos nós. Quando um cliente estiver trazendo à tona seus traumas de infância, coloque uma dessas pedras sobre seu coração.

O quartzo rosa reconforta os alcoólatras que bebem até adormecer para esquecer suas mágoas de amor. Muitos alcoólatras são pessoas profundamente sensíveis e intuitivas que cresceram numa sociedade sempre pronta a ironizar essas qualidades. Por isso, usam o álcool a fim de neutralizá-las. Se esse é o seu caso e você deseja romper a dependência da bebida, procure trazer sempre no bolso um pedaço pequeno de quartzo rosa. Ele sem dúvida aliviará sua sede de álcool.

A *aventurina* é um quartzo verde-claro cuja energia protege o coração da negatividade de outras pessoas. Permite-nos ser afáveis e abertos sem mostrar vulnerabilidade excessiva. Libera e projeta amor desprendido. Encerra força e entusiasmo. Leve essa pedra no bolso ou use-a como jóia a qualquer tempo, para ficar sempre conectado à sua energia superior.

A aventurina é a pedra do sonhador. É de grande ajuda aos solitários e inibidos, incapazes de romper com padrões estreitos de pensamento. É boa para estimular novas aventuras, para jovens que desejam viver sua própria vida ou mulheres que planejam voltar ao trabalho depois de ter filhos.

A aventurina é sempre um ótimo presente, pois alegra a todos. Estimulante, deve ser usada sem receio para a depressão. Usá-la como jóia constitui um verdadeiro prazer, já que está sempre emitindo energia para confortar o coração de quem a traz e de quem a contempla.

A *turmalina melancia* é uma bonita pedra verde e rosada que tende a tornar a pessoa extremamente vulnerável. Deve ser usada pelo cliente que se isola de suas emoções. O verde dá proteção e reconforta; o rosa gera vulnerabilidade. Tudo se passa como se estivéssemos tão aconchegantemente abraçados a alguém que não conseguíssemos conter as lágrimas. A vulnerabilidade provocada por essa pedra pode ser esmagadora. A mente se dissolve e, com ela, as barreiras que ao mesmo tempo protegiam e aprisionavam. Não a use como jóia a menos que esteja preparado para abrir de vez o coração.

Quinto Chakra. As pedras azuis têm vínculo com o quinto chakra, embora o lápis-lazúli também possa ser usado para o sexto.

A *sodalita* é uma pedra azul-escura que às vezes apresenta veios de calcita branca muito semelhantes aos do lápis-lazúli chileno. A variante afegã, por outro lado, tem veios dourados de pirita ferrosa. A sodalita pode ser usada com segurança e proveito a qualquer tempo. Ajudará você a manter a cabeça nas nuvens e os pés no chão.

A sodalita é inestimável para quem tem o vício desastroso das drogas, enjôo de viagem ou depressão. Mantenha-a sobre o terceiro olho e ela lhe salvará a vida, reconduzindo-o em segurança à praia.

Use essa pedra para suavizar o terceiro olho depois de um trabalho psíquico estafante. Pouse-a diretamente no local ou fixe-a ali com fita adesiva. Ela é ótima também para aprofundar o nível de concentração. Se você tem dificuldade em verbalizar idéias ou sentimentos, ou é assediado pelo "medo de palco", coloque ou use uma sodalita sobre o chakra da garganta: ela o ajudará a descontrair-se e as palavras lhe virão com mais fluência.

A sodalita ameniza todos os males da garganta. Reduz inflamações e inchaços quando usada em qualquer parte do corpo, desde que tenha pelo menos o tamanho da área comprometida.

A *azurita*, quando usada no chakra da garganta, estimula o aparelho vocal facilitando a verbalização de idéias e sentimentos. Intensifica a experiência e a expressão da espiritualidade, despertando na pessoa o desejo e a capacidade de discorrer a respeito de assuntos profundos.

A azurita mostra-se mais eficaz em associação com a malaquita (aparecem muitas vezes combinadas, de modo natural, numa pedra só, podendo-se também colocar uma ao lado da outra). A malaquita traz à tona emoções reprimidas; a azurita induz o desejo de falar a respeito do que se está sentindo.

Essa pedra produz jóias belíssimas. Pode ser usada em colares ou brincos, para estimular o despertar espiritual. Ela deixa a pessoa equilibrada e articulada.

O *lápis-lazúli* é azul-escuro. O tipo encontrado no Afeganistão tem veios de ouro e pirita ferrosa, quando não pintas ou estrias de calcita. O do Chile raramente contém pirita e mal se pode distingui-lo da sodalita. Parece que o do Afeganistão é mais poderoso.

Essa pedra fará você mergulhar fundo em sua mente. Não se deve usá-la levianamente, pois pode provocar vertigens em pessoas muito sensíveis. Quando pousada no terceiro olho, facilita a hipnose, a visualização, a viagem astral e a compreensão de ensinamentos espirituais obscuros. É ótima para ocasiões cerimoniais.

A *sugilita* é uma pedra de rica tonalidade púrpura ou rosa-violeta, com veios de manganês negro. Muito rara e pouco conhecida, encontra-se principalmente na região do Kalahari, na África do Sul. É ideal para crianças talentosas e sensíveis — e para adultos com as mesmas qualidades. Protege contra as asperezas do mundo, lembrando a essas pessoas que são de fato especiais, que seus dons são raros e valiosos.

Quando sobrevierem o desânimo e o desespero, pouse a pedra sobre o terceiro olho e aspire sua energia reconfortante. Há um poder incrível num pedaço de sugilita de boa qualidade, de cor púrpura rica e profunda. Ela o ajudará a confiar mais em si mesmo.

A sugilita é excelente para se usar como jóia. Fará você se sentir como que no alto de uma montanha, com o vento perpassando por seus cabelos.

A *ametista* apresenta tonalidades que vão do púrpura profundo ao lavanda claro, conforme a proporção de manganês e ferro contida nessa variedade de quartzo. É uma das pedras mais delicadas que existem e, no entanto, propicia vigorosa proteção. Quando você usa ametistas ou mantém boa quantidade delas num recinto, ali só penetram energias harmoniosas; elas também desviam ou transmutam energias negativas. Não há nada melhor que uma ametista para se colocar num altar. Procure sentar-se com uma ou mais dessas pedras nas mãos, tente extrair sua energia e peça-lhes fervorosamente que o protejam.

A ametista é uma das melhores pedras para se usar porque sua energia se revela sempre benéfica e protetora. Deve, pois, acompanhar toda cerimônia em que se solicita proteção. Convém usá-la quando em meio a pessoas hostis. Alimente a intenção de que apenas boas energias venham até você, de que a negatividade seja transmutada e mandada para o cosmos como átomos livres.

Sétimo Chakra. Como estrelas fulgurantes no céu, o quartzo transparente e os diamantes estreitam sua ligação com o Espírito. Também a ametista encerra muita energia espiritual.

Os *cristais de quartzo transparentes* contêm o espectro completo da energia dos sete raios. Instilam mais cor e luz na aura humana, preenchendo o espaço das cores que faltam. Quando você medita com cristais ou usa-os em terapia, eles energizam seus chakras, removendo os bloqueios e afastando as trevas.

Se a energia da coroa estiver obstruída, coloque um cristal de quartzo transparente grande e afilado no travesseiro, acima do centro da cabeça e apontando para fora. Esse quartzo encerra a vibração da Luz Branca e, quando você abre os chakras superiores, torna-se receptivo a essa luz e às pedras que a contêm.

Os *diamantes*, uma vez purificados energeticamente, recuperam o ânimo e fazem a pessoa se reconciliar consigo mesma, sentindo-se mais valorizada. Convencem-na a ser tudo aquilo que pode ser. Mas, se ela fica deprimida, incrementam essa energia e paralisam sua vontade. Assim, em vez de usar diamantes o tempo todo, é melhor removê-los caso sobrevenha um estado de depressão.

Os diamantes conservam o propósito original com que são presenteados, mesmo depois de limpos. Isso os torna especialmente propícios a eternizar e simbolizar ocasiões como noivados e casamentos. Quando alguém dá a você um diamante, certifique-se da intenção com que foi dado, pois ele sempre vem com um propósito oculto. Os diamantes são capazes de concretizar esse propósito, a eles inerente como sua própria freqüência de ressonância.

Uma das melhores maneiras de purificar um diamante é enterrá-lo em areia. Faça isso todas as noites. Se a pedra nunca foi purificada e encerra energia negativa, o prazo deve ser de uma semana.

Os zircões têm pouca energia em comparação com os diamantes verdadeiros.

CONCLUSÃO

Não foi a humanidade que teceu a teia da vida. Nela, somos apenas um fio. Tudo o que fizermos a essa teia, faremos a nós mesmos. As coisas existem juntas. Em conexão.

— *Chefe Seattle*

Assim o livro chega ao fim. Espero ter inspirado você a reservar algum tempo para aspirar o perfume das flores, entender-se com as pedras, contemplar o céu, aspirar as cores. É uma grande bênção caminhar por este mundo.

Se nos lembrarmos, todos os dias, de dar graças ao Criador, ao planeta, aos espíritos das plantas, dos animais e da natureza em geral, às nossas famílias e amigos queridos, à água, às flores, às árvores, ao firmamento, até mesmo aos insetos, feras e rochas — então começaremos a entrar em sagrada harmonia com o Todo.

NOTAS

Introdução

1. Pali Jae Lee e Koko Willis, *Tales from the Night Rainbow, Mo'olelo o na Po Makole, The Story of a Woman, a People, and an Island*. História oral contada por Kaili'ohe Kame'ekua de Kamalo, Molokai, 1816-1913 (Honolulu: Night Rainbow Publishing Co., 1990), 18.
2. Valerie Hunt, *Infinite Mind — Science of the Human Vibrations of Consciousness* (Malibu: Malibu Publishing, 1996), 78.
3. Herbert Benson, M.D., Julie Corliss e Geoffrey Cowley, "Brain Check", *Newsweek*, 27 de setembro de 2004, www.msnbc.msn.com/id/6038621/site/newsweek, 2004.

Parte 1/ Cura Vibracional e os Chakras

1. I. Prigogine e I. Stengers, *Order Out of Chaos: Man's New Dialogue with Nature* (Nova York: Bantam Books, 1984), citado em Valerie Hunt, *Infinite Mind.*
2. Shirley Miekka, "Physiology of Pace", 1995, adaptado de Carla Hannaford, "The Physiological Basis of Learning and Educational Kinesiology", manual de curso, 1992.
3. F. Batmanghelidj, M.D., *Your Body's Many Cries for Water* (Falls Church, VA: Global Health Solutions, Inc., 1997).
4. Valerie Hunt, *Infinite Mind — Science of the Human Vibrations of Consciousness* (Malibu: Malibu Publishing, 1996), 26.
5. Masaro Emoto, *The Message from Water* (Leiden, Países Baixos: Hado Publishing, 1999), 18-53, 87, 89-104, 127.
6. Fabien Maman, *The Role of Music in the Twenty-First Century* (Califórnia: Tama-Do Press, 1997), 61.

7. Michael Talbot, entrevista com Jeffrey Mishlove, *Synchronicity and the Holographic Universe*, videotape (Berkeley, CA: Think Allowed Product, 1991).
8. Deepak Chopra, M.D., *Perfect Health — The Complete Mind-Body Guide* (Nova York: Harmony Books, 1990), 12.
9. Gary Zukav, *The Dancing Wu Li Masters — An Overview of the New Physics* (Nova York: William Morrow, Quill, 1979), 57.
10. Deepak Chopra, 1990, 12.
11. Dra. Helen Caldicott, "At the Crossroads", *New Age Magazine*, dezembro de 1977. Ver também National Academy of Sciences, National Research Council, *The Effects on Populations of Exposure to Low Levels of Ionizing Radiation*, Report of the Advisory Committee on the Biological Effects of Ionizing Radiations (BEIR Report), Washington, D.C., junho de 1976.
12. United States Food and Drug Administration Centers for Devices and Radiological Health, "X-Rays, Pregnancy, and You", HHS Publication No. (FDA) 94-8087, www.fda.gov/cdrh/consumer/xraypreg.html.
13. Swami K. M. Tayumanavar, conversa pessoal, 1989.
14. Richard Gerber, M.D., *Vibrational Medicine — New Choices for Healing Ourselves* (Santa Fe: Bear, 1988), 128. [*Medicina Vibracional*, publicado pela Editora Cultrix, São Paulo, 1992.]
15. Stanley Krippner e Daniel Rubin, *The Kirlian Aura, Photographing the Galaxies of Life*, "Bioplasma or Corona Discharge?", em *Thelma Moss and Kendall L. Johnson* (Nova York: Anchor Books, 1974), 69-70.
16. M. Alan Kazlev, "The Chakras", www.kheper.net/topic/chakras/index.html, 29 de julho de 2005.
17. Manly P. Hall, *The Secret Teachings of All Ages — An Encyclopedic Outline of Masonic, Hermetic, Qabbalistic and Rosicrucian Symbolical Philosophy* (Los Angeles: Philosophical Research Society, 1988), CXXXVII.
18. C. W. Leadbeater, *The Chakras* (Wheaton, IL: Quest, Theosophical Publishing, 1977), 18-21. [*Os Chakras*, publicado pela Editora Pensamento, São Paulo, 1960.]
19. Bill Moyers, *Healing and the Mind*, "The Chemical Communicators", por Candace Pert (Nova York: Doubleday, 1993), 179-80.
20. Marc Carlson, "Historical Witch Trial Stats (Revisto)", 1998, www.malaspina.com/burning/burnwit6.htm.
21. Kyla Ward, "The Inquisition, Witch is Witch", publicado inicialmente em *Tabula Rasa #1*, 1994, www.tabula-rasa.info/DarkAges/Inquisition.html.
22. "Health and Medicine in Medieval England", maio de 2002, www.historylearningsite.co.uk/health_and_medicine_in_medieval_.htm.
23. M. Alan Kaslev, "The Chakras".
24. Uma fonte constante de polêmica é o chamado chakra do baço ou esplênico. Segundo M. Alan Kaslev, com base em informação de Alfred Ballabene, a idéia desse chakra se deve a Alice Bailey, a teosofista que afirmou recebê-la de uma entidade chamada "Tibetano". Graças a ela e a Leadbeater, o segundo chakra tornou-se conhecido como chakra do baço ou esplênico.
25. C. W. Leadbeater, 1977, 41.
26. M. Alan Kazlev, "The Chakras".

27. Sri Aurobindo, *Letters on Yoga*, vol. 1 (Twin Lakes, WI: Lotus Press, 3ª ed., 1995), 27-8.
28. M. Alan Kazlev, "The Chakras".
29. Olga Kharitidi, *Entering the Circle: Ancient Secrets of Siberian Wisdom Discovered by a Russian Psychiatrist* (Albuquerque: Gloria Press, 1995), 221-26.
30. Conversa pessoal com o porta-voz hopi David Monongye em Hotevila, Arizona, 1967.
31. Frank Waters, *Book of the Hopi* (Nova York: The Viking Press, 1965), 9-12.
32. M. Alan Kazlev, "The Chakras".
33. Caroline Myss, *Sacred Contract: Awakening Your Divine Potential* (Nova York: Random House, 2002), 166-68.
34. Barbara Ann Brennan, *Hands of Light: A Guide to Healing Through the Human Energy Field* (Nova York: Bantam Books, 1988), 46. [*Mãos de Luz*, publicado pela Editora Pensamento, São Paulo, 1990.]
35. Valerie Hunt, 1996, 29.
36. C. W. Leadbeater, 1992, x, 1, 4, 5, 7.
37. Valerie Hunt, "Sound Therapy and the Human Energy Field", Fifth International Sound Colloquium (Loveland, CO: 14-17 de agosto de 1997).
38. W. Brugh Joy, *Joy's Way* (Los Angeles: J. Tarcher, 1979), 155-56.
39. Shafica Karagulla, *Breakthrough to Creativity* (Marina Del Rey, CA: DeVorss, 1967), 61.
40. Valerie Hunt, 1996, 11, 19, 21.
41. Ibidem, 18, 19, 21, 27.
42. Ibidem, 14-6.
43. Itzhak Bentov, comunicação pessoal a Richard Gerber em 1977, cit. em Gerber, *Vibrational Medicine*, 133.
44. Michael Talbot, *The Holographic Universe* (Nova York: Harper Collins, 1991), 97, 140.
45. Ibidem, 97.
46. Ibidem, 184.

Parte 2/Luz, Cor e Freqüências

1. Frank Waters, *Book of the Hopi* (Nova York: Viking Press, 1965), 8.
2. NASA, "Imagine the Universe! Electromagnetic Spectrum, Introduction", http://imagine.gsfc.nasa.gov/docs/science/know.11emspectrum.html.
3. Berkeley Lab, "Micro Worlds: Exploring the Structure of Materials, Electromagnetic Radiation", www.lbl.gov/MicroWorlds/ALSTool/EMSpec/EMSpec.html.
4. John Ott, *Health and Light* (Nova York: Pocket Books, 1976), 34.
5. World Health Organization (WHO), "What Are Electromagnetic Fields?", www.who.int/peh-emf/about/WhatisEMF/en/.
6. Albert Roy Davis e Walter C. Rawls, *Magnetism and Its Effects on the Living System* (Nova York: Exposition Press, 1974), 6-7.
7. Valerie Hunt, 1996, 30-1.
8. Matthew J. Parry-Hill et al., "Basic Electromagnetic Wave Properties", National High Magnetic Field Laboratory, Florida State University, http://micro.magnet.fsu.edu/primer/java/wavebasics,18 de agosto de 2004.
9. Dictionary Labor Law Talk.com, "Definition of Color", http://encyclopedia.laborlawtalk.com/colors.

10. Gary Zukav, *The Dancing Wu Li Masters — An Overview of the New Physics* (Nova York: William Morrow, 1979), 51.
11. Robert L. Lehrman, *Physics The Easy Way, Second Edition* (Hauppauge, NY: Barron's Educational Series, Inc., 1990), 296-97.
12. Matthew J. Parry-Hill e Michael W. Davidson, "Interactive Java Tutorials, Primary Additive Colors", www.micro.magnet.fsu.edu/primer/java/primarycolors/additiveprimaries/, 13 de agosto de 2004.
13. Mark Wieczorek, "Color Theory", www.marktaw.com/design/ColorTheorya.html, 5 de outubro de 2004.
14. NASA, "Electromagnetic Spectrum", http://son.nasa.gov/content/electrospectrum.htm.
15. Association of Teachers' Websites, "Gondar Design Science", http://imagine.gsfc.nasa.gov/docs/science/know_11/emspectrum.html. Ver também NASA, "Imagine the Universe! — Electromagnetic Spectrum — Introduction", http://imagine.gsfc.nasa.gov/docs/science/know_11/emspectrum.html, e Lehrman, 1990, 298.
16. Environmental Services and Consultation Oregon Health Services, Office of Enironmental Toxicology, Dave Stone, "Ultraviolet Light Germ Transmission Demonstrations", www.dhs.state.or.us/publichealth/esc/docs/uvlight.cfm. Ver também John Ott, 1976, 38.
17. NASA, "Imagine the Universe!", website.
18. NASA, "Imagine the Universe!", website.
19. Valerie Hunt, 1996, 19.
20. Berkeley Lab website.
21. Robert L. Lehrman, 1990, 289.
22. Ellen O'Connor, "Psychological Studies in Nonionizing Electromagnetic Energy Research", *Journal of General Psychology*, janeiro de 1993.
23. University of California, Davis, Environmental Health & Safety, "Radiological Safety", http://ehs.ucdavis.edu/hp/shi/index.cfm. Ver também NASA, "Imagine the Universe!" website.
24. ATW, website, "Gondar Design Science". Ver também NASA, "Imagine the Universe!", website.
25. Russ Rowlett e University of North Carolina em Chapel Hill, "How Many? A Dictionary of Units of Measurement", www.unc.edu/~rowlett/units.
26. International Institute of Biophysics, The German Research Groups, Neuss, Alemanha, "Who We Are and What We Do", www.lifescientists.de/ib0200e_htm, 2003. Ver também Popp, F. A., "Experimental Investigations on Ultraweak Photon Emission From Biological Systems", org. Eric P., e P. Schram, Proceedings Internation Symposium on Analytical Applications of Bioluminescence and Chemiluminescence, Bruxelas, 1978, 601-17, e Popp, F. A., "Biophotons and Their Regulatory Role in Cells", *Frontier Perspectives*, The Center for Frontier Sciences, Temple University, Filadélfia, 7, 1998, 13-22.
27. Michael Talbot, *The Holographic Universe* (Nova York: HarperCollins, 1991), 27.
28. Intelegen, Inc., "What Is the Function of the Various Brainwaves?", www.brain.web-us.com/brainwavesfunction.htm, 2003.
29. The Monroe Institute, "What Are Binaural Beats", www.monroeinstitute.org/research/hemisync/binaural.html, acessado em 17 de janeiro de 2005.

30. Center for Neuroacoustic Research, "Epsilon, Gamma, HyperGamma and Lambda Brainwave Activity and Ecstatic States of Consciousness", c. 1999, www.jeffthompson.com/registry/articles/articleepsi.htm.
31. Valerie Hunt, 1996, 63-4. Ver também Crawford, 2000, "Geophysical Condition: Earth's Rising Base Frequency", www.crawford2000.co.uk/sch2htm, e David Jordan, "The Earth's Frequency", www.geocities.com/davidjayjordan/EarthsFrequency.html.
32. Nick Anthony Fiorenza, "Planetary Harmonics in Light, Sound & Brain Wave Frequencies", http://lunarplanner.com/Harmonics/planetaryharmonics.html, 29 de junho de 2003. Ver também Richard Alan Miller e Iona Miller, "The Schumann Resonances and Human Psychology", *Nexus Magazine*, 10, 3 abril-maio de 2003, www.nexusmagazine.com/articles/schumann.html.
33. Valerie Hunt, 1996, 19, 21.
34. Contato da autora com Bruce Tainio (setembro de 2004), que atribui essa informação ao dr. Fritz Popp, Ph.D., biofísico e professor alemão.
35. Young, D. Gary, N.D., *Aromatherapy, the Essential Beginning* (Essential Press Publishing, 1996), 38, 40. O livro de Young adota medidas em Hz, mas Bruce Tainio (ver referência 34) declara que a medida correta é em MHz.
36. Tim Wilson, "Chant: The Healing Power of Voice and Ear, An Interview with Alfred Tomatis, M.D.", em *Music: Physician for Times to Come, An Anthology*, compilado por Don Campbell (Wheaton, IL: Quest Books, 1991), 13, 17.
37. Robert L. Lehrman, *Physics The Easy Way, Second Edition* (Hauppauge, NY: Barron's Educational Series, Inc., 1990), 167.
38. John C. Lilly, *The Mind of the Dolphin, A Nonhuman Intelligence*, http://eccosys.jp/lilly/dolphinMind03.html.
39. J. Stone, "Why do cats purr?", *Scientific American*, 16 de setembro de 2004, www.sciam.com/askexpert.
40. Clifford L. Laurence, *The Laser Book — A New Technology of Light* (Nova York: Prentice Hall, 1986), 9.
41. John Ott, 1976, 7.
42. Clifford L. Laurence, 1986, 4, 6, 9.
43. Ibidem, 6.
44. Ibidem, 2, 5.
45. Robert L. Lehrman, 1990, 294.
46. Richard L. Laurence, 1986, 2-5.
47. Tim Wilson, 1991, 19-25. Ver também Jacob Liberman, O.D., Ph.D., *Light — Medicine of the Future* (Santa Fe: Bear, 1991), 91.
48. Ibidem, 30-3.
49. Walter Pierpaoli, "Melatonin Extends Rat Lives", *Brain/Mind Bulletin* 13, nº 9 (junho de 1988), 1, 8.
50. Dr. Glen M. Swartwout, *Color & Light* (Pahoa, HI: Remission Foundation Trust), 1.
51. R. Relkin, "Miscellaneous Effects of the Pineal", em *The Pineal Gland*, org. R. Relkin (Nova York: Elsevier Biomed, 1978), 247-72. Ver também H. Samis et al., "Aging and Temporal Organization", em *Interventions in Aging*, org. R. Walker e R. Cooper (Nova York: Marcel Dekker, Inc., 1983), 397-419.

52. J. N. Ott, "Color and Light: Their Effects on Plants, Animals, and People", *Journal of Biosocial Research* 7, part I (1985).
53. A. Fisher, "Light: Nature's Mysterious Essential Gift", *Geo Magazine* 3 (outubro de 1981), 66-78.
54. Jacob Liberman, 1991, 51.
55. Melyni Worth, Ph. D., "Low Level Laser Therapy Provides New Treatment Possibilities", *World Equine Veterinary Review* 9, nº 3 (1998).
56. John Ott, 1976, 30-3.
57. Ibidem, 48-9.
58. Ibidem, 57-69.
59. Ibidem, 61.
60. Ibidem, 150.
61. Ibidem, 55.
62. Ibidem, 70-1.
63. Ibidem, 72-3.
64. Ibidem, 193-94.
65. Ibidem, 196.
66. Ibidem, 9.
67. Jacob Liberman, 1991, 153.
68. Ibidem, 43-4.
69. Ibidem, 45-6.
70. John Ott, 1976, 54-5.
71. Dr. Glen M. Swartwout, 8.
72. John Ott, 1976, 192-93.
73. Jacob Liberman, 1991, 151.
74. Ibidem, 60.
75. The Orchid House, "Some Data on Commonly Available Fluorescent Tubes", http://retirees.uwaterloo.ca/~jerry/orchids/tubes.html.
76. John Ott, 1976, 192-93.
77. Jacob Liberman, 1991, 61.
78. V. Beral et al., "Malignant Melanoma and Exposure to Fluorescent Light at Work", *Lancet* 2 (1982), 290-92.
79. John Ott, 1976, 148.
80. Dr. Glen M. Swartwout, 20.
81. John Ott, 1976, 116.
82. Ibidem, 161-62.
83. Dr. Glen M. Swartwout, 21.
84. Jacob Liberman, 1991, 154.
85. John Ott, 1976, 110-11.
86. Jacob Liberman, 1991, 59.

Parte 3/A Cura pela Cor (Cromoterapia)

1. *Paul Cézanne: The Man and the Mountain*, vídeo, a Glashaus Film Production in association with RM Arts, 1985.
2. Dr. Laing, Guia Espiritual da autora, recebido em 1976, Eugene, Oregon.

3. Robert Lawlor, *Voices of the First Day — Awakening in the Aboriginal Dreamtime* (Rochester, VT: Inner Traditions, 1991), 114-16.
4. Manly P. Hall, *The Secret Teachings of All Ages* (Los Angeles: Philosophical Research Society, 1988), CXXXIX.
5. Health Research, *Color Healing, An Exhaustive Survey Compiled from 21 Works of Leading Practitioners of Chromotherapy* (Mokelumne Hills, CA: Health Research, 1956), 1-34.
6. Helen Graham, *Discover Color Therapy* (Berkeley: Ulysses Press, 1998).
7. Darius Dinshaw, *Let There Be Light* (Malaga, NJ: Dinshaw Health Society, 2003), 14.
8. Ibidem, 7-8.
9. Teresa E. Quinlan, M.D., comunicação pessoal à autora, Columbus, Ohio, maio de 2003.
10. Jacob Liberman, 1991, 188-89.
11. Jan Turner e Lars Hode, *Low Level Laser Therapy* (Grangesberg, Suécia: Prima Books, 1999), 21.
12. Melyni Worth, Ph.D., "Low Level Laser Therapy Provides New Treatment Possibilities", *World Equine Veterinary Review*, 3, nº 3 (1998).
13. Jan Turner e Lars Hode, 1999.
14. Joy Gardner, *The Book of Guidance* (Winlaw, B.C.: Healing Yourself Press, 1985), 18-9.

Parte 4/A Cura pela Voz

1. Hazrat Inayat Khan, *The Mysticism of Music, Sound and Word, The Sufi Message, Volume II* (Délhi: Motilal Banarsidass, 1988), 157-58.
2. Deepak Chopra, M.D., *Perfect Health, The Complete Mind/Body Guide* (Nova York: Harmony Books, 1990), 131-33.
3. Frank Waters, *The Book of the Hopi* (Nova York: Penguin Books, 1977), 3-5.
4. William K. Powers, *Sacred Language: The Nature of Super-natural Discourse in Lakota* (Norman, OK: University of Oklahoma Press, 1986), 154.
5. Ibidem, 57, 82, 60.
6. Joseph Epes Brown, *The Sacred Pipe, Black Elk's Account of the Seven Rites of the Oglala Sioux* (Norman, OK: University of Oklahoma Press, 1971), 45.
7. Ibidem, 67-100.
8. Robert Lawlor, *Voices of the First Day — Awakening in the Aboriginal Dreamtime* (Rochester, VT: Inner Traditions, 1991), 184-93.
9. Pamela Amoss, *Coast Salish Spirit Dancing, The Survival of an Ancestral Religion* (Seattle: University of Washington Press, 1978), 52-4, 142.
10. Ibidem, 161, 127-29.
11. Susan Wallenberg, conversa pessoal, Fairfax, Califórnia, junho de 1992.
12. William K. Powers, 1986, 70.
13. Robert Lawlor, 1991, 180.
14. Lance, "Hail to the Sabbat", www.paganet.org/pnn/v10/i3/sabbat.html.
15. "Chakra Vortex of Light — Sounds of the Chakras", www.nettally.com/krivera/sound.html, 2004.
16. Max Freedom Long, *The Secret Science Behind Miracles* (Marina del Rey, CA: DeVorss & Co., 1976), 191-93.
17. Marlo Morgan, *Mutant Message Down Under* (Nova York: HarperCollins, 1994), 92.

18. Max Freedom Long, 1976, 193.
19. Dan Campbell, *The Mozart Effect* (Nova York: Avon Books, 1997), 23.
20. Joy Gardner, *Healing Yourself During Pregnancy* (Berkeley, CA: Crossing Press, 1987), 22-3.
21. John Ortiz, Ph.D., "Sound Psychology: The Tao of Music", *Positive Health Magazine*, www.positivehealth.com/permit/Articles/Sound_and_Music/ortiz29.htm.
22. J. W. e J. M. Standley, "The Effects of Music Listening on Physiological Responses of Premature Infants in the NICU", *Journal of Music Therapy*, 32 (1995), 208-27.
23. E. M. Buday, "The Effects os Signed and Spoken Words Taught with Music on Sign and Speech Imitation by Children with Autism", *Journal of Music Therapy*, 32 (1994), 189.
24. D. L. Nelson, V. G. Anderson e A. D. Gonzales, "Music Activities as Therapy for Children with Autism and Other Pervasive Developmental Disorders", *Journal of Music Therapy*, 21 (1984), 100-16.
25. L. L. Morton, J. R. Kershner e L. S. Siegel, "The Potential for Therapeutic Applications of Music on Problems Related to Memory and Attention", *Journal of Music Therapy*, 27 (1990), 195-208.
26. D. M. Ricks e L. Wing, "Language, Communication, and the Use of Symbols in Normal and Autistic Children", *Journal of Autism and Childhood Schizophrenia*, 5 (1975), 119-221.
27. M. A. Wooten, "The Effects of Heavy Metal Music on Affect Shifts of Adolescents in an Inpatient Psychiatric Setting", *Music Therapy Perspectives* 10, 1992, 93-8.
28. L. M. Bailey, "Music Therapy in Pain Management", *Journal of Pain and Symptom Management* 1 (1986), 25-8. Ver também S. L. Beck, "The Therapeutic Use of Music for Cancer-Related Pain", *Oncology Nursing Forum*, 18 (1991), 1327-337. Ver também H. M. Heckman e J. B. Hertel, "Pain Attenuating Effects of Preferred Versus Non-Preferred Music Interventions", *Psychology of Music* 21 (1993), 163-73.
29. Mitchell L. Gaynor, M.D., *Sounds of Healing — A Physician Reveals the Therapeutic Power of Sound, Voice, and Music* (Nova York: Broadway Books, 1999), 14-6.
30. Jim Oliver, notas do CD *Harmonic Resonance* (Nova York: The Relaxation Company, 1995).
31. Karen Allen, Ph.D., et al., "Normalization of Hypertensive Responses During Ambulatory Surgical Stress by Preoperative Music", *Psychosomatic Medicine*, 63 (2001), 487-92, www.psychosomaticmedicine.org./cgi/content/full/63/3/487.
32. Dale Bartlett, Donald Kaufman e Roger Smeltekop, "The Effects of Music Listening and Perceived Sensory Experiences on the Immune System as Measured by Interleukin-1 and Cortisol", *Journal of Music Therapy* 30 (1993), 194-209.
33. Susan Aldridge, Ph.D., "Music with Exercise Boosts the Brain", Heart and Circulation Center, www.healthandage.com.
34. T. K. Cordobes, "Group Songwriting as a Method for Developing Group Cohesion for HIV-Seropositive Adult Patients with Depression", *Journal of Music Therapy* 34 (1997), 46-67. Ver também G. Wijzenbeek e N. van Nieuwenhuijzen, "Receptive Music Therapy with Depressive and Neurotic Patients", *Music Therapy and Music Education for the Handicapped* (St. Louis: MMB Music, Inc., 1993), 175.
35. S. Boldt, "The Effects of Music Therapy on Motivation, Psychological Well-Being, Physical Comfort, and Exercise Endurance of Bone Marrow Transplant Patients", *Journal of Music Therapy* 33 (1996), 164-88. Ver também J. M. Standley, "Music Research in Medi-

cal/Dental Treatment: Meta-analysis and Clinical Application", *Journal of Music Therapy* 23 (1986), 56-122.

36. Bradford S. Weeks, M.D., "The Physician, The Ear and Sacred Music", *Music Physician for Times to Come,* antologia compilada por Don Campbell (Wheaton, IL: Quest Books, 1991), 41.
37. Tim Wilson, "Chant: The Healing Power of Voice and Ear; uma entrevista com Alfred Tomatis, M.D.", em *Music Physician for Times to Come*, 13, 17.
38. Michael Moore, *Fahrenheit 9/11* (documentário em vídeo), Dog Eat Dog Films, 25 de junho de 2004. Ver também Bloodhound Gang, "The Roof Is on Fire Lyrics", www.sing365.com/music/lyric.nsf/The-Roof-is-on-Fire-lyrics-Bloodhound-Gang/4B8AFCFD3214FA7548256D25006E497, janeiro de 2005.
39. Don Campbell, 1997, 53.
40. Alfred Tomatis, *The Conscious Ear* (Nova York: Station Hill Press, 1991), 125.
41. Don Campbell, 1997, 15.
42. Ibidem, 50.
43. Bradford S. Weeks, 1991, 19, 13-4.
44. Ibidem, 47.
45. Tim Wilson, 1991, 13, 17.
46. Ibidem, 18-21, 23.
47. Marla Jo Fisher, "Joy of singing in a choir could be preventive medicine, researchers say", *Knight Ridder/Boston Globe*, 31 de março de 2001, 5.
48. Howard Richman, "The Entrainment Transformation Principle", www.soundfeelings.com/products/alternative_medicine/music_therapy/ entrainment.htm, 16 de outubro de 2004.
49. Laurel Elisabeth Keyes, *Toning, The Creative Power of the Voice* (Marina del Rey, CA: DeVorss & Co., 1973), 99.
50. Exposição de tubarões no Monterrey Bay Aquarium, Monterrey, CA, novembro de 1991.
51. Laurel Elisabeth Keyes, 1973, 99-100.
52. Barry Lynes, *Dr. Royal Rife, The Cancer Cure that Worked — 50 Years of Suppression* (Queensville, Ont.: Marcus Books, 1987).
53. Kay Gardner, *Sounding the Inner Landscape: Music as Medicine* (Stonington, ME: Caduceus Publications, 1990), 29. Ver também B. M. Stone Clinic, "What Is Lithotripsy", www.geocities.com/HotSprings/Villa/5556/lith.htm, 9 de janeiro de 2005.
54. *The Varieties of Healing Experience: Exploring Psychic Phenomena in Healing*. Transcrito de Interdisciplinary Symposium of October 30, 1971. Academy of Parapsychology and Medicine, Los Altos, CA: 1973.
55. "Principles of Underwater Sound, Chapter 8", *Fundamentals of Naval Weapons Systems*, www.fas.org/man/dod101/navy/docs/fun/part08.htm. Ver também National Academy of Sciences, "Beyond Discovery, The Path from Research to Human Benefit", *Sounding out the Ocean's Secrets*, www2.nas.edu/bsi.
56. John Kehe, "Navy Sonar Threatens Marine Mammals", www.newconnexion.net/article/07-01/sonar.html.
57. Laurel Elisabeth Keyes, 1973, 108.
58. Norman Cousins, *Anatomy of an Illness* (Nova York: Bantam Books, 1991), 30-43.

59. Mitchell L. Gaynor, 1999, 46-50.
60. Dr. H. Spencer Lewis, *Sanctum Invocation and Vowel Intonations*, fita cassete da gravação S-33, Rosicrucian Supply Bureau.
61. Joy Gardner-Gordon, *The Healing Voice — Traditional and Contemporary Toning, Chanting and Singing* (Freedom, CA: Crossing Press, 1993), 102-03.
62. Ibidem, 100.
63. Barbara Marciniak, *Bringers of the Dawn* (Rochester, VT: Inner Traditions/Bear, 1992), 192-97.
64. Tim Wilson, 1991, 19, 25.

Parte 5/A Cura pela Aromaterapia

1. Tom Robbins, *Jitterbug Perfume* (Nova York: Bantam Books, 1990), 228.
2. Shirley Price, *The Aromatherapy Workbook* (San Francisco: Thorsons/HarperCollins, 1993), 1.
3. D. Gary Young, N.D., *Aromatherapy: The Essential Beginning* (Salt Lake City: Essential Press, 1996), 8-10.
4. Shirley Price, 1993, 2.
5. Patricia Davis, *Aromatherapy — An A-Z* (Saffron, Walden: C. W. Daniel, 1988), 7.
6. D. Gary Young, 1996, 1, 9, 44. Ver também Shirley Price, 1993, 16.
7. D. Gary Young, 1996, 16.
8. Jean Valnet, M.D., *The Practice of Aromatherapy* (Rochester, VT: Healing Arts Press, 1990), 28.
9. Patricia Davis, 1988, 3-5.
10. Shirley Price, 1993, 7.
11. D. Gary Young, 1996, 17. Ver também Patricia Davis, 1988, 8.
12. Patricia Davis, 1988, 8.
13. D. Gary Young, 1996, 17-8.
14. Shirley Price, 1993, 9.
15. D. Gary Young, 1996, 2-5.
16. Shirley Price, 1993, 2-3.
17. Renata Nummela Caine e Geoffrey Caine, "Making Connections: Teaching and the Human Brain" (Nashville, TN: Incentive Publications, 1990), www.buffalostate.edu/orgs/bcp/brainbasics/triune.html. Ver também "Brain Function and Physiology", www.brainplace.com/bp/brainsystem/limbic.asp, 14 de janeiro de 2005.
18. D. Gary Young, 1996, 22.
19. Henry Gray, *Anatomy of the Human Body*, 14ª ed. (Nova York: Barnes & Noble, 1995), 720.
20. D. Gary Young, 1996, 23.
21. Jean Valnet, 1990, 69.
22. Ibidem, 69-71.
23. S. Zhao, "Scientific Research of Essential Oils at Weber State University", apresentada na Young Living Essential Oil Conference, 1996.
24. D. Gary Young, 1996, 29-30.
25. Valerie Worwood, *The Fragrant Mind* (Novato, CA: New World Library, 1996), 3.
26. Rev. Marcy Foley, N.D., *Embraced by the Essence! — Your Journey into Wellness Using Pure Quality Essential Oils* (Eldridge, IA: Bawden Printing, 1998), 26.

27. Kathi Keville e Mindy Green, *Aromatherapy: A Complete Guide to the Healing Art* (Berkeley, CA: Crossing Press, 1995).
28. Dr. Ligth Miller e Dr. Bryan Miller, *Ayurveda and Aromatherapy* (Twin Lakes, WI: Lotus, 1995), 84-91.
29. Jean Valnet, 1990, 73.
30. Bruce Tainio em conversa pessoal com a autora, novembro de 2003.
31. Malcolm Dixon e Edwin C. Webb, *Enzymes* (Nova York: Academic Press, 1964), 794-808.
32. Bruce Tainio em conversa pessoal com a autora, novembro de 2003.
33. D. Gary Young, 1996, 40. O livro de Young usa Hz como medida, mas Tainio sustenta (ver nota 32) que a medida correta é MHz.
34. Infinity Resources FAQ. Ver também D. Gary Young, 1996, 38. O livro de Young usa Hz como medida, mas Tainio sustenta que a medida correta é MHz.
35. Rev. Marcy Foley, 24.
36. D. Gary Young. O livro de Young usa Hz como medida, mas Tainio sustenta que a medida correta é MHz. Ver também Infinity Resources FAQ.
37. Barry Lynes, *Dr. Royal Rife: The Cancer Cure That Worked — 50 Years of Suppression* (Queensville, Ont.: Marcus Books, 1987).
38. Rev. Marcy Foley, 27.
39. D. Gary Young, 1996, 20.
40. Jean Valnet, 1990, 27.
41. D. Gary Young, 1996, 8-9.
42. Shirley Price, 1993, 15-6.
43. D. Gary Young, 1996, 48-9.
44. Ibidem, 51.
45. Ibidem, 52.
46. Shirley Price, 1993, 16.
47. Ibidem, 20-1.
48. Susan Renkel, R.N., "What Is CO_2 Extraction", 1998, www.naturesgift.com/CO2.htm.
49. Daniel Penuel, M.D., *Natural Home Health Care and Essential Oils* (Hurricane, UT: Essential Science Publishing, 1998), contracapa.
50. Patricia Davis, 1988, 7.
51. D. Gary Young, 1996, 27.
52. Ibidem, 27.
53. Sandra Richardson, "Essential Oils: Nature's Perfect Solutions", www.vibrantoils.com, 2003.
54. Angela Rosa, R.N., *Aromatherapy: Medicinal and Energetic Use of Plant Essences* (Hawi, HI: Essential Health, 2003), 12.
55. Valerie Worwood, *The Fragrant Mind* (Novato, CA: New World Library, 1996), 221-26.
56. Angela Rosa, 2003, 23.
57. Ibidem, 7.

Parte 6/A Cura pelos Cristais

1. Melissa Applegate, "The Legacy of Marcel Vogel", transcrito de um ensaio apresentado no 2nd Annual Advanced Water Sciences Symposium, 1996, www.vogelcrystals.net, 1996-2004.

2. Frank Waters, *Book of the Hopi* (Nova York: Viking Press, 1965), 11.
3. John Kaimikaua, palestra em Molokai, HI, 1997.
4. Rita H. Delorme, "Ring of the Lord: The Ring of Bishop Francis X. Gartland Still Inspires", Archives of the Catholic Diocese of Savannah, Georgia, www.diosav.org/News/NewsIndex.asp?Criteria=Article&SelectedID=264&CategoryID=16.
5. Anselmus De Boot, *Gemmarum et lapidum historia*, liber I, caput 26, Lugduno, Batava (University of Leiden, Holanda: 1636), 103.
6. George Frederick Kunz, Ph.D., *The Curious Lore of Precious Stone* (Nova York: Dover Publications, Inc., 1971), 23.
7. Ibidem, 24.
8. Science Museum of Virginia, website: www.smv.org/prog/xtaldsc/htm.
9. Melody, *Love Is in the Earth: A Kaleidoscope of Crystals, Updated* (Wheat Ridge, CO: Earth-Love Publishing, 1995), 31.
10. Science Museum of Virginia, website, "Introducing Crystals", www.smv.org/prog/xtaldsc.htm.
11. William Peez, *Crystals in the World Around Us*, www.yale.edu/ynhti/curriculum/units/1989/6/89.06.06.x.html.
12. Richard Gerber, M.D., *Vibrational Medicine* (Santa Fe, NM: Bear, 1988), 337-38.
13. Ibidem, 326.
14. Ibidem, 327.
15. Jeff Tyson, "How LCDs Work", 2005, www.electronics.howstuffworks.com/lcd1.htm.
16. Science Museum of Virginia, "Introducing Crystals", www.smv.org/prog/xtaldsc.htm.
17. R. Miller, "The Healing Magic of Crystals: An Interview with Marcel Vogel", *Science of Mind*, agosto de 1984.
18. Richard Gerber, 364-65.
19. Michael Talbot, *Synchronicity and the Holographic Universe*, vídeo (Berkeley, CA: Thinking Allowed Productions), entrevista com Jeffrey Mishlove, 1991.
20. "Are Near Death Experiences Real?", www.mikepettigrew.com/afterlife/html/history_of_ndes.html.
21. Grof, Stanislav e Christina, "Experiences of Clinical Death and Near-Death", www.sju.edu/cas/theology/Courses/1141/Shamanism/grof.htm.

GLOSSÁRIO

Alinhamento Vibracional®: Método de Cura Vibracional criado e ensinado por Joy Gardner. Combina diagnose pelos chakras com instrumentos vibratórios a fim de promover o equilíbrio da energia do corpo, mente, espírito e emoções.

alopático: método de tratar doenças com agentes que produzem efeitos contrários aos da doença tratada (opõe-se a *homeopático*).

altura: número de vibrações por unidade de tempo que gera um som alto (vibrações lentas) ou baixo (vibrações rápidas). Consiste em colocar a voz ou um instrumento musical numa determinada freqüência de vibrações.

antídoto: substância que anula o efeito de outra (por exemplo, antídoto quente contra frio e frio contra quente).

aromaterapia: terapia que emprega aromas de plantas para fins medicinais, em geral sob a forma de óleos essenciais derivados de flores.

arquétipo: na psicologia de Jung, idéia inconsciente herdada, presente universalmente nas psiques individuais.

chakra: palavra sânscrita que significa "roda". Refere-se ao vórtice de energia do campo energético, primariamente nas vizinhanças da espinha. Tecnicamente, *chakrum* é o singular de *chakra*, mas no Ocidente o termo plural é usado em ambos os casos. Às vezes, pronuncia-se *cakra*.

clarividente: aquele que tem a capacidade paranormal de ver energias, objetos ou ações para além do alcance natural da visão.

coerente: tudo o que é altamente organizado.

cromoterapia: uso da cor e da luz para promover delicadamente a homeostase. A luz colorida é aplicada a áreas específicas do corpo.

Cura (ou Medicina) Vibracional: forma de terapia segundo a qual somos constituídos inteiramente por vibrações. Quando essa energia universal está em equilíbrio, gozamos de saúde; quando se acha bloqueada ou instável, a doença se instala. A Cura Vibracional tenta harmonizar as energias física, emocional, mental e espiritual aplicando som, luz, cor, gemas, óleos aromáticos e outros instrumentos vibratórios às áreas comprometidas.

cura pelo som (não-definida nos dicionários convencionais): aplicação terapêutica de freqüências sonoras ao corpo/mente de uma pessoa com o objetivo de devolver-lhe a harmonia e a saúde.

diagnose pelos chakras: método de colher informação a respeito do corpo, mente, emoções e espírito pela auscultação do vórtice de energia em cada um dos sete chakras ao longo da espinha, a fim de obter um quadro coerente da pessoa como um todo. (Ver também "Diagnose pelos Chakras", p. 54.)

efeito piezoelétrico: voltagem elétrica mensurável, produzida quando se exerce pressão mecânica em cristais de quartzo. Às vezes, aparece uma fagulha.

entonação: uso de tons vocais sustentados, usualmente sons vocálicos, sem melodia, ritmo ou letra. Em geral, são produzidos durante a expiração.

fotografia kirlian: técnica criada pelos russos Semyon e Valentina Kirlian. Faz uso de fagulhas elétricas de alta voltagem para obter imagens do campo energético.

harmonia: oscilação única cuja freqüência é um múltiplo integral da freqüência básica. A harmonia é uma série de oscilações em que cada oscilação tem por freqüência um múltiplo integral da mesma freqüência básica.

homeopatia: forma de medicina que emprega preparações escolhidas de acordo com o princípio "o semelhante cura o semelhante". Por exemplo, a epilepsia (moléstia convulsiva) pode ser tratada por uma planta que, em doses grandes, produz convulsões. Uma quantidade mínima dessa planta é combinada com uma quantidade grande de material inerte (como álcool) e depois triturada ou agitada vigorosamente para que as substâncias se misturem bem. Isso produz um remédio vibracional potencializado que induz uma reação terapêutica mais vigorosa no corpo que uma porção maior da substância original simples, mas sem causar danos. Por exemplo, a hera venenosa homeopática pode ser ingerida para tratar a alergia a essa erva. As potências obedecem à escala decimal. Potências mais elevadas são vibracionalmente mais fortes, embora contenham cada vez menos substância original. Muitos homeopatas têm formação ortodoxa.

instrumentos vibratórios: ferramentas de cura dotadas de freqüência própria e forte que interage com o campo energético humano. Incluem luz, cor, cristais, aromaterapia, som, remédios florais, elixires de gemas, homeopatia e outros.

íons: partículas carregadas, presentes no ar, formadas na natureza quando energia suficiente atua sobre uma molécula como a de dióxido de carbono, oxigênio, água ou nitrogênio e subtrai-lhe um elétron, deixando na molécula um íon com carga positiva. O elétron subtraído prende-se a uma molécula próxima, que então se torna um íon negativamente carregado. Íons de oxigênio com carga negativa inibem o crescimento e a reprodução de patógenos presentes na atmosfera e aumentam a sensação de bem-estar das pessoas. Podem ser encontrados abundantemente na natureza em cachoeiras, praias e montanhas. Também são gerados quando se escovam os cabelos.

íons negativos: ver íons.

kahuna: sacerdote e curador havaiano que em geral se especializa numa área como herbologia ou entonação.

kundalini: energia que permanece latente na base da espinha até ser despertada pelo yoga ou outras disciplinas espirituais, quando então é canalizada para cima, ao longo dos chakras, no processo de aperfeiçoamento do espírito. O *despertar prematuro de kundalini* ou *irrupção espiritual* ocorre quando a energia sobe pela espinha antes que a pessoa esteja devidamente preparada. Ela então pode paralisar-se num determinado chakra ainda não inteiramente desenvolvido, provocando sintomas físicos ou emocionais às vezes bastante incômodos e até desconcertantes.

medicina complementar: conjunto de diferentes sistemas de cuidados médicos e preventivos, práticas e produtos que ainda não são tidos como parte da medicina convencional (alopática), quando usados em combinação com esta.

melodia: seqüência de tons isolados na mesma escala ou ordem de notas, que produz um todo rítmico — o mais das vezes uma cantiga, ária ou canção.

naturopatia: forma de terapia praticada pelo naturopata. O médico naturopata (N.D.) tem a mesma formação que o alopata (M.D.), mas os remédios que usa são naturais, incluindo jejum, dietas especiais, drogas homeopáticas ou à base de ervas e acupuntura.

oitava: a oitava ocidental consiste de oito notas e doze semitons. Oitava nota cheia acima de um dado tom, com duas vezes mais vibrações por segundo, ou abaixo de um dado tom, com metade das vibrações por segundo. A oitava é igual a 130,8 Hz. A oitava indiana, ou *saptak*, consiste de sete notas e divide-se em vinte e dois intervalos.

pêndulo: objeto suspenso de um ponto fixo que oscila livremente. Pingente ou colar. Estes, quando o ornamento é simétrico, podem ser usados como pêndulo. Com freqüência se usa, como pêndulo, um cristal preso a uma corrente.

ponte de Wheatstone: o físico britânico Charles Wheatstone (1802—1875) popularizou um instrumento mecânico muito simples que consiste num circuito com dois pares de resistores conectados a um arco, com uma bateria e um galvanômetro fazendo a junção entre um par e outro. As pontes estão entre os aparelhos de medição mais acurados que se usam para determinar o valor de uma resistência desconhecida, quando se conhecem outras três.

puro: óleo essencial não misturado a um veículo.

Reiki: técnica japonesa de imposição das mãos introduzida nos Estados Unidos em 1938 pela sra. Hawayo Takata (1900—1980). Minha mestra, Bethal Phaigh, aprendeu-a diretamente da sra. Takata. Fui iniciada no Segundo Grau Reiki, por minha mestra, em 1982.

remédios florais: Os Florais de Bach devem-se ao dr. Edward Bach, que viveu em Londres nos primórdios do século XX. Ele induziu em si mesmo diversos desequilíbrios mentais e físicos. Depois saiu à cata das flores certas para reequilibrar suas energias. Coletou, nomeou e descreveu trinta e oito remédios que passaram a ser conhecidos como Florais de Bach. Desde então, muitas pessoas de talento começaram a se ocupar de flores em suas bio-regiões, produzindo uma ampla variedade de excelentes remédios ou essências florais.

ressonância: reforço e prolongamento de um som ou tom musical por reflexão ou vibração simpática de outros corpos.

ritmo: definição, padrão e limites de um tom. Pode ser uma batida consistente e repetitiva ou totalmente espontânea, sem obediência a nenhum esquema de compasso. Os padrões rítmicos podem ser consistentes, sincopados ou absolutamente caóticos.

sincronização: tendência de dois corpos oscilantes a entrar em fase para vibrar em harmonia.

sonorização (não-definida nos dicionários convencionais): ato de emitir sons espontâneos e/ou desinibidos, sem obediência a melodia, ritmo ou letra, embora esses elementos possam emergir por acaso.

sons secundários: tons mais altos ouvidos ao mesmo tempo que o tom básico, cuja freqüência ou vibração é um múltiplo exato da freqüência deste último. Os sons secundários vocais podem ser deliberadamente emitidos ajustando-se a mandíbula e a cavidade bucal.

tantra: forma de yoga descrita em obras religiosas hindus e budistas relativamente recentes. Diz respeito à magia e ao misticismo. Alguns escritos descrevem métodos de recanalização da energia sexual. Muitos mestres New Age usam essa e outras técnicas para estimular ou espiritualizar o erotismo.

teosofistas: adeptos de um movimento religioso místico moderno, surgido nos Estados Unidos em 1875 com base nos preceitos de Madame Helena Blavatsky e Alice Bailey. Elas foram influenciadas por teorias budistas e bramânicas, especialmente as que dizem respeito à evolução panteísta e à reencarnação.

tom fundamental: a base de um acorde em música; a nota mais baixa de uma série harmônica.

tom: emissão de um som distinto e identificável por sua regularidade de vibração ou *altura constante* (à diferença do simples barulho), que a põe em relação harmônica com outros sons semelhantes produzidos por instrumentos ou vozes.

veículo: o veículo conduz o óleo essencial para dentro da pele. Trata-se geralmente de óleo vegetal prensado a frio (de sementes, castanhas, gergelim, etc.). O de jojoba é uma cera líquida muito eficaz como veículo porque não fica rançoso.

velocidade: rapidez do deslocamento de uma onda.

volume: intensidade do som e plenitude do tom. O alcance do som corresponde à amplitude da onda.

LEITURAS RECOMENDADAS

Sobre Aromaterapia

Maury, Marguerite. *Marguerite Maury's Guide to Aromatherapy*. Saffron, Walden: The C. W. Daniel, 1990.

Price, Shirley. *The Aromatherapy Workbook*. San Francisco: Thorsons/HarperCollins, 1993.

Valnet, Jean, M.D. *The Practice of Aromatherapy*. Rochester, VT: The Healing Arts Press, 1990.

Young, D. Gary, N.D. *Aromatherapy: The Essential Beginning*. Salt Lake City: Essential Press, 1996.

Sobre Chakras

Brennan, Barbara Ann. *Hands of Light — A Guide to Healing Through the Human Energy Field*. Nova York: Bantam Books, 1988.

Bruyere, Rosalyn. *Wheels of Light: Chakras, Auras, and the Healing Energy of the Body*. Nova York: Simon and Schuster/Fireside, 1994.

Gardner-Gordon, Joy. *Pocket Guide to Chakras*. Berkeley, CA: Crossing Press, 1998.

Judith, Anodea. *Wheels of Life — A User's Guide to the Chakra System*. St. Paul: Llewellyn Publications, 1996.

Myss, Caroline. *Energy Anatomy*. Louisville, CO: Sounds True, 2002 (doze cassetes).

Sobre Cor e Luz

Dinshah, Darius. *Let There Be Light*. Malaga, NJ: Dinshah Health Society, 2003.

Gaynor, Mitchell L., M.D. *Sounds of Healing: A Physician Reveals the Therapeutic Power of Sound, Voice, and Music*. Nova York: Broadway Books, 1999.

Graham, Helen. *Discover Color Therapy*. Berkeley, CA: Ulysses Press, 1998.

Liberman, Jacob, O.D., Ph.D. *Light — Medicine of the Future*. Santa Fe: Bear & Company, 1991.

Ott, John. *Health and Light*. Nova York: Pocket Books, 1976.

Sobre Cristais

Gardner, Joy. *Color and Crystals: A Journey Through the Chakras*. Berkeley, CA: The Crossing Press.

Melody. *Love Is in the Earth: A Kaleidoscope of Crystals, Updated*. Wheat Ridge, CO: Earth-Love Publishing House, 1995.

Raphaell, Katrina. *Crystal Enlightenment*. Santa Fe: Aurora Press, 1986.

Richardson, Wally e Huett, Lenora. *Spiritual Value of Gemstones*. Marina del Rey, CA: DeVorss, 1983.

Sobre Entonação

Campbell, Don G. *The Roar of Silence*. Wheaton, IL: Theosophical Publishing House, 1989.

Gardner-Gordon, Joy. *The Healing Voice: Tradicional and Contemporary Toning, Chanting, and Singing*. Berkeley, CA: The Crossing Press, 1993.

Goldman, Jonathan. *Healing Sounds: The Power of Harmonics*. Rockport, MA: Element, 1992.

Goldman, Jonathan. *Shifting Frequencies*. Flagstaff, AZ: Light Technology Publications, 1998.

Keyes, Laurel Elizabeth. *Toning, the Creative Power of the Voice*. Marina del Rey, CA: DeVorss, 1984.

Tomatis, Alfred. *The Conscious Ear*. Station Hill Press, 1991.

Don Campbell (org.). *Music: Physician for Times to Come, An Anthology*. Wheaton, IL: Quest Books, 1991.

Sobre Cura Vibracional

Gerber, Richard, M.D. *Vibrational Medicine — New Choices for Healing Ourselves*. Santa Fe: Bear, 1988.

Hunt, Valerie. *Infinite Mind — Science of the Human Vibrations of Consciousness*. Malibu: Malibu Publishing, 1996.

RECURSOS

Altered States of Planet Earth (CD)
Meu próprio CD de sonorização xamânica com acompanhamento do músico Alejo ao *didjeridoo*. Excelente para massagem, dança em transe e busca de estados alterados. Acessar www.joy.highvibrations.net.

BT3 Frequency Monitoring System
Essa máquina desenvolvida por Bruce Tainio pode ser vista em www.tainio.com.

Certified Vibrational Healers
O website de Joy (www.joy.highvibrations.net) fornece informações sobre os Certified Vibrational Healers em várias localidades.

Lâmpadas e Filtros Coloridos (de Gel)
Uma lâmpada simples com gel plástico é vendida por Vita-Gem Enterprises (www.vitagem.com). Darius Dinshah recomenda filtros plásticos de alta qualidade, como os usados no teatro. Esse fino gel plástico custa bem menos que lâminas de vidro. Ele recomenda os Roscolene Filters, que podem ser encomendados de Samarco Inc., P.O. Box 153008, Dallas, TX 75315-3008, tel. 214-421-0757. Na época em que o livro de Dinshah foi publicado (2003), os números correspondentes às cores recomendadas eram os seguintes: vermelho 818, laranja 809 & 828, amarelo 809, limão 809 & 871, verde 871, turquesa 861 & 871, azul 859 & 866, anil 828 & 859 & 866, violeta 832 & 859 & 866, púrpura 832 & 866, magenta 818 & 828 & 866, escarlate 810 & 818 & 861. Quando dois ou três números forem usados para uma cor, combine todos esses filtros (um em cima do outro) em qualquer ordem. Como os números e as cores podem mudar, ao contatar a Samarco, diga-lhes que quer as cores recomendadas por Dinshah. Este aconselha que, ao encomendar os filtros, você confira os números com a lista acima e marque cada um com seu número. Ignore os nomes de fanta-

sia dados às cores. Conjuntos de filtros já combinados estão disponíveis nos tamanhos 6 ½ por 6 ½ ou 8 por 10 polegadas. Se você for usar a lâmpada da Vita-Gem, especifique para a Samarco que o tamanho do filtro deverá ser de 6 ½ por 7 ¾ polegadas.

Lasers Terapêuticos Portáteis
Os *lasers* de alta qualidade combinam diodos de luz colorida, luz infravermelha e amplo alcance de freqüências de 1 a 20.000 Hz. Você pode aprender mais sobre terapia com *laser* de baixa intensidade e *lasers* terapêuticos portáteis de alta qualidade em www.Quantum-Healing-Lasers.com. Ganhará um desconto de 5% se mencionar o presente livro.

Pedras Terapêuticas de Joy Gardner
Em meu estúdio de lapidação trabalho com pedras terapêuticas, burilando-as até obter a forma e o tamanho exatos que elas próprias exigem. Algumas podem ser vistas em meu website, www.joy.highvibrations.net. Você pode pedir as pedras que deseja ou enviar a mim as que tem em estado bruto para lapidação ou reparação. Estão disponíveis também *kits* pré-embalados. Meu e-mail é: vibes@aloha.net.

The Healing Voice — Toning the Chakras
Essa fita cassete orientará você na respiração de cores e entonação para cada chakra. Acessar www.joy.highvibrations.net.

Vibrational Healing Program de Joy Gardner
Venho ensinando esse programa desde 1989. Hoje, ele tem a forma de um programa de quatro semanas, ministrado em dois segmentos num período de um ano, com quatro seminários experimentais para cada segmento. Os seminários promovem cura pessoal profunda, crescimento interior, aumento da autoconfiança, percepção da Voz Interior e determinação de seu Propósito Divino. Uma vez que esses atributos são parte essencial de uma vida plena e realizada, muitos alunos se matriculam apenas para obter cura ou evolução pessoal. As leituras exigidas garantem que todos já comecem com um acervo comum de conhecimentos, podendo portanto ser instruídos simultaneamente não importa o seu nível de perícia. Os formados no programa podem obter o certificado de Curador Vibracional. Atualmente, os seminários incluídos no currículo são: A Voz Que Cura; Alívio Emocional; Equilíbrio dos Chakras por Meio de Pedras; Aromaterapia e Som; Causas Subjacentes — As Raízes da Doença; Exame da Crença Íntima; Regressão a Vidas Passadas; Intuição, Meditação e Libertação de Espíritos Mundanos; Diagnose por Meio dos Chakras e Alinhamento Vibracional®. Para maiores informações sobre o Vibrational Healing Program, além de outras palestras e seminários, acessar www.joy.highvibrations.net.

Website de Joy Gardner
Acesse www.joy.highvibrations net para mais de cem páginas de informação sobre o Vibrational Healing Program, artigos de revistas, curadores vibracionais diplomados, circulares, trechos de meus livros e de minha fita e CD.

Cynthia Mitchell, Terapeuta de Sons

Cynthia pretende, com seu trabalho, "proporcionar uma paisagem sonora onde a pessoa possa repousar". Para mais informação, acesse meu website, www.joy.highvibrations.net/joy/practitioners.html.

Sons da Origem
Harish Johari, músico, compositor, poeta, artista e estudioso tântrico do norte da Índia, produziu uma fita dos tradicionais "Sons dos Chakras" védicos. Está disponível em www.tantra.com/tantra2/30-040.html.